D0168433

Le journal d'Aurélie Laflamme, Plein de secrets

tome 7

De la même auteure

Les aventures d'India Jones, Les Éditions des Intouchables, 2005.

Le journal d'Aurélie Laflamme, Extraterrestre… ou presque !, Les Éditions des Intouchables, 2006.

Le journal d'Aurélie Laflamme, Sur le point de craquer !, Les Éditions des Intouchables, 2006.

Le journal d'Aurélie Laflamme, Un été chez ma grand-mère, Les Éditions des Intouchables, 2007.

Le journal d'Aurélie Laflamme, Le monde à l'envers, Les Éditions des Intouchables, 2007.

Le journal d'Aurélie Laflamme, Championne, Les Éditions des Intouchables, 2008.

Le journal d'Aurélie Laflamme, Ça déménage !, Les Éditions des Intouchables, 2009.

India Desjardins

Le journal d'Aurélie Laflamme

Plein de secrets

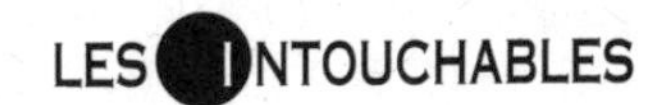

LES ÉDITIONS DES INTOUCHABLES
512, boul. Saint-Joseph Est, app. 1
Montréal (Québec)
H2J 1J9
Téléphone : 514 526-0770
Télécopieur : 514 529-7780
www.lesintouchables.com

DISTRIBUTION : PROLOGUE
1650, boul. Lionel-Bertrand
Boisbriand (Québec)
J7H 1N7
Téléphone : 450 434-0306
Télécopieur : 450 434-2627

Impression : Transcontinental
Illustration de la couverture : Josée Tellier
Illustrations intérieures : Josée Tellier
Mise en pages : Marie Leviel
Photographie de l'auteure : Lawrence Arcouette
Révision : Annie Talbot, Élyse-Andrée Héroux
Correction : Élaine Parisien

Les Éditions des Intouchables bénéficient du soutien financier du gouvernement du Québec — Programme de crédit d'impôt pour l'édition de livres — Gestion SODEC et sont inscrites au Programme de subvention globale du Conseil des Arts du Canada.

Nous reconnaissons l'aide financière du gouvernement du Canada par l'entremise du Programme d'aide au développement de l'industrie de l'édition (PADIÉ) pour nos activités d'édition.

Membre de l'Association nationale des éditeurs de livres.

Conseil des Arts du Canada
Canada Council for the Arts

© Les Éditions des Intouchables, India Desjardins, 2010
Tous droits réservés pour tous pays

Dépôt légal : 2010
Bibliothèque et Archives nationales du Québec
Bibliothèque nationale du Canada

ISBN : 978-2-89549-414-0

À mes amis, gardiens de tous mes secrets.

Merci à :

Papa, Maman, Gina, Patricia et Jean.

Mélanie L. Robichaud, Mélanie Beaudoin, Maude Vachon, Nadine Bismuth, Mélanie Campeau, Nathalie Slight, Michelle-Andrée Hogue, Julie Blackburn, Emily Brunton, Pascale Lévesque, Claudia Larochelle et Valérie Guibbaud.

Josée Tellier.

Judith Landry.

Ingrid Remazeilles.

Michel Brûlé et l'équipe des Intouchables.

Annie Talbot et Élyse-Andrée Héroux.

Marie-Claude Gagnon.

Simon Olivier Fecteau, Stéphane Dompierre.

Marianne Verville, Jérémie Essiambre, Geneviève Chartrand, Aliocha Schneider, Marianne Bourdon et Christian Laurence.

Daphné Bourbonnais, Xavyer Mallette et tous mes autres lecteurs et lectrices qui me soutiennent et me donnent plein de bonnes idées !

Merci (X 1000) ! ! !

Septembre

Anguille sous roche

Samedi 1er septembre

Je vais mourir. Évidemment, tous les humains meurent un jour. Il faut s'y attendre. Ce n'est pas, disons, une grande nouvelle. On passe sa vie à repousser ce moment qui arrivera un jour ou l'autre sans qu'on puisse y changer quoi que ce soit. J'ai, pour ma part, tenté de le repousser aussi longtemps que j'ai pu, mais là, maintenant, c'est impossible. Adieu !

Je ferme les yeux, je courbe les épaules et je fais « iiiiii » en attendant que ça survienne. De façon imminente, si j'en crois cette vision du camion qui fonce directement sur moi à une vitesse folle.

J'ai entendu dire qu'au moment de notre mort, toute notre vie défile devant nos yeux. Je vais donc sûrement avoir des flashs de ma vie en accéléré d'ici peu. Tiens, il m'en vient un spontanément. Je devais avoir quatre ans et, avec ma mère et mon père, nous sommes allés souper chez ma tante Loulou, la sœur de ma mère.

Euh... ? C'est tout ? Je vais mourir et le seul flash qui surgit est un souper anodin chez ma tante Loulou ? C'est ce que je vais apporter dans l'au-delà comme souvenir ? J'ai toujours su que mon cerveau était un peu défectueux, que mes neurones n'étaient pas totalement fonctionnels. Mais à ce point-là ? Je vais mourir et tout ce qui restera de mon passage sur terre est le souvenir d'un souper chez ma tante Loulou lorsque j'avais quatre ans ? C'est l'héritage que je lègue à la planète ? Un souper que j'avais oublié jusqu'à ce qu'un camion me fonce droit dessus ?

J'implore mon cerveau de se concentrer un peu afin que j'apporte dans mon passage vers l'autre monde le souvenir des gens qui ont croisé ma route.

Le premier qui me vient en tête est celui du prof de conduite, assis à mes côtés, qui doit lui aussi en ce moment revoir les événements marquants de sa vie. J'étais complètement terrorisée, tout à l'heure, lorsque je suis montée dans son véhicule, pour mon premier cours de conduite pratique. Ma terreur a vite laissé place au dégoût, car le prof dégageait une forte odeur d'épices. Je dirais « cari mal digéré » et autres épices du genre, mélangés à des effluves de transpiration. Comment peut-on se concentrer sur la conduite quand la personne censée nous guider sent la quasi-pourriture ?

Oups, je perds le focus. Il faut mourir zen. Je ne dois pas laisser les souvenirs d'un professeur de conduite qui pue s'emparer de moi. Ni me mettre en colère. Je dois être paisible. Respirons. Ah-fu. Ah-fu.

Je devrais plutôt penser aux gens que j'aime.

À ma mère qui est cool malgré son obsession pour la propreté absolue.

À François Blais (qui se retrouve dans cette liste seulement et uniquement parce qu'il est le chum de ma mère et que lorsque je pense à elle maintenant, une image de François m'apparaît comme un flash d'une nanoseconde tout au plus).

À ma grand-mère Laflamme et à notre complicité qui surmonte le fossé des générations.

À mes grands-parents Charbonneau qui me font rire et qui m'ont récemment donné une image, disons, plus positive du camping.

À Sybil, ma chatte, qui ne se remettra probablement pas de mon départ, mais avec qui je resterai sûrement en contact, car il paraît que les chats ont le pouvoir de communiquer avec les esprits.

À Kat, ma *best 4ever and ever* que je n'oublierai jamais même si je suis destinée à devenir zombie.

À Tommy, mon meilleur ami gars et ancien voisin, que j'irai sûrement hanter juste pour voir la face qu'il fera en apercevant un fantôme.

À Nicolas, mon seul et unique amour, qui me manquera énormément dans l'au-delà. Et qui, lui, ne souffre d'aucun problème de puanteur, car il dégage la meilleure odeur du monde. Celle d'un assouplissant mystérieux et absolument introuvable en magasin, dont le parfum se mélange à celui de la gomme au melon. Mmmm...

Et à mon père. Au plaisir que j'aurai à le revoir une fois que je serai du côté des morts, à la peur de ce que le revoir signifie (que je ne reverrai plus jamais tous les gens décrits avant, ce qui me fait de la peine, sauf pour le prof de conduite ; lui, je ne m'en ennuierai pas, ça non, surtout que le paradis, à mon avis, doit être « olfactivement » confortable), et à la honte que j'aurai lorsque, de l'autre côté, mon père me demandera : « Mais qu'est-ce que tu fais ici, ma fille ? », et que je devrai répondre :

— Mon prof de conduite, qui, en passant, sent vraiment le cari, ce qui peut affecter la concentration, m'a rappelé de vérifier l'angle mort. Là, j'ai regardé ledit angle mort, mais j'ai trop avancé la tête et je me suis cogné le nez contre la vitre. Ça m'a donné un choc et j'ai perdu le contrôle du volant. En fait, pour être parfaitement honnête — parce que j'imagine qu'au paradis, ou quelque univers où l'on se retrouve après la mort, il doit nous être fortement suggéré de l'être — , eh bien, quand j'ai tourné ma tête vers la gauche pour vérifier l'angle mort, mes mains ont suivi le mouvement et tourné le volant dans cette direction. Ce qui m'a permis de découvrir par le fait même que mon corps aime déplacer tous ses membres, du même côté, en même temps. Mais bon, tout ça pour dire que ça adonnait mal, toute cette coordination de mouvements, parce que dans le fameux angle mort se trouvait un camion qui avançait à vive allure et, en tournant le volant du même côté que ma tête, j'ai foncé droit vers lui, et comme j'avais le visage collé contre la vitre, j'ai momentanément eu la vue brouillée, ce qui a rendu notre sauvetage impossible. Dans un accident, tout se joue en quelques secondes, n'est-ce pas ? J'en ai la preuve maintenant. La vie ne tient qu'à un fil... ou à une mauvaise coordination de mouvements, dans mon cas. Waouh ! La mort me rend très philosophe. Bref, papa, allô, en passant, ça fait longtemps qu'on s'est vus, t'aurais pu me dire bonjour avant de me demander pourquoi je suis ici. En tout cas, ne gâchons pas nos retrouvailles pour des politesses. J'espère que tu n'auras pas trop honte de me présenter à ton clan d'anges ou d'extraterrestres, peu importe comment vous appelez votre club au ciel. Je n'ai pas fait exprès. Et j'aime penser que tous mes défauts sont génétiques. Mes qualités aussi. Mais ça adonne que je n'en ai pas tant que ça. Donc, je ne voudrais pas t'insulter, mais c'est un peu ta faute.

15 h 53

J'ai les yeux fermés et je fais toujours « iiii » en attendant ma mort imminente lorsque le prof de conduite s'empare du volant, ramène les roues vers la droite (ou du côté opposé au camion, mais je suis trop énervée pour évaluer avec certitude si c'est vers la gauche ou vers la droite) et crie (en dégageant une forte odeur de cari vu qu'il a déplacé beaucoup d'air pour nous sauver la vie) :

— MAIS QU'EST-CE QUE VOUS ALLEZ FAIRE QUAND VOUS SEREZ SEULE SUR LA ROUTE???!!!!!!!?????

Réponse (non dite) : Je n'irai pas sur la route. Point.

Et si jamais j'y vais (en cas d'extrême nécessité, style pour sauver la vie de quelqu'un), j'ai un discours tout prêt (ou presque) pour mon père lors de mon arrivée au ciel, pour justifier mon trépas.

Une chance que je ne suis pas morte. Ma mère aurait ca-po-té. Surtout que ce cours était mon cadeau de fête et qu'elle a tant insisté pour que je le suive. Je suis allée passer l'examen du permis temporaire en suivant les cours théoriques de façon accélérée. Puisque je suis souvent dans la lune pendant un cours théorique, il était préférable que j'étudie par moi-même, mais bon, l'étude théorique n'est pas non plus mon point fort. Donc, pour la plupart des questions de l'examen, j'ai utilisé mon bon jugement pour répondre. De toute façon, je me suis dit que c'était ce qui s'avérerait le plus utile sur la route. Après tout, lorsque survient un danger, ne faut-il pas se fier à son instinct et à son bon jugement ? J'ai passé le permis temporaire super facilement ! Mais, à en juger par ma performance d'aujourd'hui à mon premier cours de conduite pratique, mon instinct n'est peut-être pas très aiguisé en matière de tenue de route.

D'ailleurs, je peux affirmer, après cette première expérience, que conduire serait extraordinaire sans 1) piétons, 2) vélos, 3) autres voitures, 4) nids-de-poule, 5) prof agressif pour cause de totale incompétence (la mienne), 6) cerveau hyperactif, 7) klaxons, 8) angles morts, 9) pédales placées de façon non ergonomique et mêlante, 10) virages à gauche non prioritaires, 11) signalisation routière ambiguë, 12) passager doté du sens de la parole, 13) jugement des autres conducteurs lorsque l'insigne « élève au volant » est placée sur le toit du véhicule que vous conduisez, 14) cari et 15) constant danger de mort.

16 h 01

Le prof vient me reconduire à la maison. Lorsqu'il repart, je réalise que j'ai oublié mon chandail dans la voiture. Je cours derrière le véhicule en faisant de grands gestes et en lui criant de s'arrêter, mais il ne s'arrête pas. Ce que je trouve très étrange parce qu'il m'a répété un million de fois (en fait, disons, pour être plus précise, environ treize) de regarder dans le rétroviseur toutes les dix secondes. Non seulement j'ai l'air folle sur ma rue, une rue où, précisons-le, je suis encore une étrangère pour mes voisins puisque j'habite ici depuis à peine deux mois, mais je réalise que mon prof ne suit pas ses propres recommandations ! Car s'il les suivait, impossible qu'il me manque. À moins qu'il pense que je cours derrière la voiture parce que je suis passionnée par la conduite automobile et que je veux suivre une autre leçon au plus vite ? Donc, en ce moment, il se sentirait poursuivi et... s'enfuirait ?

16 h 04

À bout de souffle, je renonce à courir derrière la voiture et, par le fait même, à récupérer mon chandail. De toute façon, s'il reste plus longtemps dans cette voiture, c'est peine perdue, il sentira les épices et je ne voudrai plus le porter. Il est gâché de toute façon. Je marche vers la maison, bredouille.

16 h 05

J'entre chez moi. Ma mère est assise dans le salon et lit.

— Pis ? Comment ç'a été ?

Moi : Hum... je pense que je vais prendre un petit *break* de cours de conduite pour un bout.

Ma mère : Après seulement un cours ?

Moi : Ouain, ben, t'sais, je commence ma cinquième secondaire, je pense que ça va être beaucoup de travail. Il faut que je me concentre sur mon avenir, je pense.

Ma mère : Faut pas abandonner après le premier obstacle.

Moi : Non, non, c'est pas un abandon. Je repousse seulement (non dit : ma mort) pour un petit bout. De toute façon, t'sais, selon les statistiques, les jeunes ne sont pas vraiment responsables au volant. Je crois que c'est mon devoir de, disons, citoyenne de ne pas encombrer les routes avec mon manque d'expérience. Aussi, après mûre réflexion, conduire, ce n'est pas très écolo. Je crois que je suis une cycliste dans l'âme, plus qu'une conductrice. Je pense que c'est plus important de sauver la planète que de savoir conduire.

Ma mère : Ç'a si mal été que ça ?

Moi : Maman, c'était pire que pire que pire ! J'ai cru mourir ! Carrément mourir ! J'ai vu ma vie défiler devant mes yeux ! Ben, en tout cas, un seul souvenir, mais ça n'a pas d'importance ! J'ai cru que je ne te reverrais jamais !

Je cours vers elle et la serre dans mes bras.

Ma mère soupire et lance, avant de replonger dans son livre :

— C'est toi qui décides.

Note à moi-même : J'ai survécu !!!!!!!!!!! J'ai un sursis !!!!!!!!!!!!!

Note à moi-même n° 2 : À l'avenir, éviter toute témérité excessive, c'est-à-dire conduire.

Note à moi-même n° 3 : Tant qu'à y être, éviter aussi le cari.

Lundi 3 septembre

Après avoir failli perdre la vie (bon, OK, peut-être pas la vie, disons, un cheveu... mais un cheveu important !) pour cause d'angle mort et de surdose de cari, j'ai pensé qu'il fallait profiter de chaque moment au maximum. Agrémenter sa vie (en tout cas, la mienne) pour avoir des souvenirs meilleurs qu'un souper chez sa tante !

Comme aujourd'hui est la dernière journée des vacances avant la rentrée, j'ai appelé tout le monde pour les inviter à la Ronde. Bon, OK, pas tout le monde. J'imagine un peu la tête d'un Japonais travaillant à la Bourse qui reçoit un appel d'une jeune Québécoise qui l'invite à la Ronde. Hi hi ! Ce serait drôle ! (Pas tant que ça, je délire.) J'ai invité Kat et son chum Emmerick, Tommy, Jean-Félix et Nicolas.

Ces derniers jours ont été assez chargés. Kat et moi sommes allées remplir des demandes d'emploi dans plusieurs boutiques du centre commercial. (Il paraît qu'un bal de finissants, ça coûte cher, alors un peu d'argent de poche ne serait pas de refus.) C'était cool de passer une journée ensemble, car, dernièrement, nous avons passé beaucoup de temps avec nos chums. Puisqu'elle et Emmerick ne vont pas à la même école, ils ont profité du temps qu'il leur restait avant la rentrée pour être toujours ensemble. Tandis que, de mon côté, j'ai rattrapé le temps perdu avec Nicolas. C'est pratiquement comme si on ne s'était jamais quittés. Bien sûr, un grand malentendu était survenu lorsque Tommy, qui était nouveau dans le quartier dans ce temps-là, m'avait embrassée (précision : contre mon gré) devant les fenêtres de MusiquePlus, que ç'avait malencontreusement été diffusé et que Nicolas l'avait vu avant que je puisse lui raconter l'anecdote, vraiment futile et anodine et même hilarante, quand on y pense comme il faut (Nicolas n'en est pas encore à la trouver hilarante, mais bon, j'imagine que ça viendra). Il m'en a un peu reparlé, mais on s'est promis de laisser le passé dans le passé. Comme cette fois (dans le passé) où il avait commencé à être un peu bête avec moi à l'école quand je sortais avec Iohann. Mais bon, on s'est promis de repartir sur de nouvelles bases. Nous avons essayé d'être séparés et ça n'a pas donné grand-chose, car quand nous nous croisons, notre cœur bat très fort dans notre poitrine (le sien aus-siiiiiiiiiiiiiiiiiii!!!!!!!!!!!!).

Je n'en revenais pas d'apprendre ça. J'avais presque cru, à un moment donné, que j'avais été une étoile filante dans sa vie, comme toutes les autres filles qu'il a fréquentées après moi (et il y en a eu beaucoup). Mais il m'a confié qu'il n'a jamais arrêté de m'aimer. Et moi non plus, même si je réussissais à me faire croire le contraire. Chaque fois que je le voyais, j'avais les jambes molles malgré moi. Alors, depuis une semaine, nous passons tous nos temps libres ensemble.

Je lui ai avoué que, chaque fois que je le voyais, ça faisait « titilititiiiii » dans ma tête et ça l'a fait beaucoup rire. Et maintenant, on se répète ça (pas devant les autres, car on aurait l'air un peu bizarres, mais quand nous sommes seuls).

D'ailleurs, même si nous avons passé beaucoup de temps ensemble, nous nous sommes promis de recommencer à voir nos amis. Il faut dire que cette semaine, Tommy m'a appelée trois fois pour faire des activités et que chaque fois, j'étais avec Nicolas. Je me suis sentie un peu mal de le délaisser comme ça, mais il m'a dit qu'il comprenait, qu'il savait que ça faisait longtemps que je m'ennuyais de Nicolas. Il ne m'en voulait pas.

Finalement, cette journée à la Ronde sera une belle occasion de nous voir dans un contexte cool avant la rentrée. Et c'était, disons, un de mes rêves que Nicolas soit là, dans ma gang. D'ailleurs, pas question que je revive la même chose qu'avec Iohann et sa gang et que je me retrouve assise entre deux tables à la cafétéria. Nicolas et moi avons déjà décidé qu'on mélangeait nos deux gangs. Comme ça, on mangera ensemble, avec nos amis.

10 h 12

Dans le métro, vers la Ronde.

J'ai trop hâte de faire le Goliath, mon manège préféré !

Tommy pitonne sur le nouveau cellulaire qu'il vient de s'acheter. Kat parle à Jean-Félix pendant qu'Emmerick regarde ce que fait Tommy. Nicolas me tient la main et on ne se lâche pas des yeux.

Kat : Heille, vous deux ! Vous n'allez pas faire cette face-là toute la journée ?

Nicolas sourit et me chuchote « oups, titilititi » à l'oreille et j'éclate de rire.

Kat : Tu t'habilles comment demain, Au ?

Moi : Merde, je n'y ai pas pensé ! (À Nicolas :) Comment tu t'habilles, toi ?

Nicolas : Pourquoi ? Qu'est-ce que ça change ?

Tommy (sans lever la tête de son jeu) : Bienvenue dans le monde de Kat et Laf.

Moi : Ben... il ne faudrait pas que, sans se consulter, on arrive habillés pareil... ou mal assortis. Genre tu t'habillerais tout en vert et je m'habillerais tout en rouge. Ça ferait trop... Noël.

Nicolas : Pourquoi je m'habillerais tout en vert ?

Kat : C'est un exemple ! (À moi :) Bon exemple, Au.

Moi : Merci, ça m'est venu tout seul, comme ça, pouf.

Kat : Je le sais, c'est hot. Ce serait vraiment poche d'avoir l'air de Noël.

JF : Moi, je me suis acheté un t-shirt vraiment cool en Allemagne cet été et je crois que c'est ce que je vais porter. Toi, Tom ?

Tommy : Je m'en fous. Linge pas trop sale.

Kat : C'est la première journée de notre dernière année au secondaire. Me semble que c'est spécial.

Nicolas : C'est au bal qu'on est supposés se forcer pour l'habillement.

Moi : Oui, au bal. Mais, en même temps, vu que c'est une rentrée spéciale, si on la rate, ça va trop nous marquer pour la vie. Comme si, admettons, tu te faisais couper les cheveux aujourd'hui et que la coupe était ratée, toute ta vie tu dirais : « La première journée de ma cinquième secondaire, j'avais une coupe de cheveux vraiment affreuse ! »

Kat : T'es en feu avec tes exemples ! C'est tellement vrai !

Moi : Je le sais ! J'sais pas trop ce que j'ai ! Je crois qu'être passée près de la mort a redonné vie à mon cerveau.

Nicolas : Vous ne vous mettez pas un peu trop de pression pour rien ?

Tommy : T'aurais dû les voir l'an passé. Il a fallu que je me tape le défilé de toute leur garde-robe.

Kat : C'était pas si pire que ça !

Moi : Ouain, t'as eu un spectacle privilégié !

JF : Vous auriez dû m'appeler.

Kat : On ne te connaissait pas dans ce temps-là.

La voix automatisée nous annonce que nous sommes à la station Jean-Drapeau, notre arrêt pour la Ronde. Nous nous dirigeons vers la porte et, en me levant, je reste collée au banc, et je dois forcer un peu plus pour me lever. Je découvre que j'étais assise sur un suçon de caramel et qu'il est collé sur ma fesse droite. Je regarde ma fesse et je tente de le décoller, mais il reste collé sur ma main, ce qui me dégoûte complètement (un suçon ayant été mâché par un inconnu sur mes doigts : ouaaaaaaaach). Je secoue ma main pour m'en débarrasser et, au moment où je m'apprête à sortir du wagon, les portes se referment devant moi et je reste enfermée là, devant tous mes amis qui sont l'autre bord de la porte. Nicolas essaie d'ouvrir les portes, sans succès, et le métro repart. Avec moi dedans.

10 h 14

Grommelle, grommelle, grommelle. Je suis à la station Longueuil et je dois traverser de l'autre côté pour prendre un métro qui me ramènera à la station Jean-Drapeau. Grommelle, grommelle, grommelle. Pourquoi ça m'arrive à moi, des trucs du genre ? J'ai encore du suçon brun tout collé sur mes jeans, avec un petit bout de serviette en papier. Grommelle, grommelle, grommelle. Et j'en ai encore sur les doigts. J'ai beau les frotter ensemble, ça ne part pas. Grommelle, grommelle, grommelle.

10 h 15

Le prochain train sera là dans cinq minutes, annonce le panneau électronique. Grommelle X 1000.

10 h 23

Je descends du train et je monte les escaliers pour sortir de la station et prendre l'autobus pour la Ronde lorsque j'aperçois mes amis, qui me font de grands signes et qui crient mon nom. Ils m'ont attendue ! Je cours dans les escaliers pour les rejoindre.

Moi : Vous m'avez attendue ?

Kat : Ben, qu'est-ce que tu pensais, nounoune ? Qu'on irait à la Ronde sans toi ? Franchement !

Nicolas : Qu'est-ce qui s'est passé ?

Moi : J'étais assise sur un suçon...

Tommy : Ah, c'est pour ça que t'étais plus grande que tout le monde.

Kat : Franchement, niaiseux !

Moi : Je suis toute collante !

Je me retourne et leur montre mes fesses où il reste quelques bouts du suçon grumeleux avec une partie de la serviette, et je leur montre que mon pouce et mon index collent ensemble à cause des restes du suçon qui semblent avoir définitivement élu domicile sur ma peau.

Tommy (vers Nicolas) : Tu vas voir, on s'habitue, c'est toujours comme ça avec elle.

Nicolas : Je la connais bien, moi aussi, et ça ne me dérange pas. (Vers moi :) Je vais surveiller les affaires qui collent pour toi, si tu veux.

18 h 05 (heure approximative, car je n'ai pas vraiment regardé l'heure, mais plutôt les yeux de Nicolas – voir anecdote plus bas. Alors, par souci d'exactitude, j'ai cherché sur un site de météo l'heure approximative à laquelle se couche habituellement le soleil le 3 septembre.)

Si on oublie ce petit, disons, incident matinal qui a retardé notre arrivée à la Ronde, je pourrais me souvenir de cette date et l'enregistrer dans mon top cinq des plus belles journées de ma vie. Je ne tiens pas encore de tels palmarès, mais ce serait bien, au cas où j'aurais d'autres expériences de mort imminente.

Ainsi, mon cerveau pourrait tout de suite puiser des souvenirs à même ces listes.

Nous avons fait tous les manèges, même les poches. Parlé de tout et de rien. Ri. Tripé. Tommy a même gagné un gros toutou affreux qu'il a été obligé de transporter toute la journée.

C'était la quatrième fois que nous faisions le Goliath et j'admirais le paysage pendant la première montée vers le ciel rose, bleu, mauve où brillait un soleil orange très foncé qui se cachait à moitié derrière la ligne d'horizon. Tout le monde m'a fait promettre de garder mes yeux ouverts cette fois-ci. C'est que la première montée de la montagne russe est très haute et la première chute, vertigineuse. Ça donne carrément l'impression de tomber, de voler et, chaque fois, prise de panique, je ferme les yeux.

Au moment du départ du train, je me suis retournée vers Kat et Emmerick, assis à côté de Nicolas et moi, pour leur dire à quel point le ciel était beau. Kat, paniquée, s'est écriée :

— On s'en fout du ciel ! Oh non, oh non, pourquoi je suis revenue ici ? Oh non, oh non !!!

Emmerick a ri et a crié super fort pour la taquiner. Nicolas m'a regardée, a pris ma main, celle encore souillée par les petits grumeaux de suçon, a entrelacé mes doigts avec les siens et a lancé :

— Je t'aime, Aurélie Laflamme, et je ne te lâche plus.

Et j'ai su, à ce moment, qu'il n'y avait qu'une seule chose au monde capable d'empêcher mon visage d'afficher ce sourire béat et de me faire détourner les yeux de Nicolas : la première descente du Goliath. J'ai fermé les yeux et j'ai crié :

— WOUAAAAAAAHHHHHHH ! ! ! ! ! ! ! ! AU SECOOOOOUUUUUURS ! ! ! ! ! ! ! ! ! ! ! ! ! !

Mardi 4 septembre

Main dans la main avec Nicolas. C'est l'image qui me restera de ma rentrée en dernière année du secondaire. Je ne me souviendrai peut-être pas de mes vêtements. Je ne me souviendrai peut-être pas de ses vêtements à lui non plus, mais je me souviendrai que j'étais main dans la main avec lui. Qu'il faisait beau et chaud. Et que j'avançais pour la dernière année vers les portes de cette école secondaire.

En marchant vers l'entrée, une pointe de nostalgie m'envahit. Je repense à mon ancienne école, celle où j'ai étudié (OK, j'avoue, *étudier* est un bien grand mot, disons, celle que j'ai *fréquentée*) de la première à la troisième secondaire. Une école privée de filles qui a fermé parce que les gens préfèrent les écoles mixtes et qu'il n'y avait pas assez d'inscriptions. Je pense à mes profs préférés, sœur Rose, la prof de bio ; Marie-Claude, ma prof de français ; monsieur Beaulieu, mon directeur, qui a tout fait pour sauver l'école. Il paraît qu'il enseigne maintenant la littérature au cégep. J'avais pourtant tenté, moi aussi, de sauver mon école. Mais ça n'a pas fonctionné. L'édifice est maintenant en rénovation pour être transformé en immeuble de condos.

8 h 45

— Pourquoi tu fais une face d'enterrement? me demande Kat.

Je ne l'avais pas vue arriver. Elle est accompagnée de Julyanne, sa sœur, qui commence aujourd'hui sa première secondaire et qui semble nerveuse.

Moi: J'sais pas... Je pensais à notre ancienne école. À sœur Rose et à Beaulieu.

Julyanne: J'aurais aimé ça y aller, à cette école-là, moi aussi.

Kat: On a ben plus de fun ici. Au moins, il y a des gars.

Moi: Ça ne change rien pendant les cours.

Kat: Ça met de la vie.

Moi: On en mettait de la vie, en masse!

Kat: Te souviens-tu de la fois où hahahahahaha on a mis une vieille sacoche au bras d'une statue de la Sainte Vierge et que hahahahaha Beaulieu a cherché les coupables sans succès? Hahahahahaha! On se trouvait super drôles!!!

Moi: Hahahahaha! Surtout que la sacoche était bien assortie à son look!

Nicolas: Vous avez fait ça?

Kat et moi rions.

Julyanne: J'aurais vraiment aimé ça y aller...

Kat: Ça va être correct, Ju. Au et moi, on n'avait pas de grandes sœurs quand on est entrées au secondaire pis on s'est débrouillées.

Tu vas sûrement te faire une super meilleure amie pour la vie, comme nous.

Elle se colle l'épaule sur moi.

Tommy arrive et demande :

— C'est quoi, la réunion ?

Nicolas : Au et Kat mettent des sacoches aux Saintes Vierges...

Kat : On ne fait plus ça, on était jeunes !

Julyanne : Vous aviez mon âge ! Je ne suis pas jeune !

Kat : Ben, t'es plus jeune que nous, quand même !

Nicolas : Julyanne est stressée par sa première journée au secondaire...

Julyanne : Je ne suis pas stressée !

Kat : Ben oui, t'es stressée !

Tommy : *My God* ! Il s'en passe, des affaires !

JF arrive et s'approche de nous en disant :

— Salut, les débiles ! Il y a une alerte à la bombe ou quoi ? Qu'est-ce que vous attendez pour entrer ?

Kat : On t'attendait, gros niaiseux !

JF : Je ne suis pas gros. Tu trouves que je suis gros ? Pourtant, je mange bien, je m'entraîne. Karaté pis tout.

Il fait un geste de karaté comme s'il attaquait Kat et elle éclate de rire.

Kat : Ben non, t'es pas gros, franchement !

Raphaël, le meilleur ami de Nicolas, arrive près de nous et nous salue. Il est suivi d'un autre ami de Nicolas que je n'ai jamais rencontré, un grand gars assez maigre qui s'appelle Jonathan Bolduc, mais que les deux gars appellent Patin. Quand j'ai demandé à Nicolas pourquoi il portait ce surnom, il m'a simplement répondu que c'était à cause du hockey. Ah.

Tommy : Bon, prêts ?

Pendant que nous avançons vers l'entrée, nous comparons nos horaires, que nous avons reçus la semaine dernière. Tommy et moi, qui sommes pourtant tous les deux inscrits dans le profil arts, n'avons aucun cours ensemble. Kat et Nicolas, qui sont tous les deux dans le profil sciences pures, ont un cours de français ensemble et la période d'étude libre (je suis un peu jalouse de mon amie, car j'aurais aimé avoir des cours en commun avec Nicolas). JF et Tommy sont ensemble en maths. Je suis un peu déçue de n'avoir aucun cours avec mes amis, mais bon, je vais m'en remettre. Ce n'est pas comme si c'était un *si* grand drame. (Oui, ça l'est ! Poooooooooooocheeeeeeeeeeeee !)

Une fois à l'intérieur, Kat se dirige vers l'aile des première secondaire et nous prévient qu'elle nous rejoindra plus tard, car elle veut conduire sa sœur à son premier cours.

8 h 52

J'ai le pire casier de tout l'univers entier ! Casier 0226. Loin de tout le monde ! En plein milieu d'une rangée. Facile à repérer, car il est tout défraîchi. Il y a deux couleurs de peinture (gris, l'ancienne couleur, et jaune laid, la nouvelle), et il a été tout égratigné avec une clé ou un crayon, et on y retrouve plein d'insultes en graffitis, du genre « *bitch* » et autres mots non répétables. Je ne sais pas qui occupait ce casier avant, mais quelqu'un devait lui en vouloir. Ou il ou elle en voulait à quelqu'un.

8 h 55

Je retrouve Nicolas dans la salle des cases et je lui raconte mon anecdote de casier pourri. Il rit. Il a le numéro 0775, qui est tout près du 0777, le casier de rêve ! Situé à la fin d'une rangée, juste à côté de la machine distributrice. Nicolas me prend par la taille et m'entraîne dans le racoin entre la machine distributrice et le casier 0777, et me dit, avec un petit sourire :

— Regarde, c'est parfait pour s'embrasser ici. Pas de surveillants.

Il m'embrasse en mettant ses mains dans mes poches de jeans, comme il le fait souvent.

9 h 01

Nous sommes dérangés par Audrey Villeneuve, qui arrive en regardant son horaire et qui s'arrête devant le casier 0777. Elle a de longs cheveux noirs parfaits et elle est un peu plus grande que nous. Elle s'excuse de nous déranger avec un grand sourire (et on peut presque voir ses dents hyper blanches scintiller comme dans une pub de dentifrice). Puis, elle ouvre la porte en restant impassible, comme s'il ne s'agissait pas du meilleur casier du monde. Pfff. Il y a vraiment des gens qui ne savent pas apprécier les choses. Si j'avais eu ce casier, moi, j'aurais sauté de joie. OK, peut-être pas *sauté* de joie, mais, disons, au minimum, souri.

Nicolas et moi nous décollons et je la salue. Elle me regarde, ayant l'air de se demander qui je suis et pourquoi je la salue. Euh... politesse ? Je me sens soudainement mal de l'élan de sociabilité qui m'a envahie, sûrement à cause de mon bonheur d'être dans les bras de Nicolas. Elle me sourit et émet un faible « salut » en rangeant ses livres dans sa case-non-appréciée-à-sa-juste-valeur.

9 h 07

La case de Kat est à l'autre bout du monde ! Celle de Tommy aussi. Lorsque Kat est venue nous rejoindre, je lui ai demandé (pas dans ces mots, mais c'est ce que ça voulait dire) d'où lui venait son empathie (pour Julyanne, dans ce cas-ci), cet amour désintéressé d'autrui (toujours Julyanne), c'est-à-dire la volonté de faire en sorte qu'autrui (n'oublions pas qu'il s'agit de sa *sœur* Julyanne) trouve le bonheur, la sérénité et l'épanouissement personnel dans sa vie scolaire, sans rien attendre en retour. (Il me semble que la Kat que je connais n'aurait pas aidé sa sœur.)

Elle a répondu :

— Ben voyons, t'exagères ! Je l'aime, ma sœur. Je ne veux pas qu'elle se perde à sa première journée d'école et qu'elle me fasse honte !

Moi : Ahhhhh !

Je retire « amour désintéressé » et « sans rien attendre en retour ».

Kat : Sérieux, c'est pas facile, la première journée. Tu te souviens de notre première journée ?

Il y a quatre ans, septembre, première journée au secondaire :

J'étais ter-ro-ri-sée ! Kat et moi nous étions croisées à l'examen d'entrée de notre école, mais nous n'étions pas restées en contact. À ma première journée d'école, j'étais donc seule. Et elle aussi. Nous avions toutes deux quitté une école publique pour nous retrouver à l'école privée. Nous ne connaissions personne. Pour Kat, aller à cette école était un peu comme une punition. Elle en voulait énormément à ses parents. Sa mère tenait à ce qu'elle aille à cette école, car elle y avait elle-même fait son secondaire. Pour ma part, j'avais eu une chicane avec ma meilleure amie de l'époque à cause d'un gars et je ne voulais pas revivre ça. Je me disais qu'aller dans une école sans gars m'éviterait des problèmes (oui, bien sûr, avec du recul, j'ai remis en question ma logique). Toujours est-il que le premier matin, je me suis (évidemment) perdue. Et j'étais tellement gênée que, pour demander mon chemin vers la salle de cours à un prof, incapable d'aligner deux mots, j'avais récité une réplique d'un film que je connaissais par cœur, et dans lequel le personnage principal demande son chemin (un film doublé ; donc, j'ai parlé avec un petit accent français. Je sais : trop débile). Au moment où je débitais ma réplique au prof, qui me regardait d'un air perplexe étant donné mon manque de naturel (je suis mauvaise comédienne), Kat se préparait à déclencher l'alarme d'incendie pour pouvoir se sauver de l'école. Mais lorsqu'elle m'a entendue, reconnaissant la réplique du film, elle a éclaté de rire et elle est venue me chercher en lançant au prof: « C'est beau, je vais la reconduire, c'est là que je vais aussi. » Et c'est comme ça que nous nous sommes rencontrées, et nous ne nous sommes plus jamais quittées.

Retour au 4 septembre, 10 h 51

La première journée de ma dernière année au secondaire ne pouvait pas plus mal commencer que par un cours de maths (j'ai failli m'endormir, pas encore tout à fait revenue de mes vacances). Il fallait en plus que je me retrouve par la suite en français (enrichi, comme toujours) avec cette non-appréciatrice-de-casier-parfait-qui-ne-répond-pas-quand-on-lui-dit-bonjour, mieux connue sous le nom d'Audrey Villeneuve. Je suis frue. Argh.

Le prof de français, Louis Brière, un grand mince à l'air intello dans la quarantaine, aux cheveux gris hirsutes et aux lunettes rondes, nous présente le programme de l'année:

— La réussite de votre cinquième secondaire est primordiale pour l'accès au marché du travail, et représente une nécessité pour ceux qui veulent poursuivre leurs études. Nous aurons donc cette année beaucoup de travail. Il sera important d'être motivé.

Je note dans mon cahier : « Motivé = super important. »

Monsieur Brière (qui continue) : Le plus grand facteur de réussite de votre année scolaire est le nombre d'heures que vous consacrerez à vos études. (Il note au tableau les mots « investissement » et « engagement ».) Je considère qu'un travail à temps partiel de plus de vingt heures par semaine nuit à votre réussite scolaire, et je vous demanderais de bien y penser lorsque vous êtes engagés. Aussi, vous serez sollicités par plusieurs comités reliés à votre graduation. Je pense qu'ils représentent une bonne façon de vous impliquer dans la vie scolaire et de vous faire participer à un projet positif et enrichissant. Vous êtes en français enrichi, vous avez donc un potentiel plus grand que la moyenne des élèves en cette matière. Je vous félicite, et je vous garantis que cette année en sera une de travail acharné. Le bal, le party, c'est à la fin de l'année que ça se passe. En attendant, beaucoup de travail nous attend. Alors, on s'y met ?

Personne ne répond. Croyait-il vraiment qu'on se montrerait enthousiastes après son discours ? Je me sens presque terrorisée.

Monsieur Brière (qui continue) : Cette année, les examens du ministère porteront sur l'ensemble de ce que vous avez appris durant tout votre secondaire. Alors, commençons par vous rafraîchir la mémoire sur quelque chose que vous avez appris en première secondaire. Bon, je sais que ça fait longtemps, mais...

Quelqu'un, dans la classe, lance sur un ton sarcastique :

— Ayoye, ça fait tellement longtemps que je me demande de quoi avaient l'air les autos dans ce temps-là.

Tout le monde rit (moi comprise), et je me retourne pour voir qui a dit ça. Je vois un gars aux cheveux, je dirais, caramel, pas vraiment bien peignés, qui lui descendent jusqu'au menton, habillé de jeans gris et d'un t-shirt noir dont je ne vois pas le motif. Il gribouille dans son livre et lève à peine la tête lorsque monsieur Brière l'interpelle :

— Monsieur Bérubé, je vous suggère de garder votre humour pour vos compositions écrites. Vous en aurez plusieurs à écrire cette année. Je ne voudrais surtout pas vous voir manquer d'inspiration. D'ailleurs, parlant de ça, dans quelques semaines, je vous reparlerai d'un concours d'écriture auquel j'aimerais que tous mes élèves participent.

Je regarde malgré moi vers Audrey. Je me sens déjà en compétition, ce qui n'est pas mon genre.

17 h 01

Sybil somnole et, soudainement prise d'un spasme incontrôlé, elle se met à laver comme une déchaînée un coin très précis de son dos pendant une minute, comme si elle trouvait tout à coup cette section de son corps particulièrement sale, et elle se rendort subitement tout de suite après. Ce qui me fait rire. Kat lève la tête de son agenda et me demande ce que j'ai.

Moi : Ce serait trop long à expliquer.

Et je flatte la tête de ma chatte qui est couchée tout près de moi. Kat et moi sommes assises face à face, en Indien, sur mon lit, et nous décorons notre agenda. Tommy est assis sur le divan et joue à un jeu vidéo. J'ai eu bien du mal à m'adapter à ma chambre, mais maintenant je trouve que c'est génial d'avoir ma chambre au sous-sol, avec un petit coin salon, un coin de travail et ma propre salle de bain. C'est presque comme un mini-appart !

Tommy pense que nous perdons notre temps à décorer notre agenda (commentaire venant d'un gars concentré sur un jeu vidéo, ce qui est assez ironique), mais Kat et moi trouvons que c'est une étape essentielle de la rentrée. C'est surtout une tradition que nous perpétuons depuis la première secondaire, et nous ne pouvons pas arrêter cette année. Et puis, l'agenda est tellement laid qu'il ne peut que bénéficier de nos talents artistiques. On y écrit des citations inspirantes. On colle des photos d'acteurs ou de musiciens qu'on aime, découpées dans nos vieux *Miss Magazine*. On met des autocollants d'émoticônes à côté des cours qu'on aime, de ceux qu'on n'aime pas. Puis, ma partie préférée est lorsqu'on s'échange nos agendas et qu'on s'écrit des phrases-surprises qu'on découvre à un moment donné dans l'année. Vraiment des niaiseries. Comme « mange du poil » (une expression de ma mère qui nous fait rire) ou « Robert Pattinson en brochette, miam » avec la tête de Robert Pattinson collée sur une brochette de viande, placée sur un dessin de feu réalisé avec un crayon marqueur orange. Ça nous fait rire à tout coup, surtout quand on le découvre pendant un cours !

18 h 32

Souper avec François et ma mère. Poulet aux olives.

Ma mère (en me servant du poulet) : Pis, ta première journée ?

Moi : Vraiment normale. Des profs cool, mais d'autres assez sévères, comme le prof de français. Et... on dirait que j'ai eu un petit, disons, pincement de ne pas finir mon secondaire dans mon ancienne école. Je ne sais pas trop pourquoi. Ça m'a fait de la peine de penser qu'elle est en rénovation et qu'on en fera des condos. Ça me fait vraiment quelque chose qu'elle soit fermée. Mais, dans un sens, si elle n'avait pas fermé, je ne terminerais pas le secondaire avec Nicolas. Fait que... c'est cool pareil, même si, genre, dans un sens, c'est triste.

Ma mère ne bouge plus depuis ma deuxième phrase et dit :

— C'est rare que j'ai droit à une réponse aussi élaborée quand je te pose cette question-là, je suis un peu surprise. Attends une minute, il faut que je trouve quoi répondre à ça.

Moi : T'sais, maman, il va falloir que tu te rendes compte que j'ai vieilli.

Elle regarde François, bouche bée, et s'assoit à la table.

François : Donc, ça te rend triste de ne pas finir ton secondaire avec les gens avec qui tu l'as commencé, mais tu trouves ça cool de passer ta dernière année avec ton chum.

Moi (prenant une bouchée) : Et Tommy et JF aussi.

Ma mère : Tu sais ce que ton père disait ?

J'arrête de manger, surprise. Il est si rare que ma mère évoque mon père, comme ça, spontanément. Je regarde son cou : aucune rougeur, comme chaque fois qu'elle en parle, n'apparaît. Je ressens une vive émotion en moi et je réponds :

— Non. Qu'est-ce qu'il disait ?

Ma mère : Il disait que la vie ne fait que des cadeaux, mais que des fois ils sont emballés dans des gants de boxe.

Moi : Meh, franchement, il avait donc ben pas rapport !

Ma mère : Pourquoi ? Si ton école n'avait pas fermé, tu ne finirais pas ton secondaire avec toute ta gang d'amis. Donc, c'était un cadeau, même si ç'a été dur à prendre au début.

Moi : Ce serait quoi, le cadeau mal emballé de la vie, qu'il soit mort ?

Ma mère hausse les épaules et François fait une tentative de changement de sujet vraiment pas subtile en complimentant ma mère pour sa recette (alors qu'habituellement il n'aime pas son poulet aux olives).

19 h 34

Couchée sur mon lit, je lance une balle au plafond (en essayant d'éviter mes autocollants d'étoiles), que je rattrape après chaque lancer. Ma mère arrive et me demande ce que je fais, car elle entend cogner dans le plancher. Je m'excuse et je place la balle sur ma table de chevet. Elle s'approche de mon lit et s'assoit près de moi.

— Désolée, ma belle, d'avoir ramené un souvenir de ton père. Je pensais que c'était une bonne phrase. Étrangement, je l'ai toujours considérée comme très positive et je me la remémorais quand je vivais quelque chose de difficile. Mais je ne l'avais jamais associée à sa mort jusqu'ici. Et tu as raison, il n'y a pas de cadeau là-dedans.

Je suis assez contente que ma mère dise ça, car, pendant un moment, j'ai cru qu'elle allait m'annoncer que le cadeau, c'était qu'elle n'aurait jamais pu fréquenter François si mon père était encore vivant.

Moi : On a le tour de se boucher, ce soir. C'est rare que tu parles de papa.

Ma mère rit et reprend :

— Va falloir que tu te rendes compte que j'ai vieilli.

Je ris à mon tour et je dis :

— Arrête pas d'en parler, OK ? J'ai réagi trop fort pour rien. C'est moi qui m'excuse.

Ma mère : Bon, on ne passera pas la soirée à s'excuser, hein ?

Moi : T'sais, m'man, je le sais qu'on se chicane des fois pis tout, mais... t'es ben correcte, comme mère... la plupart du temps. Même que je dirais que t'es pas mal ma mère préférée.

Ma mère : T'as pas ben ben le choix, hein ? Toi aussi, t'es ma fille préférée !

Elle se lève, se dirige vers l'escalier, se retourne et dit :

— C'est vrai que tu as vieilli.

Moi : Oh non, j'essaie juste de te manipuler pour que tu m'achètes une super robe de bal !

Elle attrape un coussin sur le divan et me le lance, je l'attrape et elle m'en lance un autre. Puis, je me sauve de ses assauts en criant à travers un fou rire et en me protégeant du coussin qui vole vers moi :

— Tu seras toujours dans le doute !

Lundi 10 septembre

Je suis à la table de la cuisine et je fais mes devoirs. Ma mère et François n'arrêtent pas de parler, ce qui me déconcentre pour mon travail d'éthique et culture. Ils débattent sur un sujet d'actualité, et le ton monte de seconde en seconde.

Moi : Euh... ? C'est parce que j'essaie de faire mes devoirs.

Ma mère : Euh... ? Tu n'as pas le sous-sol à toi toute seule ? avec un beau bureau de travail que je t'ai acheté exprès pour ça ? On ne s'empêchera pas de parler parce que tu fais tes devoirs.

Mui-mui-mui-mui-mui-mui-mui ! Elle pense toujours qu'elle a raison sur tout. Un sous-sol, c'est sombre ! Et humide ! Il me semble évident que faire tous ses travaux là-dedans n'est pas bénéfique pour la santé !

19 h 10

Google. Google est mon seul allié.

Je m'empare de l'ordinateur de ma mère et je tape :

« Conséquences sur la santé (et la concentration) de faire ses devoirs dans un sous-sol sombre et humide. »

La roulette du curseur tourne. Tourne. Tourne. Tourne encore.

Argh. Internet ne fonctionne jamais quand je veux boucher un coin à ma mère !

Ma mère : Qu'est-ce que tu cherches ?

Moi (en me levant) : Rien. Je m'en vais dans ma chambre.

19 h 16

J'ai une bonne discipline depuis une semaine, par rapport aux devoirs. J'en fais un peu chaque jour, comme ils conseillent dans tous les livres du genre « méthodes pour bien réussir ». Une vraie *nerd* !

Après une semaine, on a déjà beaucoup de travaux à faire. Trop, selon moi, mais il s'agit d'une opinion bien personnelle qui n'est semble-t-il pas partagée par mes profs.

En histoire, c'est encore monsieur Marcel Létourneau qui nous enseigne et je suis bien contente, car il est vraiment captivant. En plus, il nous a annoncé dès son premier cours que c'était sa dernière année d'enseignement, car il prendra sa retraite à la fin de cette année scolaire. Il nous a donné un travail à faire sur l'apport historique des différents présidents des États-Unis selon les époques.

En français, Louis Brière nous a donné des exercices de révision de grammaire.

En maths, Nathalie Tanguay nous a donné cinq pages à lire dans le manuel. Comme profs, Kat et Nicolas ont Claire Lavoie, et Jean-Félix et Tommy ont Jean-Philippe Jobin (le plus cool).

C'est un peu à cause de Diane Séguin, qui enseigne l'art dramatique, que j'ai choisi cette option, car je l'aime beaucoup. Elle ne nous a pas encore donné de devoirs. Dans notre premier cours, tout le monde devait se présenter, et j'ai pu apprendre à connaître le fameux Bérubé du cours de français, avec qui je suis aussi en éthique et culture et en espagnol. Son nom au complet, c'est Jason Bérubé. Et il est nouveau cette année. Il est dans le cours d'art dramatique parce qu'il n'y avait pas de cours de cinéma. Diane, toujours enthousiaste, a déclaré : « Ah, bien c'est génial ! Tu pourras nous filmer ! » Ce à quoi il n'a pas répondu (il est un peu bête).

En espagnol, Rita Simon nous a donné une liste de mots de vocabulaire à apprendre par cœur.

En éducation physique, c'est toujours Denis Villeneuve qui donne les cours. Il m'a demandé de respecter le programme cette année, en me faisant un clin d'œil, vu que je lui avais demandé des changements l'an dernier. Et il nous a annoncé qu'il avait réussi à obtenir le budget pour acheter trois tapis de *Dance Dance Revolution* et qu'il allait même les laisser à la disposition des élèves pendant l'heure du dîner. (Mon initiative, héhé.)

Dans le cours d'éthique et culture (le devoir sur lequel je travaille présentement), j'ai Hugo

Giguère, un prof assez cool. Il nous a donné comme devoir de nous présenter, avec nos qualités, nos défauts, nos buts, nos rêves. Exercice plus difficile que ce que j'aurais pu imaginer. Je n'ai pas encore vraiment trouvé ce que je voulais faire dans la vie.

Chaque fois qu'on m'a posé la question, je n'ai jamais réussi à trouver de réponse percutante ou juste, disons, correcte. Il y a eu toute cette période où je voulais devenir mousquetaire. J'avais six ans et je venais de voir un film de cape et d'épée. Ensuite, il y a eu cette période où je répondais « n'importe quoi en Angleterre », car le prince William faisait la une de tous les magazines, et mon rêve secret était de le croiser dans la rue. Ensuite, j'ai voulu devenir avocate, mais je ne me souviens plus du tout pourquoi.

Heureusement, nous avons environ un mois pour faire ce devoir.

J'ai pris la ferme résolution de réussir cette année. De ne pas être déconcentrée par ma vie privée et de ne focaliser que sur ma vie scolaire. En fait, c'est assez, disons, facile puisque tout le monde que je connais a pris la même résolution. Et que tout le monde est occupé. Kat a recommencé ses cours d'équitation et passe ses temps libres avec Emmerick, car, puisqu'il ne vient pas à notre école et qu'il n'habite pas dans notre quartier, c'est plus compliqué pour eux de se voir. (Il est venu la rejoindre après l'école aujourd'hui et elle lui a sauté dans les bras comme si elle ne l'avait pas vu depuis des siècles.) Tommy travaille comme testeur de jeux vidéo, Nicolas, à l'animalerie, et JF, lui, s'est trouvé un travail dans une boutique de vêtements, et Kat et moi l'avons supplié de parler de nous à son gérant.

Donc, ma cinquième secondaire est déjà vraiment bien partie. Et si ça continue comme ça, je vais péter des scores, même rafler tous les honneurs au gala de fin d'année.

Mardi 11 septembre

Oh là làààààààààààà ! Je ne pourrai JAMAIS survivre jusqu'à la fin de l'année !!!!!

Ça fait à peine cinq minutes que je suis dans mon cours de français et je trouve déjà ça tellement ennuyant ! On dirait qu'une moitié de moi est motivée pour étudier, mais que l'autre moitié est encore en vacances.

Louis Brière nous explique comment construire un texte narratif :

— Pour construire un texte narratif, vous devez déterminer le temps, le lieu, le personnage, les thèmes et le style d'écriture.

Quand il parle, c'est comme si on m'arrachait la peau et qu'on mettait du sel dessus, même si techniquement, pour être honnête, je n'ai jamais essayé (ce qui serait un peu étrange, j'avoue, mais j'ai une imagination fertile pour les douleurs que je ne voudrais jamais ressentir).

Je regarde dehors et je cherche un chemin pour me sauver. Il y a un arbre près de la fenêtre et je m'imagine sortir par là, sauter sur une branche, descendre de l'arbre, courir jusqu'aux grilles de l'école que je grimperais de quelques enjambées expertes pour ensuite sauter sur le trottoir, puis courir à toute vitesse jusqu'à l'aéroport et prendre l'avion jusqu'à l'autre bout du monde. On me retrouverait, avec l'aide du FBI bien sûr (car je serais très bien cachée), et on me ramènerait au pays où je subirais un procès très attendu et médiatisé.

Le procureur de la Couronne ferait tout pour prouver que je suis coupable de « fuite scolaire » et je plaiderais « l'ennui mortel ».

À la barre des témoins, il me dirait d'un ton ferme :

— Mademoiselle Laflamme, plusieurs chefs d'accusation pèsent contre vous. Vous avez passé tout votre secondaire à être dans la lune, à obtenir des résultats scolaires qui n'étaient pas à la hauteur de vos compétences parce que vous rêvassiez, flâniez, ne portiez aucun intérêt ni à vos professeurs ni à vos cours. Qu'avez-vous à dire pour votre défense ?

Moi : Que c'était plate.

Procureur de la Couronne : Que comptez-vous faire pour gagner la clémence du jury ?

Mon avocat bondirait pour me défendre en criant :

— Objection, Votre Honneur ! On veut influencer le témoin.

Le juge : Objection rejetée. Répondez, mademoiselle Laflamme.

Moi : Euh... ? C'était quoi donc, la question ?

Procureur de la couronne : Que comptez-vous faire pour gagner la clémence du jury ?

Moi : Rien. Je plaide coupable, Votre Honneur. Le système d'éducation n'est pas adapté à, disons, mes besoins.

Procureur de la Couronne : Et quels sont vos besoins, je vous prie ?

Moi : À part des choses super normales genre manger, dormir, *Les frères Scott* et *Gossip Girl*, je dirais : apprendre des choses qui vont *vraiment* me servir dans la vie.

Procureur de la Couronne : Que désirez-vous faire dans la vie ?

Moi : Je ne sais pas...

Procureur de la Couronne : Donc, comment pouvez-vous savoir si ce que vous apprenez à l'école vous servira ou non plus tard ?

Mon avocat bondirait une autre fois :

— Objection, Votre Honneur ! Il essaie de mettre des mots dans la bouche de l'accusée.

Le juge : Objection retenue. Maître, tentez de poser des questions plus objectives.

Procureur de la Couronne : Êtes-vous absolument certaine que ce que vous apprenez ne vous servira pas ? Ce que vous avez appris jusqu'à maintenant ne vous a-t-il pas servi ?

Mon avocat taperait sur la table et aboierait :

— Objection ! On bombarde l'accusée de questions !

Le juge : Objection retenue. Maître, soyez plus direct et concis.

Le procureur de la Couronne regarderait son dossier et pointerait un papier en me demandant :

— Le 29 août de la dernière année, n'avez-vous pas eu recours à un calcul mental pour pouvoir acheter (il vérifierait) des jujubes ?

Moi : Euh... je ne me souviens pas de la date précise de tous mes achats de jujubes.

Procureur de la Couronne : Votre Honneur, il est clairement spécifié dans le dossier que mademoiselle Laflamme a fait une résolution de calcul mathématique apprise pendant son secondaire. Sa mère lui avait donné 100 $ pour des souliers. Elle avait le choix entre une paire de chaussures qu'elle adorait à 89 $, ce qui donne 100,46 $ incluant les taxes, ou une paire en solde à 79 $ qu'elle aimait moins, mais dont le coût lui permettait d'avoir un peu d'argent pour s'acheter un dîner et un immense sac de jujubes, qu'elle a partagés avec sa meilleure amie, mademoiselle Katryne Demers.

Il s'avancerait vers le juge, lui tendant un sac en plastique.

Procureur de la Couronne : Votre Honneur, j'aimerais vous soumettre ces objets comme éléments de preuve. Il s'agit de trois reçus de caisse prouvant que mademoiselle Laflamme a très bien réussi ce calcul mental qu'elle a appris à exécuter au secondaire et qui lui a servi pour bien gérer son budget.

Le juge : Mademoiselle Laflamme, qu'avez-vous à dire pour votre défense ?

Moi : Que parfois, mon cerveau me surprend moi-même. Mais que la plupart du temps, il n'est pas à la hauteur des attentes de tout le monde.

Le juge prendrait son maillet et, dans un geste vif, frapperait sur son bureau et annoncerait son verdict :

— Je vous déclare, Aurélie Laflamme, coupable de haute trahison envers votre potentiel et je vous condamne à passer cette dernière année de votre secondaire à étudier dans la joie et l'allégresse.

9 h 35

Monsieur Brière : L'univers narratif s'inscrit dans le présent (il note au tableau), dans le passé (il note au tableau) ou dans le futur (il note au tableau).

Je soupire.

Je prends discrètement mon agenda dans mon sac d'école et je l'ouvre au calendrier scolaire. Je fais une croix sur les jours déjà passés. Cinq. Seulement *cinq* ? sur deux cents ? Ouf...

J'entends la voix du juge imaginaire résonner dans ma tête : « Joie et allégresse... »

Mercredi 12 septembre

Oh non ! ! ! Mauvaise surprise (X 1000) en rentrant de l'école ! ! ! François est épouvantable !

Épouvantable ! ! ! ! ! ! ! ! ! ! ! ! ! ! ! ! ! ! !

Il a vu une comédienne à l'épicerie et lui a demandé un autographe pour moi. (Scandale ! ! ! ! ! ! ! ! !)

Le pire, c'est qu'il ne connaît même pas la comédienne en question ! Il l'a simplement reconnue parce qu'il l'a vue dans une émission que Kat et moi regardions l'autre jour et qu'on

« semblait » aimer. Il ne se souvient même pas quelle émission ! Je lui ai demandé s'il avait révélé c'était pour qui. Et il a répondu : « C'est sûr qu'on dit pour qui est l'autographe quand on le demande. » Et il m'a tendu un papier sur lequel la comédienne a écrit MON nom (avec un « y » à la fin, au lieu de « ie »). J'ai honte de penser que cette comédienne (dont je ne reconnais même pas le nom sur le papier tellement elle écrit mal) puisse penser que je suis sa groupie ! Le pire, c'est que je ne sais même pas de qui me sauver, si jamais je la croise dans la rue ! Juste à imaginer qu'elle pourrait un jour me voir alors que je suis avec François, et donc découvrir que l'autographe était pour moi, est une humiliation extrême ! Je préférerais me cacher pour l'éternité plutôt que je-ne-sais-pas-qui-sur-qui-je-ne-tripe-peut-être-pas-tant-que-ça-et-qui-écrit-mal pense que je l'idolâtre ! J'ai spécifié à François (en des termes très clairs pour ne pas qu'il l'oublie) :

— Ce n'est vraiment pas bon d'encourager le fanatisme chez les jeunes. T'sais, on est très influençables. C'est pour ça qu'on demande *nous-mêmes* des autographes à du monde qu'on aime *vraiment*. Mais on n'a pas besoin des autographes de *tout le monde* qui passe à la télé.

François : Ah, bon. Je voulais te faire plaisir.

Moi : C'est pas grave, tu n'as pas d'enfant, tu ne pouvais pas le savoir.

François : Merci de me tenir informé.

Moi : Si ça ne te dérange pas, reste ici pendant que je fais mes devoirs, regarde les émissions à VRAK.TV et tu me diras si tu la vois.

François : OK. Mais pourquoi ?

Moi : Pour que je puisse me cacher si on la voit ensemble ! Coudonc, t'as de la misère à suivre !

François rit et avoue :

— Je ne savais pas qu'il fallait que vous vous cachiez des vedettes que vous n'aimez pas.

Moi (en attrapant la manette de la télévision et en ouvrant la télé) : Pas tout le temps, mais quand notre beau-père a demandé un autographe *à notre insu*, c'est une totale nécessité.

18 h 13

Ça fait deux heures que François regarde VRAK.TV tout en pitonnant sur son iPhone pendant que je fais mes devoirs, assise à ses côtés, en lui demandant toutes les cinq minutes « pis ? » pour savoir s'il a vu la comédienne en question. À un moment donné, pendant une pause publicitaire, il m'a expliqué qu'il avait travaillé de la maison aujourd'hui et qu'il aimait bien faire ça une fois de temps en temps, car ça lui permettait d'abattre beaucoup de travail vu que sa secrétaire ne lui transférait que les appels importants. Ce à quoi je n'ai rien trouvé de mieux à répondre que : « Ah. » Parfois, certaines affirmations n'inspirent pas de réponse élaborée, surtout lorsqu'on ne comprend pas trop pourquoi notre interlocuteur tient à les partager avec nous.

18 h 15

François : Ça fait presque deux heures que tu fais tes devoirs assise tout croche devant la télé. Je sais que je n'ai pas d'enfant, mais il me semble que ça ne doit pas être trop bon, non ?

Moi : Non, ça, c'est correct.

François pitonne sur les touches de son clavier de téléphone et me montre ensuite l'écran :

— Regarde.

Je regarde son écran. Il y a un article intitulé : « Conséquences d'une mauvaise posture lorsqu'on travaille/ergonomie. »

Moi : Ah.

François : Je n'ai peut-être pas d'enfant, mais j'ai des employés, et j'ai fait venir un ergonome pour que tous les postes de travail soient ajustés adéquatement pour leur santé.

Moi : Cool.

François : Ça fait partie de mon travail. Allez, va faire tes devoirs dans ta chambre, où on t'a organisé un bel environnement de travail.

Moi : Bof, j'ai fini de toute façon.

François : Est-ce qu'on prépare le souper pour ta mère ?

Moi : Euh... ben, j'avais oublié qu'il m'en reste un à faire. C'est mieux que j'aille en bas, dans ma chambre... pour l'ergonomie.

François : Comme tu veux. Hé, voudrais-tu qu'on écoute *Gossip Girl* ensemble tantôt ?

Moi : T'es pas tanné d'écouter Vrak ?

François : Non. J'ai vu plein de pubs. Je la trouve *cute*, Serena.

Moi : Heille ! Ma mère ? ? ? ! ! !

Il rit pendant que je lui donne une tape sur l'épaule.

18 h 30

François et moi préparons le souper. J'ai pensé que si je l'aidais, on finirait plus vite et qu'on pourrait ensuite écouter d'autres émissions ensemble. Ce n'est pas tant que je veux passer du temps avec lui. C'est juste que je pense que c'est très bon pour VRAK.TV d'avoir plus de téléspectateurs et que je rends un peu, disons, service à cette chaîne que j'aime bien. Et en faisant le souper, en plus, ça me fait paraître ultraserviable et c'est bon pour, disons, mon karma.

Note à moi-même (top-ultra-top-secrète): À part le fait que je passe pour la groupie d'une comédienne que je n'aime probablement pas, je dois dire que, des fois, je trouve François cool.

Note à moi-même n° 2: Des fois seulement.

Note à moi-même n° 3: DES FOIS. POINT.

Jeudi 13 septembre

Charles-Antoine Labrosse est passé dans tous les cours aujourd'hui pour présenter les comités.

J'ai eu spontanément envie de m'inscrire au comité de l'album de finissants. J'ai (bien malgré moi, je l'avoue) un certain talent en *scrapbooking*, et je crois que ça pourrait servir.

Mais j'ai abandonné l'idée, pensant qu'il valait mieux que je me concentre sur mes études.

Dommage, car je me serais bien vue dans un comité.

Ce qu'aurait été ma vie si j'avais été de tous les comités :

Si, depuis la première secondaire, je m'étais impliquée dans tous les comités, je serais sûrement une autre personne aujourd'hui. J'aurais appris à organiser mon temps. Je serais arrivée tous les jours très tôt à l'école, j'aurais passé presque tout mon temps libre dans le local d'un des comités et, quand mes amis m'auraient reproché de ne pas être disponible assez souvent, j'aurais évoqué des raisons comme « j'ai des échéances à respecter » (c'est la seule que je peux trouver, car vu que je n'ai pas eu cette vie, je n'ai pas développé ce genre de vocabulaire). Je serais probablement sortie avec Charles-Antoine Labrosse, car, notre implication scolaire nous empêchant d'avoir une vie sociale active, nous aurions trouvé très pratique de sortir ensemble, étant les personnes les plus impliquées et occupées de l'école. Peut-être même que j'aurais fait plus de sport pour évacuer le stress qu'aurait engendré mon horaire ultrachargé. Ma passion pour le sport m'aurait sans doute amenée à développer une telle dépendance aux endorphines sécrétées par le cerveau lors de l'exercice physique que je serais devenue spécialiste dans ce domaine. Et éventuellement, je serais devenue entraîneur sportif ou prof d'éducation physique. Et, détail non négligeable, si j'avais été de tous les comités, j'aurais eu un corps très athlétique avec des muscles un peu plus fermes.

Lorsque j'ai rangé le crayon avec lequel je voulais m'inscrire, Charles-Antoine m'a demandé pourquoi je changeais d'idée, et a énuméré plusieurs bonnes raisons de s'impliquer dans la vie scolaire. Je l'ai regardé en me demandant si lui aussi s'était imaginé ce qu'aurait été notre vie ensemble si j'avais été de tous les comités. Avant de sortir de la classe, après avoir douté du bien-fondé du choix que j'ai fait, pendant tout mon secondaire, de ne jamais m'impliquer dans ce genre d'activité, je lui ai simplement répondu, toujours pensive :

— C'est vrai que je pourrais bénéficier d'un corps un peu plus athlétique. Je vais y penser.

Il a haussé les épaules, visiblement décontenancé par ma réponse.

Peut-être que je serai ce genre de personne dont on écrit dans l'album de finissants : « T'es vraiment bizarre, mais ne change pas ! »

Donc, pas besoin d'être dans le comité de l'album, je suis déjà capable de prédire ce qui va se retrouver dans le mien, grâce à ma grande lucidité au sujet de ma bizarrerie. Une bonne affaire de réglée.

Vendredi 14 septembre

Tout le monde est occupé ce soir. Kat avec Emmerick. Tommy avec les jeux vidéo. Nicolas à l'animalerie. JF dans sa boutique. Si bien que lorsque madame Melançon, ma voisine, m'a appelée pour me demander d'aller garder ses enfants ce soir, j'ai eu l'air beaucoup trop enthousiaste. (Surtout quand je lui ai dit : « Je suis tellement contente que je le ferais gratis ! » Je trouve que ça fait un peu désespéré.)

Note à moi-même : Travailler mon sens des affaires, surtout en ce qui concerne les négociations monétaires.

21 h 02

Facile comme travail, vraiment. On a regardé *Finding Nemo*, j'ai raconté une histoire aux enfants, ils se sont couchés et je peux maintenant faire mes devoirs (pour l'instant, je regarde des vidéos sur YouTube plus que je ne fais mes devoirs, mais bon, c'est vendredi quand même, j'ai droit à une mini-pause).

21 h 34

Oh non. Une araignée. Sur le mur devant moi. Ah-fu. Ah-fu. Je l'ai vue bouger du coin de l'œil pendant que je regardais une vidéo.

Surtout, ne pas crier. Je garde. C'est moi qui suis responsable. Les enfants dorment. Ça ne sert à rien de les alarmer. Je regarde autour de moi, à la recherche d'une arme. Oh non, elle bouge ! Elle se sauve ! Qu'est-ce que je fais ? Qu'est-ce que je fais ? Mon cœur bat de plus en plus vite. Il ne faut pas qu'elle se sauve. Mais pourquoi j'ai peur des araignées comme ça ? C'est une peur vraiment peu commode ! Des araignées, il y en a PARTOUT, tout le temps ! Je ne pourrais pas avoir peur de, je ne sais pas, moi, des gorilles ? Comme ça, pour les éviter, j'aurais juste à ne pas aller au zoo ni dans la jungle, ce serait super simple! Mais les araignées, elles se faufilent partout! Elles entrent par effraction dans les maisons. Elles se croient tout permis! En plus, j'ai lu sur elles, et elles sont tellement hypocrites! On les tue et elles font semblant d'être mortes en se roulant en boule! Alors, il faut les écraser plusieurs fois de suite pour s'assurer qu'elles sont bien écrapouties. Bon, je me sens violente tout à coup. Après tout, c'est un être vivant... Mais comme Gab, l'ami que j'avais rencontré chez ma grand-mère, me l'a déjà expliqué, si j'entrais dans la maison d'un géant et que je ne prenais même pas la peine de me cacher, il faudrait que je m'attende à en subir les conséquences. Cette araignée n'a qu'à vivre dans le bois avec ses amies! Si des géants arrivaient dans le quartier, il me semble que je n'irais pas les déranger! Mais bon, les araignées ne sont pas si brillantes, semble-t-il.

Je prends mon courage à deux mains (honnêtement, qu'est-ce que ça veut dire, ça? C'est totalement impossible de prendre son courage, et puis, je ne prends pas mon courage, je cours vers la cuisine et j'attrape un énorme chaudron, ce qui est plus pratique quand on veut assommer une araignée parce qu'on n'assomme pas un insecte aussi machiavélique avec son courage) et j'appuie très fort sur l'araignée. Mais elle continue à courir vu que le fond du chaudron est bombé. Je le laisse tomber par terre, je prends mon livre d'histoire et j'appuie sur l'araignée de toutes mes forces. Je laisse ensuite tomber le livre par terre et je le retourne avec mon pied pour voir si l'araignée est bien écrasée. Je constate qu'elle est vraiment aplatie et que du jus a giclé partout sur le livre. Impossible que je le nettoie. Je ne veux pas y toucher. Trop dégueu. Et si elle était encore capable de bouger ? Je ne voudrais pas qu'elle décide de se venger.

Le bruit du livre sur le mur (ou c'était peut-être le chaudron ou encore le cri que j'ai poussé malgré moi pendant que j'écrasais l'araignée) a réveillé Loïc qui me demande ce qui se passe. Je réponds que tout est sous contrôle, que j'ai seulement échappé un livre, et je lui suggère de retourner se coucher. Il m'écoute et retourne au lit. Je m'assois et je reprends mon souffle tout en m'assurant, du coin de l'œil, que l'araignée est encore bien à plat sur le livre.

Ouf ! Je n'en reviens pas d'avoir réussi à faire ça. Moi ! J'ai tué une araignée toute seule ! Bon. Je n'aime pas être si violente envers les créatures de notre planète, mais avec les araignées, je considère que c'est purement de l'autodéfense.

Pour des raisons évidentes, je renonce à faire mon devoir d'histoire.

Je m'assois pour regarder d'autres vidéos et je vois une toute mini araignée sur l'ordinateur. Je prends un papier et je l'écrase. Il y a vraiment beaucoup d'araignées ici. Et je suis en train de devenir une experte. Cette araignée ne m'a même pas fait peur ! Je suis peut-être guérie de mon arachnophobie. Wouah ! Bientôt, toutes les araignées deviendront mes amies, comme dans le film *Le petit monde de Charlotte*. Une autre mini-araignée apparaît sur l'ordinateur. Un peu surprise, je l'écrase elle aussi, comme si ce geste faisait maintenant partie d'une routine de vie. Puis, je lève la tête vers le plafond et je vois... des dizaines et des dizaines de mini-araignées ! Des dizaines d'araignées pendues au bout de leur fil ou gambadant gaiement au plafond, sur la table, sur l'ordinateur et sur les livres que j'avais étalés pour faire mes devoirs.

La panique me gagne.

Je. Vis. Un. Total. Film. D'horreur.

22 h 03

Tommy. Mon seul espoir.

Je l'appelle sur son cellulaire. Il répond. Je lui explique que je suis en danger, entourée de centaines de mini-araignées.

Tommy répète, incrédule :

— Des centaines ?

Moi : Ouiiii ! Je te le juuuuure !

Tommy : Je travaille...

Moi : Tu ne peux pas leur dire qu'il y a une urgence ? Je suis vraiment en danger, Tommy, il faut vraiment que tu viennes, s'il te plaît, s'il te plaît, s'il te plaît, je capoooooooote !

22 h 41

Tommy arrive et il constate le nombre surprenant de mini-araignées en avouant :

— Ayoye ! Je pensais que t'exagérais. Il n'y en a peut-être pas des centaines, mais sûrement des dizaines.

J'ai les larmes aux yeux. Je secoue mes cheveux et je me frotte partout au cas où j'en aurais aussi dans mes vêtements. Tommy prend un escabeau, un paquet de mouchoirs et il commence à les écraser une par une.

Moi : Attention, peut-être qu'il y en a qui vont tomber dans ton chandail !

Tommy : Ça ne me dérange pas.

Moi : Oui, mais après elles vont vivre dans tes vêtements et dans ton sous-sol et faire des nids et pondre des œufs... et peut-être envahir la planète !

Tommy : Je m'en occupe, Laf. Va là-bas pendant que je fais ça, tu me stresses.

22 h 54

Il n'y a plus aucune araignée apparente au plafond. Tommy s'occupe maintenant de vérifier qu'aucune ne s'est cachée entre les pages de mes livres d'école ou dans mon sac.

Madame Melançon arrive à ce moment-là. Elle a l'air surprise de voir que j'ai invité quelqu'un (ou de voir un chaudron par terre), mais on lui explique la situation des araignées. Et je lui dis que je préfère attendre que Tommy ait vérifié tous mes livres avant de partir. Elle semble inquiète et regarde partout. De nouvelles petites araignées sont déjà apparues au plafond. Elle s'écrie :

— Oh mon Dieu ! Il va falloir que j'appelle un exterminateur ! Je suis vraiment désolée, Aurélie. Je vais te donner un supplément... Je suis vraiment désolée.

Moi : Mais non, pas nécessaire.

Madame Melançon (en tendant l'argent) : J'insiste. Je suis vraiment désolée.

Moi : C'est pas votre faute.

Madame Melançon (en me tendant de l'argent) : Tu le donneras à ton chum.

Moi : Oh, c'est pas mon chum, c'est mon ami, hihi.

Je prends l'argent.

23 h 02

Tommy me raccompagne chez moi en marchant à côté de son vélo. Il refuse que je partage mon argent avec lui. Nous marchons silencieusement jusqu'à ma porte. En arrivant devant chez moi, il me demande pourquoi je bougonne.

Moi : Je ne bougonne pas.

Tommy : OK. Tu ne bougonnes pas. Bye.

Il se retourne et enfourche son vélo pour repartir chez lui.

Moi : Ben... En fait, c'est comme, ben... les araignées.

Tommy : Hu-hum.

Moi : J'ai tué la grosse, ensuite on a tué toutes les petites. Crois-tu que c'était ses bébés ?

Tommy : Oublie ça.

Moi : Excuse-moi d'avoir un peu de considération après avoir participé à l'assassinat d'une famille !

Tommy : D'araignées.

Moi : Quand même. Je trouve qu'elles ont eu un destin tragique. À cause de moi.

Tommy : Je ne pense pas que ta voisine aurait accepté d'héberger toutes ces araignées chez elle. C'est rare, les gens qui ont envie d'être envahis par des insectes.

Il pédale pour sortir de mon entrée et va jusque dans la rue.

Moi : Merci vraiment beaucoup, Tommy. J'espère que c'était correct, à ta job. Je ne sais pas ce que j'aurais fait sans toi.

Tommy : Pas de trouble, Laf. Bonne nuit.
Moi : Bonne nuit !

Note à moi-même : Je me demande si, karmiquement parlant, c'est bon d'assassiner, même des insectes.

Recherche Google : Punition karmique pour assassinat d'araignées.

Premier résultat : Schizophrénie. FORUM psychologie.

Note à moi-même n° 2 : Google me nargue (un peu trop) souvent.

À l'agenda : Trouver un nouveau moteur de recherche. Ou carrément en inventer un. Mieux.

Samedi 15 septembre

Au cinéma avec Nicolas, Kat, Emmerick, Tommy, Jean-Félix, Raph, Patin et Brittany, la nouvelle fréquentation de Patin.

Nous nous sommes installés dans la dernière rangée. Un couple assis dans la rangée devant nous nous demande de parler moins fort (alors que les lumières ne sont même pas encore éteintes).

Je regarde Jean-Félix, assis au bout de la rangée, qui répond diplomatiquement aux gens qui réclament injustement le silence. J'admire JF pour son sens de la répartie. J'aimerais être un peu plus comme lui, parfois. Savoir quoi dire et comment, au bon moment, sans trop m'énerver, sans déparler. Je l'observe qui discute avec les gens, et tout se termine par un éclat de rire général, comme s'ils étaient les meilleurs amis du monde. Puis, il s'empare de son cellulaire et commence à pitonner. Joue-t-il à un jeu ? Écrit-il à quelqu'un ? Depuis qu'il nous a avoué son homosexualité, il ne nous a jamais présenté de garçon. Il affirme qu'il n'est pas prêt. Que c'était déjà quelque chose pour lui de nous avouer ça, qu'il avait lui-même du chemin à faire avant d'être prêt à nous présenter quelqu'un. Qu'il va le faire s'il rencontre un gars avec qui c'est sérieux. L'autre jour, nous avons eu une discussion, dans la chambre de Tommy, après une partie enlevante de *Rock Band*, où il nous a avoué que parfois, bien qu'il assume totalement qui il est, il avait le vertige en pensant qu'il allait être comme ça toute sa vie. Et qu'il avait des choses à vivre par lui-même, de façon privée, avant d'être prêt à les partager avec nous. Kat lui a ébouriffé les cheveux en lui disant de faire ce qu'il voulait. Elle a bien fait, car on le sentait devenir émotif (il avait les larmes aux yeux). Et Jean-Félix n'est pas du genre à étaler ses émotions, c'était déjà beaucoup pour lui de nous confier tout ça.

Kat se penche sur ce qu'il écrit et je le vois cacher son écran. Elle éclate de rire beaucoup trop fort et je guette la réaction du couple assis devant, qui échange un regard d'exaspération sans toutefois la réprimander. Emmerick lui prend la main et lui chuchote quelque chose à l'oreille, après quoi elle le regarde amoureusement et l'embrasse. Je regarde Emmerick et lui trouve de moins en moins de ressemblance avec Robert Pattinson (dans le noir, Kat et moi trouvons qu'il est son sosie presque identique, à l'exception de ses sourcils, de sa bouche, de son nez et de sa mâchoire) depuis qu'il s'est fait couper les cheveux.

Tommy regarde lui aussi l'écran de son cellulaire. Peut-être que JF et lui s'envoient des textos ? Je les envie. Je m'en veux d'avoir échappé mon cellulaire par inadvertance dans la toilette d'un autobus. Ma mère n'a jamais accepté de m'en acheter un autre depuis. Elle croit que je ne fais pas assez attention à mes choses.

— Ça va ? me demande Nicolas en se penchant à mon oreille au moment où les lumières s'éteignent, ce qui me procure un frisson qui naît à mon oreille et descend jusqu'à mes pieds.

Ça fait immédiatement réagir nos voisins qui mettent un doigt sur leur bouche en faisant agressivement : « CHUUUUUUUTTTT !!! »

21 h 43

Le film était correct, sans plus. Mais les adultes, ceux-là même qui nous reprochaient de parler *avant* le film, ont parlé *tout le long* du film. Ils y allaient de leurs prédictions sur l'intrigue, ou encore la femme demandait à son mari de répéter ce qu'un personnage avait dit. On aurait juré que nous étions à l'époque du cinéma muet et qu'il y avait des narrateurs. C'était complètement énervant !

Révélation-choc (limite discriminatoire): Je pense que, des fois, les adultes m'énervent.

22 h 02

En sortant du cinéma, Patin enlace Brittany et lui demande s'ils continuent la soirée chez lui. Tommy et Raph débattent au sujet d'une scène du film. Kat et Emmerick les écoutent et, pour la première fois de ma vie, je vois Kat défendre Tommy. Mais c'est peut-être juste parce qu'elle veut contredire Raph... La première fois qu'ils se sont rencontrés, à l'époque où je commençais à sortir avec Nicolas, Kat et Raph ne s'entendaient pas trop bien. Elle le trouvait niaiseux. Mais il a changé. Il ne répète plus sans arrêt des citations de *Brice de Nice*. Nous avons tous vieilli. Sauf que Kat ne met pas à jour ses, disons, logiciels internes sur les gens. Quand elle se fait une opinion sur quelqu'un, ça change rarement.

Et alors que je croyais que Tommy avait marqué des points auprès de Kat puisqu'elle le défendait, il lui lance :

— Je ne savais pas que t'avais des opinions sur autre chose que *Twilight*, toi.

Kat: *Twilight*, c'est super bon.

Tommy: Oui, quand t'aimes les films plates, c'est en effet le meilleur des films plates.

Elle me regarde et me dit:

— Coudonc, il est bête avec moi, même quand je le défends!

Je soupire. J'ai presque cru un instant à une possible amitié entre eux. Emmerick s'en mêle et défend Kat. JF rit. Puis, Nicolas entrelace ses doigts avec les miens et me sourit.

Nicolas : Toi, t'as aimé ça ?

Moi : Correct. Ç'aurait pas changé ma vie de ne pas le voir. Toi ?

Nicolas : J'ai aimé ça.

Moi : Cool.

Nous marchons dehors et il fait vraiment beau. Une belle soirée d'automne qui sent bon. Un petit vent frais transporte l'odeur des feuilles mortes et de la terre sèche. Une brise ne cesse de ramener mes cheveux sur mon visage. Je les replace chaque fois.

Kat s'approche de moi et me tend un élastique pour que je les attache. Je m'arrête pour me faire une queue de cheval. Je regarde Nicolas et je lui demande si ma coiffure est correcte. Il sourit et place une mèche rebelle derrière mon oreille. J'ai l'impression que personne n'est autour. Juste nous. Et quand il me regarde, je fonds. Il se penche pour m'embrasser.

Tommy : Heille, on est là, hein ? !

Kat : Ouain, tu peux ben parler de nous, Au ! Vous êtes pires !

Nicolas et moi rions. C'est vrai qu'on doit sembler tellement quétaines en ce moment !

Nous continuons notre route jusqu'à l'arrêt d'autobus. Nicolas regarde son cellulaire et nous dit qu'il vient de recevoir un texto de son père qui voulait savoir quand il allait rentrer. Et il ajoute :

— Mon père demande aussi si tu veux venir souper chez nous demain. Toute ma famille aimerait ça te revoir.

Petit moment de panique. La dernière fois que je suis allée chez lui, c'était cette fameuse soirée où il m'avait vue à MusiquePlus pendant que

Tommy m'embrassait. Peut-être que son père me déteste maintenant. Et son frère... Malaise.

Moi (tentant de paraître super contente avec un sourire forcé) : OK, super!

Nicolas : La blonde de mon père voulait savoir si t'es allergique à quelque chose.

Tommy : Les araignées. Arrange-toi juste pour qu'il n'y ait pas d'araignées si tu ne veux pas avoir honte de ta blonde devant ta famille!

Moi : Oh, franchement!

Nicolas : Je ne savais pas que t'aimais pas les araignées.

Kat : Qu'elle n'aime pas les araignées? Attends, tu ne comprends pas. Elle pis les araignées, c'est comme... comme... Je n'ai même pas de comparaison! Elle a failli se noyer cet été à cause d'une araignée sur un quai.

Moi (mal à l'aise et regardant le panneau indiquant l'horaire d'autobus) : Hé, regardez, l'autobus arrive à 22 h 17. Encore quelques minutes à attendre, hé hé.

Tommy (vers Kat) : Est-ce qu'elle t'a raconté ce qui est arrivé hier?

Kat : Qu'est-ce que t'en penses? Ben oui! Les millions d'araignées...

Tommy : Dizaines, quand même.

Nicolas : Quoi?

Kat : Une famille assassinée par sa faute...

Tommy (il se tape le front) : Oh *boy*.

Moi : Coudonc, vous vous entendez bien juste pour me *blaster*?

Nicolas : Qu'est-ce qui est arrivé?

Moi : Voyons, l'autobus n'arrive pas?

Tommy (vers Nicolas) : Hier, Laf gardait pis, elle qui a peur des araignées comme c'est pas possible, elle a levé la tête et a vu des dizaines et des dizaines d'araignées.

Moi : Bizarre de système d'autobus, s'ils sont toujours en retard. On devrait se plaindre à la Ville, vous croyez ?

Kat : Tommy est allé les tuer.

Tommy : J'avoue qu'il y en avait beaucoup. Pauvre elle. Il fallait que ça arrive à la seule personne sur terre à qui il ne fallait pas que ça arrive.

Nicolas : Je ne savais pas que t'avais peur des araignées. T'sais, c'est un insecte utile, ça mange les autres insectes...

Tommy : Laisse faire. On a tout essayé. Et quand je dis tout, c'est « tout ».

Moi : JF, tu me prêtes ton cellulaire pour que j'appelle l'Infobus ?

22 h 16

Enfin ! ! ! ! ! ! ! ! ! ! L'autobus ! Je n'ai jamais été si contente de voir un autobus de ma vie ! Et aussitôt que nous sommes assis, tout le monde change de sujet ! Yé !

22 h 34

Personne ne descend au même arrêt, mais Nicolas propose de venir me reconduire, alors nous sortons ensemble en souhaitant bonne nuit aux autres.

22 h 43

Dans ma chambre.

Nous sommes passés en vitesse devant ma mère et François qui regardaient un film. Et au moment où nous arrivons dans ma chambre, Nicolas me lance :

— T'aurais dû me le dire...

Moi : De quoi ?

Lui : Pour les araignées.

J'aurais peut-être dû lui dire que j'ai peur des araignées. C'est vrai. Mais ce n'est pas quelque chose que j'aime dire sur moi. Je ne suis pas tout simplement dégoûtée des araignées, comme certaines filles le sont des insectes en général. Les araignées me tétanisent. Devant elles, je suis terrifiée. Je ne fais pas qu'un sursaut en les voyant, je fais une crise de panique. Alors, ce n'est pas quelque chose que je veux répandre. Je n'en suis pas fière. J'essaie de maîtriser ma peur. C'est pourquoi je connais tout d'elles ! L'information « elles mangent des insectes nuisibles » n'a jamais été un argument en leur faveur pour moi. Je préfère tous les autres insectes ! Je ne voudrais pas non plus avouer à Nicolas que c'est pour me protéger que je ne veux pas dompter ma peur. Je me dis que si j'en ai peur, j'ai de meilleurs réflexes de défense. Eh oui, une phobie est complètement irrationnelle. Je n'aimerai jamais les araignées ! Et je ne me joindrais jamais non plus à un groupe pour les défendre, si jamais cette espèce était un jour en voie d'extinction. Il y a certaines espèces, dans le monde animal, avec lesquelles il est juste impossible d'avoir des affinités.

Je regarde Nicolas et je réponds simplement :

— Ce n'est pas quelque chose que j'aime dire sur moi parce que j'ai un peu honte.

Nicolas : Je ne comprends pas.

Moi : Personne ne me comprend. J'ai peur des araignées. Quand j'en vois une, je deviens une autre personne. C'est vrai, ce que Kat racontait. J'ai failli me noyer...

Nicolas : Non, mais je veux dire, hier... T'aurais dû me le dire. M'appeler. Je serais venu t'aider. Pourquoi t'as appelé Tommy ?

Oups. Danger. Alerte. La vérité, c'est que je n'ai pas pensé à une seule autre personne que Tommy. Il a toujours été là pour moi dans ce genre de situation, il sait comment agir avec moi. Je suis habituée de l'appeler pour ce genre de chose. Je n'ai même pas pensé à Nicolas.

Moi : Euh... Ben... Comme je te dis, j'ai un peu honte de ça. Tommy est habitué... Tu serais venu si je t'avais dit qu'il y avait des centaines d'araignées au plafond ?

Nicolas (incrédule) : Des centaines ?

Moi : Il y en avait vraiment beaucoup !

Nicolas : T'sais, s'il arrive quelque chose comme ça, je ne te jugerai pas. Je veux juste que ce soit moi la personne que tu penses à appeler.

Moi (en me collant sur lui) : T'es hot.

Nicolas : Avant que je parte, veux-tu que je vérifie partout s'il y a des araignées ?

Je ris et je le suis pendant qu'il regarde dans tous les racoins de ma chambre pour vérifier si je serai en sécurité dans mon sommeil, question que les araignées n'entrent pas dans mon nez. Étrangement, je n'avais jamais pensé à ça ! Des araignées... dans mon nez ! Ouaaaaach ! ! ! Elles pourraient aller dans mon cerveau. (À bien y penser, ça pourrait expliquer certaines choses...) Nicolas est désolé de m'avoir mis ces idées en tête. Il semble comprendre un peu mieux ma peur

transmettre ce genre
joute (un genre de
lier) :
ars qui veut faire peur à
elle ». Comme à l'école
plus.
sûr et certain que je lui
lance un [illegible] nent gaga que je dois avoir
l'air d'un poisson mort.)

Ce qu'aurait été ma vie si je n'avais jamais rencontré Nicolas :

Si je n'avais pas rencontré Nicolas, je n'aurais peut-être jamais eu de premier baiser, j'aurais donc continué à embrasser les affiches d'acteurs célèbres et je me serais inventé toute une vie imaginaire avec eux. J'aurais vieilli sans me défaire de cette obsession. J'aurais quitté l'école pour m'installer à Hollywood et je serais devenue une groupie professionnelle, guettant tous les faits et gestes de mes acteurs préférés. Un jour, sur un tapis rouge, alors que j'aurais sauvagement poussé tout le monde pour être au premier rang et atteindre un acteur vraiment célèbre et beau (un qu'on ne connaît pas puisqu'il s'agit d'une réalité parallèle dans laquelle il y a beaucoup de facteurs inconnus), un magazine de la presse à potins m'aurait remarquée et m'aurait offert un job de paparazzi. Et je déambulerais dans tout Hollywood pour croquer les vedettes sur le vif, à la recherche de *scoops*. Et, parfois, en cachette de mes collègues, j'embrasserais les plus belles photos. (Fiou ! ! ! Une chance que j'ai rencontré Nicolas ! ! !)

23 h 01

Puis, il me pousse sur mon lit et on s'embrasse jusqu'à ce que ma mère nous informe en entrouvrant la porte du sous-sol qu'elle s'en va se coucher. Nicolas m'annonce qu'il doit partir. Et on s'embrasse jusqu'à la porte. Et je prends plusieurs sniffées de son odeur avant de le laisser partir, ce qui le fait rire.

23 h 03

Soupir de bonheur X 1000.

Note à moi-même: En état d'extase devant mon chum, tenter autant que possible de trouver des expressions de béatitude adéquates et féminines non inspirées du règne animal.

Lundi 17 septembre

Je pense que je viens de découvrir le problème, bon, disons un des problèmes, avec le système scolaire: je réussis mieux à me concentrer quand j'écoute de la musique. Donc, s'il y avait de la musique pendant les cours, je crois que je me concentrerais mieux sur ce qu'enseignent les profs. Je n'arrête pas de penser à ma super belle fin de semaine, qui s'est terminée par un souper chez Nicolas (qui s'est super bien déroulé, en passant). Toutes mes pensées vont vers lui, et j'écoute les profs d'une oreille distraite en affichant un sourire niais (je ne me vois pas, ce serait fou de me regarder dans un miroir pendant mes cours, mais je ne peux qu'imaginer le visage que j'ai quand je pense à lui, surtout que je n'ai pas encore eu le temps de trouver les expressions de béatitude adéquates).

C'est pourquoi j'ai été soulagée lorsque le cours de français a commencé et que monsieur Brière nous a donné la période pour travailler à un projet personnel d'écriture, en nous suggérant de nous laisser aller là où l'inspiration nous mènerait.

Je me laisse donc aller à écrire une lettre d'amour à Nicolas.

11 h 40

J'ai fini !!!

« Cher Nicolas,

(Je me suis longtemps questionnée sur la façon de commencer ma lettre. Devais-je débuter par « Mon amour » ? Bof... je me suis dit que tu trouverais ça peut-être un peu cucul. J'ai aussi pensé à « Mon très cher amour », mais je trouvais que ça commençait un peu trop fort, et que ça faisait « ancien temps » et qu'il aurait été dur de faire une montée émotionnelle par la suite. Ensuite, je me suis dit que je commencerais seulement par « Nicolas », mais je trouvais que ce n'était pas assez spécial et que ça ne reflétait pas toute l'importance que tu avais pour moi. Il y a eu également tous les « Heille », « Toi » et « Chose », mais j'ai jugé que c'était peut-être un peu sec pour une lettre d'amour. Et là, je me suis dit : « Heille, si monsieur n'est pas capable

d'apprécier le début de ma lettre d'amour, il a juste à aller chez le diable! » Je me suis calmée et j'ai finalement opté pour « Cher Nicolas », qui s'est avéré la façon la plus traditionnelle de commencer ma lettre, j'en conviens, mais également la plus appropriée.)

Plus les jours passent, plus je t'aime.

(Je me suis demandé si je devais mettre « je t'aime » comme deuxième phrase de ma lettre. Il me semblait que j'entrais un peu trop abruptement dans le vif du sujet et que ça ne laissait pas assez de place à une montée dramatique et sentimentale. Mais bon, après réflexion, je me suis souvenue que tu appréciais ma franchise. À moins que ce soit les cerises? Hum... En tout cas, ça rimait en « ise ». Ma chemise? C'est vague.)

J'espère que nous aurons l'occasion, dans les prochains mois, de nous retrouver souvent dans les bras l'un de l'autre, amoureux, les deux pieds dans le sable...

(J'ai pensé qu'il serait bon que tu saches que mon imaginaire romantique est tropical. Avec du sable, des palmiers et tout ça. Comme l'hiver s'en vient, je sais que ç'aurait été plus vraisemblable de dire « les pieds dans la neige », mais ç'aurait été comme d'avouer que je voudrais attraper la grippe, et cet aveu aurait pris le dessus sur l'aspect romantique de ma lettre. Donc, j'ai pensé qu'il serait plus pittoresque de nous imaginer les pieds dans le sable que les pieds dans la neige, frigorifiés, grelottant et victimes d'hypothermie, sur le bord d'attraper un virus potentiellement mortel, passant ainsi pour des suicidaires.)

Jamais je n'aurais pensé rencontrer quelqu'un comme toi, qui me comprend, avec qui je partage toute cette complicité, l'humour et autant de moments savoureux. Ma vie est plus belle depuis que tu y es. Merci d'être là pour moi...

Tu es mon grand amour!
(Bon, ici, j'ai réellement un grand moment d'émotion et je me dis que si un jour tu m'écris une lettre d'amour, elle est mieux d'être bonne en titi!)

xxxoxoxoxoxoxoxoxoxoxoxxox
(Techniquement, je n'ai pas vraiment besoin de signer, car j'imagine que je suis la seule fille susceptible de t'envoyer une telle lettre.)

11 h 41

Monsieur Brière: Avez-vous bien travaillé? Vous avez mis en pratique les notions que je vous ai apprises sur un texte narratif? Avant la fin de la période, je vais piger un nom au hasard et lire l'œuvre de l'un d'entre vous devant tout le monde.

Il brasse des bouts de papier sur son bureau, et il pige Lauralie Fiset-Chaput. Fiiiiiiiiou!

Tout le monde regarde autour. Lauralie est absente. Il pige un autre nom.

Monsieur Brière: Aurélie Laflamme.

Ouch. J'ai un coup au cœur.

Moi: Euh... je n'ai pas tout à fait fini... Ça ne serait pas bon, je pense, pour le reste de la classe d'entendre ça.

D'un geste de la main, je signale que je passe mon tour.

Monsieur Brière s'approche de moi et prend un bout de la page sur laquelle j'ai écrit. Je tente de la retenir, sans succès. Il réussit à attraper ma lettre.

Et il la lit. En intégralité. À plusieurs moments, des éclats de rire fusent dans la classe. Même monsieur Brière rit. Je suis consumée par la honte. Cet instant me paraît interminable. Et intolérable.

11 h 45

Monsieur Brière: «... la seule fille susceptible de t'envoyer une telle lettre.» Fin de la parenthèse. Eh bien, ce n'est pas tout à fait le travail que j'attendais de vous, mais c'est tout de même un bel exercice de style, mademoiselle Laflamme.

Les autres élèves applaudissent (sûrement par politesse).

Pourquoi ce prof tenait-il tant à m'humilier? Je ne lui ai rien fait! Il est sur ma liste noire *4ever and ever*! Et les gens sur ma liste noire seront... Bon, je n'ai pas encore trouvé de punition pour les gens sur ma liste noire, mais il est sur la liste et on verra ce que ça donnera quand je déciderai du sort qui sera réservé à ces gens!

OK, j'avoue, ma liste n'est pas au point et, pour l'instant, mon prof de français est le seul qui y figure. Je vais lui trouver des amis de son espèce. J'ai quand même de la considération pour mes ennemis.

Ma liste noire (temporaire et non finale):

1) Louis Brière.

2) Un gars sur la rue qui m'a lancé un regard vraiment bête l'autre jour.

3) Le couple au cinéma qui nous demandait d'arrêter de parler avant que le film commence, mais qui commentait tout pendant le film.

4) Personne non identifiée qui a laissé un suçon au caramel sur un banc de métro.

12 h 00

La cloche sonne enfin. Je me dirige vers monsieur Brière pour récupérer (froidement) ma lettre à Nicolas. Il me dit:

— La prochaine fois, vous pourriez peut-être y aller d'un texte un peu moins privé.

Moi (toujours froidement): Je ne savais pas que vous alliez la lire devant tout le monde.

Monsieur Brière: Ah, faut t'attendre à ça ici. Tu es en classe, pas dans ta chambre.

Moi (contenant ma rage): Est-ce que je peux la ravoir, s'il vous plaît?

Monsieur Brière me tend les deux pages et ajoute:

— Tu nous as bien fait rire.

Moi (avec un sentiment évident de hargne que je projette par mes yeux): Ouain... j'ai vu ça.

Monsieur Brière (en effaçant le tableau): J'ai bien hâte de lire tes prochains textes. Tu sembles être quelqu'un qui cache ses émotions grâce à une certaine dose d'humour. C'est intéressant. C'était un exercice aujourd'hui, mais j'ai hâte de voir ce que tu vas nous pondre pour le concours.

J'écarquille les yeux en reprenant ma lettre et je balbutie quelque chose que j'oublie aussitôt. Ça ne devait pas sonner trop intelligent.

Je n'aime pas qu'on m'analyse sans me connaître.

Liste noire (mise à jour) :
1) Louis Brière (top VIP de la liste).
2) Louis Brière de dos.
3) Les cheveux de Louis Brière.
4) Toute la garde-robe de Louis Brière.
5) Le tableau de Louis Brière.
6) Tout ce que touche Louis Brière.
7) Le gars au regard poche.
8) Le couple au cinéma.
9) Personne non identifiée au suçon.

12 h 07

Je fouille dans mon sac pour donner ma lettre à Nicolas après avoir raconté à mes amis, tous attablés autour de nous, ce qui s'est passé en classe.

Tommy : On veut entendre !

Moi : C'est personnel !

Kat : *Come on !* Toute ta classe l'a entendue ! Nous, on est tes amis !

Je regarde Nicolas et il me dit que c'est à moi de décider. Je lui fais signe qu'il peut lire à voix haute.

12 h 16

Tout le monde rit. J'ai encore une fois un peu honte. Nicolas termine la lecture et se tourne vers moi :

— T'es géniale.

Et il m'embrasse.

Tommy : Cool, Laf.

Il se lève et va se chercher un jus à la machine distributrice.

Raphaël (vers Patin) : C'est pas nous qui recevons de belles lettres comme ça, hein ?

Patin se retourne vers la table où mange Brittany et lance :

— Parle pour toi.

Raph : Nicolas a toujours pogné plus que nous avec les filles. Non, mais sérieux, qu'est-ce que vous lui trouvez ?

Kat : Moi, je ne lui trouve rien de spécial. J'aime Emmerick.

JF : Il a un certain charme.

Nicolas : Merci, JF !

Moi : C'est à cause de son odeur d'assouplissant secret.

Nicolas rit.

Je jette un regard vers Tommy. Devant la machine distributrice, il parle à une fille qu'on ne connaît pas.

Nicolas me montre la lettre et me jure qu'il va la garder. Et qu'il se sent vraiment chanceux que plein de monde sache que je lui inspire des choses comme ça.

Liste noire (mise à jour) :

Je retire « Tout ce que touche Louis Brière » (car il a touché à ma lettre).

Je retire également « Les cheveux de Louis Brière » (la nature fera le travail pour moi, car il ne lui en reste plus tant que ça).

Je retire aussi « Louis Brière de dos » parce que, bon, c'est quand même grâce à lui que j'ai écrit une belle lettre à Nicolas.

Je conserve tout le reste concernant Louis Brière, car je le déteste vraiment.

Mercredi 19 septembre

C'est aujourd'hui que je me rebelle. Je suis tannée de faire toujours tout comme il faut. Alors, j'ai décidé de ne rien faire comme il faut et de déroger à certaines règles afin d'en faire subir les conséquences à ceux qui se retrouvent sur ma liste noire.

Mon premier cours ce matin est français. J'ai décidé d'arriver un peu plus tôt pour faire un graffiti sur le tableau de mon prof et voler ses craies. Comme ça, il ne pourra pas donner son cours (mouhahaha).

Je me sens tellement démoniaque (re-mouhahahaha) !

Tommy a accepté de venir avec moi plus tôt pour m'aider à mettre à exécution mon plan machiavélique (re-re-mouhahahaha). En fait, il m'a conseillé d'« agir au lieu de me plaindre ». Alors, j'ai eu l'idée du plan des craies. Il a dit que ce n'était pas vraiment de ce genre d'« agissement » dont il parlait. Je lui ai alors répondu qu'on ne faisait jamais rien de vraiment fou, qu'on n'était peut-être pas assez rebelles, qu'on était toujours sages, qu'on passait inaperçus, etc., etc. Et que passer inaperçu, se fondre dans la foule et tout ça, c'était correct, mais se défouler sur les profs, ça pouvait faire du bien aussi, surtout quand ils le méritent. Tommy m'a répondu :

— Qu'est-ce qui te fait croire que je suis si sage que ça ? Peut-être que je fais des choses vraiment folles pis que tu ne le sais pas. Tu ne connais pas toute ma vie. Avant de déménager ici, je me tenais avec une gang assez...

Moi (je le coupe) : Bon, ben si t'es si rebelle, je suppose que voler une craie et faire un petit graffiti, ça ne changera rien.

Et il a accepté.

Ah !

8 h 01

Tommy et moi sommes accroupis devant le tableau et on se demande quoi écrire.

8 h 02

Moi : Tout à coup qu'il reconnaît mon écriture ?

Tommy : Je peux l'écrire, moi.

8 h 05

On cherche encore quoi écrire.

8 h 06

Toujours devant le tableau.

Moi : Le problème, c'est que vu qu'il m'a humiliée avant-hier, il va se douter que c'est moi.

Tommy : Veux-tu laisser faire ?

Moi : Peut-être qu'on peut juste voler les craies. C'est moins évident de m'identifier à ce crime, et c'est assez chien dans le fond parce qu'il n'aura pas de craies et ça fera perdre du temps en classe.

Tommy : C'est toi qui décides.

Je m'empare de toutes les craies sur le bord du tableau et on sort en vitesse de la classe. Ni vu ni connu. Je sens une grande dose d'adrénaline m'envahir.

8 h 15

Je jette les craies à la poubelle. Mouhahahaha ! Je suis diabolique.

8 h 16

La culpabilité m'envahit. Solide. Tommy me convainc que Louis Brière mérite de se faire voler ses craies après ce qu'il m'a fait. Et que, de toute façon, manquer de craies n'a jamais conduit un prof au *burnout*.

9 h 15

Premier cours de la journée : français.

J'ai hâte de voir comment il va donner son cours sans craies. Héhé.

9 h 17

Monsieur Brière : Oh, le concierge a dû jeter mes craies par erreur.

Héhé. (Mouhahahahaha.) Machiavélisme.

Il ouvre un tiroir, sort une nouvelle boîte de craies et commence son cours. Si j'ai retardé quelque chose, c'était d'à peine quinze secondes.

9 h 25

Monsieur Brière parle de poésie, de Baudelaire. Mais comme je me suis levée tôt et que je n'ai pas mangé, j'ai faim.

Monsieur Brière : Aurélie, quel est le thème de Baudelaire dans *Les Fleurs du mal* ?

Moi : Euh... la faim dans le monde ?

Mon prof affiche un air interdit et, au moment où, soit dit en passant, personne ne fait de bruit dans la classe parce qu'il y a un malaise à la suite de ce que je viens de dire qui est totalement hors sujet, mon ventre émet un bruit digne d'une éruption volcanique. Tout le monde se retourne vers moi.

Je veux me rebeller, bon ! Je ne veux pas avoir l'air d'avoir des problèmes de digestion !

Monsieur Brière continue son discours en ignorant ma réponse, et moi, je meurs de faim. Je ne peux pas vraiment écouter son cours, car on dirait que mon cerveau ne fonctionne pas correctement.

Mon esprit bifurque vers mon ancienne école. Vers Denis Beaulieu. Vers les profs qui m'envoyaient en retenue pour tout et pour rien. À mon ancienne école, répondre ça à un prof, ça n'aurait pas passé. On m'aurait illico envoyée au bureau de Denis Beaulieu. Pour être vraiment honnête, me faire envoyer chez le directeur pendant un cours ne me déplaisait pas tant que ça. Ça me donnait un petit congé. Ça me permettait de changer d'air. Si on m'envoyait chez le directeur à ce moment-ci, je pourrais en profiter pour aller me chercher une collation dans une machine distributrice.

Ce qu'aurait été ma vie si j'avais terminé mon secondaire à l'école privée :

Si j'avais réussi à sauver mon école privée de la fermeture, j'aurais eu une fin de secondaire bien différente. Je n'aurais pas croisé Nicolas tous les jours à l'école après notre rupture. Je l'aurais donc peut-être oublié. Je n'aurais pas rencontré Iohann. Je n'aurais pas commencé à me tenir avec Frédérique et les autres, que Kat appelle affectueusement (pas du tout, mais je dis ça pour être gentille) « les perruches » parce qu'elles sont très colorées et qu'elles parlent fort, et donc, je n'aurais jamais failli perdre mes vrais amis à moi. J'aurais continué à me faire sermonner par Denis Beaulieu. Mais je n'aurais pas eu à me demander quoi mettre tous les jours. Je ne détestais pas mon uniforme. Kat aurait continué à se plaindre parce qu'elle voulait aller dans une école avec des gars. Ce qui est ironique, puisqu'elle sort avec un gars qui ne vient pas à notre école, alors ça ne change rien. Mais elle n'aurait pas rencontré JF, qui est son meilleur ami gars. Aussi, mes résultats scolaires ne se seraient peut-être pas spectaculairement améliorés comme c'est arrivé l'an dernier, probablement grâce à ma nouvelle école, qui a des méthodes d'enseignement plus adaptées à ma personnalité, sans doute. Donc, comme je n'aurais pas bien réussi à l'école et que j'aurais subi les plaintes constantes de ma meilleure amie, j'aurais eu besoin de me relaxer. J'aurais donc commencé à pratiquer la méditation transcendantale et j'aurais atteint un niveau de conscience spirituelle digne de Bouddha. J'aurais peut-être même réussi à léviter ! Et puisque j'aurais atteint ce niveau spirituel élevé, je n'aurais plus ressenti la faim. Et, en ce moment, je ne serais pas sur le point de mourir d'inanition.

12 h 15

Enfin, je mange ! ! ! Avec tellement d'appétit que rien n'existe autour. Je suis en train de raconter notre rébellion à Jean-Félix, Nicolas,

Raph et Patin. Raph trouve que j'ai bien fait, mais je lui avoue que je me sens coupable.

Moi : J'ai fait quelque chose pour me venger de mon prof, ça n'a pas eu de conséquence sur sa vie, j'ai eu faim tout l'avant-midi et je me sens mal.

Nicolas : Voyons, c'est juste des craies, relaxe.

JF : Je comprends ce que tu veux dire. Tu ne veux pas devenir ce genre de personne. Au pire, achète des craies au magasin du dollar et va les remettre.

12 h 16

Kat arrive à la table en s'excusant, secouant son cellulaire devant nos yeux, prétextant qu'elle était au téléphone. Jusque-là, tout le monde ne l'écoute que d'une oreille, se penchant sur le crime que j'ai commis, lorsqu'elle nous annonce finalement :

— J'ai été engagée à ta boutique, JF !

JF lui saute dans les bras et lui avoue :

— Je le savais ! ! ! Mais je ne pouvais pas te le dire, j'avais promis au gérant.

Il se tourne vers moi et ajoute :

— Je travaille pour te faire rentrer aussi, Au.

Voilà ce que sera ma vie : Je n'aurai pas de travail et je serai une criminelle très recherchée. Et dans les entrevues qui parlent des plus grands criminels de l'histoire, je raconterai : « Tout a commencé par un vol de craies. » Argh. Dire que j'aurais pu être Bouddha et léviter !

P.-S. : La rébellion, ce n'est pas pour moi. La culpabilité, je déteste.

P.P.-S.: Je ne tripe pas non plus sur le fait d'avoir une liste noire, finalement.

P.P.P.-S.: Zénitude. Ah-fu.

À l'agenda: Brûler (mentalement) ma liste noire.

Samedi 22 septembre

En voiture, en direction du chalet de la famille de François.

On est en plein mois de septembre, et on dirait que c'est encore l'été tellement il fait chaud, style canicule. J'ai ouvert ma fenêtre et je reçois plein de vent dans mes cheveux. Sybil aussi. Elle fait de drôles d'yeux, comme si elle aimait ça.

François et ma mère ont pensé qu'on pourrait profiter du fait que j'ai un congé pédagogique lundi pour aller passer une longue fin de semaine à la campagne. Ça tombait bien, car tous mes amis s'en allaient. Tommy va chez sa mère à l'autre bout du monde, Kat a de l'équitation et plein d'activités avec Emmerick. JF n'a pas voulu nous dire ce qu'il faisait (nous soupçonnons qu'il a rencontré quelqu'un). Ma mère m'a proposé d'inviter Nicolas, mais il avait une pratique de hockey et ensuite il allait chez sa mère. (Et pour être honnête, je n'aime pas beaucoup sa mère... Elle est bête.)

10 h 01

François s'arrête dans un magasin d'électronique en nous disant de l'attendre dans la voiture et que ce ne sera pas long. Il me semble que c'est assez impoli de sa part de nous faire attendre comme ça pour ses bébelles électroniques. Franchement ! Même Sybil s'impatiente et miaule sans arrêt tellement elle a chaud (c'est ma théorie, car je crois qu'elle a pris goût au petit vent dans son poil quand on roule). Je souffle un peu dans son visage pour la calmer, mais ç'a l'air de l'insulter plus qu'autre chose et elle donne des coups de patte avec un air agacé sur la porte de sa cage, ce qui fait rire ma mère qui se retourne constamment pour nous regarder.

10 h 13

Moi : Coudonc, c'est ben long !

Ma mère : Je ne savais pas que tu étais si pressée d'être dans la nature.

Moi : C'est pas ça...

Ma mère : T'sais, les hommes et l'électronique... C'était sur notre chemin et il avait quelque chose à aller voir.

13 h 46

Nous sommes quand même arrivés assez tôt malgré cet arrêt inutile. Nous avons dîné avec la famille de François et, ensuite, je suis allée sur le quai pour faire mes devoirs au bord du lac pendant que les adultes parlaient à table et que les enfants couraient un peu partout.

Comme je suis la seule de mon âge, je n'ai pas trop le goût de socialiser, même si les enfants m'ont invitée à jouer à leurs jeux d'espions (je leur ai dit que j'étais un agent secret qui avait l'air de faire des devoirs, mais que ça faisait partie de ma mission).

J'aurais quelques recherches à faire, mais il n'y a pas de connexion Internet ici. Ça manque, je trouve. C'est un beau chalet, pourtant. Bon, avant, je trouvais que c'était la jungle ici, mais depuis que j'ai passé l'été en camping, je trouve que ce chalet sur deux étages, où on a chacun une chambre, ce grand terrain et ce quai privé, c'est le grand luxe !

Une seule chose m'énerve : les maringouins. D'après leur attitude (et le nombre de piqûres que j'ai), mon cou semble tellement savoureux que j'ai moi-même envie d'y goûter. (Pour eux, je suis peut-être comme une nouvelle tendance gastronomique.) Je dois faire mes devoirs en les chassant constamment du revers de la main.

Note à moi-même : Ne pas trop me vanter d'être une tendance gastronomique de maringouins, car dans les tendances gastronomiques des insectes se trouvent des choses dégueu, genre poubelles, vieux fruits pourris, moisissure et débris organiques. Ce qui n'est pas très valorisant.

Dimanche 23 septembre

Les adultes m'ont permis de m'asseoir à leur table pour manger. Ça fait changement, car habituellement je suis à la table à côté, avec les enfants. Je suis assez contente d'être passée à la grande table. Avoir seize ans, c'est peut-être une étape importante.

Pendant que je mange mon steak en écoutant Chantal, la sœur de François, parler d'un film qu'elle conseille à tous de voir, mais qui a l'air vraiment super plate d'après sa description (ou sa façon de le raconter), François revient de sa chambre avec quelque chose derrière son dos. Il s'excuse auprès de tout le monde de les interrompre, et ajoute :

— Aurélie, ta mère et moi en avons beaucoup parlé et nous trouvons que tu es très responsable.

Tout le monde me regarde. Je ne sais pas pourquoi il fait ça. Je n'aime pas être le centre d'intérêt. Surtout en me faisant infantiliser de cette façon, « tu es très responsable, mui mui mui », alors que je suis à la table des adultes ! Franchement ! Est-ce qu'ils diraient à Chantal : « Bravo pour tes goûts cinématographiques, ils sont très matures » ? !

François (qui continue) : Et nous sommes bien fiers du test de maths que tu nous as montré l'autre jour.

Honnêtement, c'était un tout petit test de rien. J'ai eu 9/10. Rien pour en faire une nouvelle d'actualité interplanétaire et/ou l'annoncer sur Internet.

François (qui continue en regardant les autres) : Elle a eu neuf sur dix dans un test de maths.

Tout le monde fait : « Ohhhh ! Bravooo ! » Les enfants continuent de parler comme si de rien n'était. Je voudrais disparaître de la pièce. (Et peut-être de la surface de la planète.)

François (qui continue) : J'ai parlé à ta mère et elle m'a permis de te donner ça.

Il me tend un cellulaire. Je regarde ma mère. Elle approuve d'un signe de tête.

François (qui continue) : C'est pour ça que j'ai fait un arrêt au magasin d'électronique, hier. Il est chargé, activé et fonctionnel.

Spontanément, je bondis de ma chaise et je lui saute au cou en m'écriant :

— Ooooh ! Merci papa !

Je me dégage et recule.

Moi (en gesticulant) : Euh... je veux dire François. Ça... rime. François... et papa... Mon cerveau mélange les mots qui riment des fois. Comme par exemple, si je disais : « Je veux une patte », je voudrais dire : « Je veux une patate. » En tout cas, je n'ai jamais dit ça, mais ça pourrait vraiment m'arriver. Je le sais, gros défaut. Mauvaise connexion neuronale, je pense. Scusez. Bonne nuit. Je n'ai plus trop faim. Ça doit être à cause des ondes... du cellulaire.

Je recule encore. Tout le monde me regarde et je ne sais plus quoi dire. Je vérifie que j'ai bien mon cellulaire en main, et je dis en le brandissant dans les airs :

— Je vais aller vérifier s'il fonctionne bien... pour... ne pas perdre de temps pour la garantie...

21 h 34

De ma chambre, au téléphone avec Kat. Je n'ai pas pris le temps d'allumer la lumière et je ne suis éclairée que par celle du corridor et l'écran lumineux de mon cellulaire.

Après lui avoir raconté l'anecdote, je lui ai demandé d'aller sur un forum santé et de poser la question : « Est-ce qu'on peut avoir l'Alzheimer à seize ans ? » Elle attend la réponse.

Kat : OK, j'ai la réponse.

Moi : Qu'est-ce qu'ils disent ?

Kat : Attends, laisse-moi lire ! Euh... c'est écrit qu'il ne faut pas penser qu'on est atteint de cette maladie chaque fois qu'on oublie un truc.

Moi : Écris que c'est des trucs super importants, genre l'autre jour, quelqu'un m'a demandé si j'avais déjà joué à *Mario Kart* et, spontanément, j'ai nié, alors que j'y joue tout le temps ! Aussi, j'oublie certains devoirs. L'autre jour, j'ai même oublié le nom de ma voisine ! Ça m'est revenu après quelques minutes, mais... Pis j'ai oublié que j'avais un père ! Ça, c'est vraiment pas fort. Oh ! Pis ajoute que c'est héréditaire et que ma mère est déjà Alzheimer depuis longtemps.

Kat : Au, c'était juste un lapsus.

Moi : Écris ça, s'il te plaît !

Kat : OK, capote pas !

Je l'entends taper.

Moi : Pis, qu'est-ce qu'ils disent ?

Kat : Hum... que c'est rare, mais pas impossible. Qu'il faudrait que tu consultes un médecin au plus vite.

Moi : Je le savais ! J'ai l'Alzheimer ! C'est fini, la scolarité et tout. Comment tu veux que j'aille à l'université un jour si je ne suis pas capable de me servir de rien ? Euh... je veux dire *souvenir* ! Tu vois ? Je mélange tous les mots ! ! !

Kat : Tu as peut-être une tumeur au cerveau aussi. Ou tu es en train de faire un AVC, il paraît que les gens qui font des AVC sont tout mêlés juste avant.

Moi : OH NOOON ! Google les symptômes d'un AVC pour voir.

Kat : Je faisais de l'ironie.

Moi : On sait jamais ! Cherche !

Je l'entends taper.

Kat : Oh, c'est écrit que la personne n'est pas capable de dire des phrases cohérentes !

Moi : C'est TOTALEMENT mon cas !

Kat : Ils conseillent de lever les deux bras. Es-tu capable ?

Moi (les bras dans les airs, le téléphone coincé sous le menton) : Oui. Quoi, qu'est-ce que ça fait ?

Kat : Je ne sais pas, ils ne disent rien d'autre.

Moi : Ce n'est peut-être pas un AVC. Regarde pour la tumeur au cerveau.

Kat : Troubles de mémoire, changements d'humeur, état de confusion.

Moi : Oh mon Dieu ! J'ai soit l'Alzheimer, soit une tumeur au cerveau !

Kat : Je pense que tu capotes.

J'entends des pas approcher de ma chambre.

Moi : Faut que je te laisse, quelqu'un s'en vient. Je te rappelle de l'hôpital.

Kat : Franchement ! OK, bye.

21 h 45

Ma mère entre dans la chambre, s'assoit sur le lit et me demande :

— Veux-tu parler ?

Moi : Oh oui, s'il te plaît ! Et c'est urgent ! Il faudrait appeler le 911, je ne me sens vraiment pas bien et, selon mes recherches, ce serait l'Alzheimer ou une tumeur au cerveau. Mais si c'est diagnostiqué à temps, j'ai peut-être des chances de m'en sortir.

Ma mère: Franchement, Aurélie...

Moi: C'est peut-être aussi un AVC, mais je suis capable de lever les bras, fait que... Honnêtement, je ne comprends pas pourquoi tu n'as pas déjà appelé une ambulance. À ta place, j'aurais peur. Mon père est mort d'une embolie pulmonaire. Et toi, tu es Alzheimer, alors ma génétique n'est pas trop trop de mon bord pour les maladies du genre.

Ma mère: Ben voyons, toi! Je ne souffre pas d'Alzheimer!

Moi: T'oublies tout le temps tout! Et je suis rendue comme ça moi aussi!

Ma mère: J'ai peut-être un disque dur un peu trop plein... Hahahahaha!

Moi: Au moins, t'es là pour rire de tes propres blagues...

Ma mère: On est distraites, c'est tout.

Une silhouette masculine apparaît dans l'embrasure de la porte. Je lève la tête. Avec l'éclairage du corridor, on ne voit que du noir. Sur le moment, j'ai un coup au cœur, croyant voir une manifestation fantomatique de mon père venu de l'au-delà pour me chercher et m'emmener dans l'autre monde, ma tumeur au cerveau ayant eu raison de moi. Les yeux écarquillés, le souffle court, remplie d'émotion, je murmure:

— Papa?

C'est à ce moment qu'il s'avance dans la lumière et que je vois François.

Pourquoi mon cerveau a le réflexe de le prendre pour mon père, ce soir?

Je me tourne vers ma mère, retenant une larme:

— Maman, je te jure, il FAUT que j'aille à l'hôpital. Je te JURE. Je ne me sens vraiment pas bien.

Je remarque le cou de ma mère qui rougit, comme chaque fois qu'elle a envie de pleurer.

François s'avance vers nous et demande à ma mère s'il peut me parler seul à seule. Elle sort et il s'assoit près de moi.

— Aurélie, je sais que je ne prendrai jamais la place de ton père dans ton cœur. Mais je tiens à te dire que je t'aime vraiment beaucoup. Et que si tu fais parfois ce genre de lapsus, ça ne me montera pas à la tête, promis. D'accord?

Je hoche la tête.

Il se lève et se dirige vers la porte. Il redevient à contre-jour et je ne vois encore que sa silhouette noire. Je réalise à ce moment que je n'ai plus aucun souvenir de la silhouette de *mon* père. Était-il grand? Était-il mince? Je l'imagine mince, mais peut-être qu'il avait quelques petites rondeurs. C'est flou. J'ai l'impression que le souvenir que j'ai de mon père emprunte de plus en plus les traits de François. J'ai l'impression de *trahir* son souvenir. De trahir mon père. Ai-je le droit d'aimer François au point que s'il quittait ma mère et, par le fait même, ma vie, j'aurais presque autant de peine que lorsque mon père est mort? Ai-je le droit de sentir que j'ai comme une vraie famille lorsqu'il est là?

Sybil saute sur mon lit, se colle contre moi et ronronne. Et mon cœur, qui voulait sortir de ma poitrine depuis un moment, se calme peu à peu à mesure que mes doigts caressent sa fourrure.

François me souhaite bonne nuit et sort.

Aucun mot n'a pu sortir de ma bouche, tous bloqués par la boule enfermée dans ma gorge.

Je regarde mon cellulaire. Avec tous les satellites qu'il y a dans l'espace, dommage qu'on ne puisse envoyer de messages textes dans l'au-delà. Sans m'attendre à une réponse, j'aurais juste aimé envoyer un message texte à mon père, lui disant que je ne l'oublie pas. Juste pour qu'il le sache. Tout d'un coup que je l'aurais « cosmiquement » insulté.

Octobre

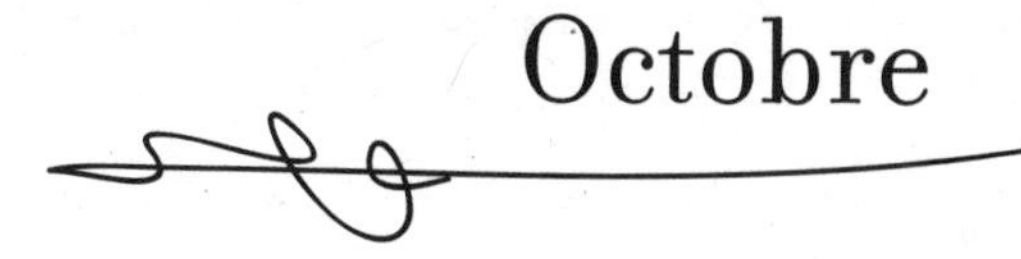

Accès interdit

Mardi 2 octobre

Depuis quelques jours, en revenant de l'école, je passe toujours devant mon ancienne maison. J'utilise le prétexte d'accompagner Tommy qui habite juste à côté, mais en réalité, c'est pour espionner. Je veux voir si les gens qui y vivent ont fait des changements.

Tommy m'a proposé qu'on alterne et qu'il vienne parfois jusque chez moi (chez moi étant la nouvelle maison), mais je lui ai répondu qu'aller jusque chez lui me faisait pédaler davantage et que je devais faire plus d'exercice.

Le pire, c'est que c'est vrai.

L'autre jour, en revenant du chalet, j'ai fait plusieurs recherches sur l'Alzheimer. Je me demandais comment l'éviter ou arrêter son développement. J'ai découvert (et là, je paraphrase, car je n'ai pas les connaissances nécessaires pour bien rapporter tous les propos) que c'était « le processus dégénératif » le plus populaire chez les personnes âgées. Bon, pas « populaire » dans le sens que tout le monde voudrait l'avoir, mais « populaire » dans le sens que ça atteint de plus en plus de personnes. Aussi, comme la population est vieillissante, les cas d'Alzheimer ainsi que d'autres maladies de démence (mot que je trouve vraiment intense) seront de plus en plus nombreux au cours des prochaines années. Paraît-il que ça pourrait même coûter très cher à la société de s'occuper de tous ces gens (dont je ferai sûrement partie). Et la façon d'éviter ces maladies serait de faire beaucoup d'exercice. Et de manger du poisson. Comme je ne suis pas la fan numéro un des poissons, faire de l'exercice reste ma seule option. D'ailleurs, j'ai bien tenté de faire changer mon cours d'art dramatique pour un cours supplémentaire d'éducation physique, ou même de faire partie d'une équipe sportive, sans succès.

Vendredi 28 septembre, 16 h 25, après le cours d'éduc, lorsque j'ai fait part à mon prof, Denis Villeneuve, de mon idée de changer mon option art dramatique pour l'option sport

Denis : Il est un peu tard pour ça. Et l'éducation physique n'est pas dans les options. Je ne savais pas que tu avais développé une passion soudaine pour le sport. Tu voudrais être plus en forme ?

Moi : En fait, ce serait surtout pour éviter... la démence.

Denis m'a regardée, il semblait un peu bouche bée.

Moi (qui ai continué) : Tu comprends, la démence ou les maladies cognitives dégénératives peuvent être évitées si on fait beaucoup d'exercice. Je pense que le système d'éducation devrait se mettre à jour sur ces nouveaux faits médicaux et prévoir plus de cours de sport au programme.

Denis : Pour éviter la démence des étudiants ?

Moi : Pas la démence présente, mais future.

Denis affiche un air découragé et il rit en replaçant des ballons dans une armoire.

Moi : Est-ce que je pourrais faire partie d'une équipe de sport, dans ce cas-là ?

Denis : Tu n'es pas assez douée pour faire partie d'une équipe. Tu ferais perdre l'école ! Hahahaha !

Moi : Ha. Ha. Très drôle. Peut-être que tous les élèves pourraient être obligés de faire partie d'une équipe de sport et qu'il pourrait y avoir des catégories ? Moi, je serais dans les poches, ça ne me dérange pas.

Denis : Ça prendrait plus qu'un prof pour *coacher* toutes ces équipes. Je ne pense pas que l'école ait le budget pour ça.

Moi : C'est un choix de société que nous devrions faire. Les cas de démence coûteront très cher aux contribuables, car ils sont de plus en plus nombreux. En obligeant tout le monde à faire du sport, on économise beaucoup pour le futur.

Denis : J'ai déjà fait acheter trois tapis de *Dance Dance Revolution*, car je trouvais ta suggestion très intéressante. Fais-en sur l'heure du dîner.

Moi : Mais je voulais que ce soit *intégré* à mon programme scolaire ! T'sais... parce que je manque de temps.

Denis : Bon, désolé, ma petite démente, mais je ne peux rien faire pour toi. Je te suggère de faire du vélo pour éviter la dégradation...

Moi : Dégénérescence cognitive.

Denis : Comme tu dis. Et viens faire du *DDR* le midi. Les tapis sont là pour ça.

Après cet échec, je n'ai pas jugé bon d'aller faire changer le menu de la cafétéria. De toute façon, je suis sûre que les études sur le poisson ne sont pas encore tout à fait au point. L'exercice, c'est plus sûr. Alors, j'ai commencé à allonger mes trajets de vélo après l'école.

Retour à aujourd'hui, 16 h 10

Tommy est à vélo devant moi. Je pédale lentement devant mon ancienne maison en tentant de regarder par la fenêtre. La lumière est ouverte et on peut voir un peu. Ils ont l'air d'avoir changé les couleurs des murs. J'avance un peu ma tête en plissant les yeux pour vérifier si c'est bien vrai. Ils ont changé les couleurs ? Mais c'était presque frais peint ! En tout cas, ils n'ont pas l'air d'avoir beaucoup de goût, même si je ne vois rien parce que...

Je viens de foncer dans la chaîne de trottoir. Mon vélo a basculé et j'ai failli tomber, mais j'ai mis le pied par terre juste à temps.

Tommy arrive près de moi et me demande :

— Qu'est-ce que tu fais, Laf?

Moi : La chaîne de trottoir m'a foncé dedans ! En tout cas, pas trop sécuritaire comme emplacement. On devrait en parler au député du quartier ou quelque chose comme ça. Ça nous empêche de pédaler librement et de faire de l'exercice. Tu sais que c'est bon pour la santé mentale ?

Tommy: Ce n'est pas en pédalant de même que ça va te faire faire de l'exercice. Ta santé mentale est peut-être déjà affectée. D'ailleurs, vu ta coordination de mouvements...

Moi : Un, c'est préventif, mon affaire, et deux, ben, j'espionne mon ancienne maison. T'es content ?

Il a juste souri et m'a proposé qu'on fasse du vélo plus longtemps. Offre que j'ai acceptée, surtout par devoir de citoyenne, question d'éviter aux contribuables d'avoir à payer mes futurs soins de santé.

Mercredi 3 octobre

Je suis arrivée en retard aujourd'hui à l'école parce que je n'arrivais pas à sortir de la maison (démence confirmée ?).

1) Je suis sortie à l'heure.

2) Dehors, j'ai réalisé que j'avais oublié mon cahier d'exercices de français.

3) Je suis rentrée pour aller le chercher.

4) Dehors, j'ai réalisé que j'ai pris mon cahier d'exercices de français, mais que j'ai oublié mon sac à l'intérieur.

5) Je suis retournée pour prendre mon sac, mais je ne trouvais plus ma clé pour barrer la porte.

6) Je suis entrée de nouveau dans la maison pour chercher ma clé. Au bout d'un moment, j'ai fouillé sur moi et réalisé qu'elle était tombée dans mes pantalons (j'ai dû me tromper en voulant la déposer dans mes poches).

7) Je suis ressortie et j'ai réalisé que je n'avais pas mes lunettes fumées. Je n'en avais pas besoin, car il pleuvait, mais chaque fois que je sors de chez moi sans mes lunettes fumées, il se met à faire beau et je rage de ne pas avoir apporté des lunettes (je suis même en train de commencer à croire que dame Nature a une dent contre moi et qu'elle a organisé une conspiration interplanétaire pour me faire enrager).

8) Cherché mes lunettes. Pas trouvé mes lunettes. Regardé partout. Sous les coussins du divan. Dans ma chambre. Regard circulaire de tout le sous-sol. Me suis dit que je n'aurais jamais assez de temps pour les trouver ici (ma chambre étant trop bordélique).

9) J'ai décidé de me passer de mes lunettes, je suis remontée vers la sortie et je les ai vues sur la télé du salon. Je les ai attrapées et je suis sortie de nouveau.

10) J'ai barré la porte et fait quelques pas dans l'entrée lorsque j'ai découvert que de l'eau entrait dans mes souliers à chacun de mes pas et que je sentais le moindre caillou. J'ai regardé

vers mes pieds et j'ai remarqué que j'étais en pantoufles.

10 ½) À ce moment-ci, entre 10) et 11), j'étais complètement découragée et j'ai sérieusement pensé feindre une quelconque maladie pour ne pas être obligée d'aller à l'école. Il y a de ces journées où il vaut juste mieux rester couchée.

11) Je suis rentrée à la maison. J'ai mis mes souliers.

12) Je suis sortie pour la deux millième fois, j'ai barré la porte, marché jusqu'à mon vélo et suis partie pour de bon en pédalant à une vitesse folle (avantage : exercice).

9 h 35

Il fallait que mon premier cours soit français.

Je suis sûre que c'est karmique.

J'ai volé des craies en français, je n'en ai pas acheté d'autres comme me l'avait suggéré JF, et maintenant, il m'arrive plein de malchances en français.

J'arrive devant la porte du local de mon cours de français. Je tourne vraiment discrètement la poignée et la porte s'ouvre dans un grincement infernal. Je prie tous les dieux existants de me rendre invisible ou de me faire remonter le temps. En passant, quand on devient invisible pour les autres, est-ce qu'on continue de se voir soi-même ? Donc, si je deviens invisible, est-ce que je vais continuer de me voir ? Je me regarde. Je me vois. Soit 1) ma prière n'a pu être exaucée, soit 2) on peut se voir lorsqu'on devient invisible.

Monsieur Brière : Mademoiselle Laflamme. Content que vous vous joigniez à nous. On ne vous dérange pas trop dans votre horaire chargé ?

Si je pouvais me le permettre, je répondrais :

— Euh... rapport ? Je suis arrivée à l'heure *tous* les jours depuis le début de l'année scolaire. OK, l'année scolaire a débuté il y a un mois à peine. Mais bon, ce n'est pas comme si j'étais arrivée en retard cinq ou six fois et que vous pouviez vous permettre un commentaire sur mon manque de ponctualité. Ça ne vous est jamais arrivé, à vous, d'oublier votre clé, vos lunettes, votre cahier d'exercices et vos souliers ? Ou pire, de commettre l'erreur suprême d'appeler votre beau-père « papa » ? Mais non ! Parce que vous ne faites jamais de bêtises, vous ! Vous êtes parfait, semble-t-il ! Excusez-moi, monsieur le professeur, d'être imparfaite et d'avoir eu une matinée où aucun astre n'était aligné pour que j'arrive à temps ! Excusez-moi d'exister !

Mais je ne peux pas.

Pendant que je traverse la classe en ne sachant pas trop quoi répondre à son commentaire méprisant, un peu honteuse de cette humiliation, j'entends des petits rires. Je ne peux pas croire que les gens trouvent le prof si drôle de m'avoir dit ça ! Ç'aurait pu arriver à n'importe qui d'être en retard, franchement ! Tout le monde se croit parfait, ici, juste parce que c'est un cours d'enrichi, ou quoi ?

Monsieur Brière : Aurélie, tout le monde est en équipe de deux pour analyser les thèmes et les métaphores dans la poésie d'Émile Nelligan.

Ton coéquipier a commencé sans toi, tu seras avec Jason Bérubé.

Je vais m'asseoir docilement près de Jason. Il porte un t-shirt noir avec un slogan bleu illisible. Ça fait ressortir ses yeux, qui sont gris-bleu. Il se place une mèche de cheveux derrière l'oreille avant de recommencer à écrire et me dit d'emblée, sans me regarder :

— T'as mis deux souliers différents.

Je regarde vers mes pieds.

Décidément, ce n'est vraiment pas ma journée !

Vendredi 5 octobre

Avant d'aller dîner, je suis allée me chercher un jus à la machine distributrice, près du casier de Nicolas, à côté de celui d'Audrey. Elle n'était pas là et son casier était ouvert. Sur sa porte, j'ai remarqué plein de photos, alors je me suis approchée pour regarder. Sur une photo, elle est à côté d'une affiche avec plein de signes chinois et elle a mis des autocollants de lettres de différentes couleurs indiquant « Tokyo ». Elle est allée à Tokyo ? Ayoye... À côté, c'est une photo qui semble avoir été prise à Disney World où elle donne un bisou sur la joue en plastique de Buzz Lightyear. Sur une autre photo, elle est sur une plage, devant la mer ou l'océan, dur de dire où elle se trouve exactement (toutes les plages se ressemblent, j'imagine), et un perroquet se tient sur sa tête alors qu'elle semble éclater de rire. Sur une autre photo, elle est à côté de la statue de la Petite Sirène au Danemark. Je la reconnais, car j'ai tellement tripé sur le film que j'ai fait des recherches sur l'histoire, et j'ai découvert que le conte venait d'Allemagne et que cette statue l'honorait. Je regarde de plus près la photo de la Petite Sirène. Audrey pose fièrement à côté, avec le regard pétillant, alors que la Petite Sirène regarde au loin, le dos courbé, affichant un air triste. Cette statue me touche... C'est la première fois que je constate son air triste. Quand j'avais fait mes recherches, je ne l'avais pas remarqué, car lorsque j'avais appris que dans le conte original de Hans Christian Andersen la Petite Sirène mourait, ça m'avait fait trop de peine, et je ne m'y étais pas attardée plus longuement. Car ce que j'aime, dans le conte de Disney, c'est qu'elle retrouve son père à la fin et que tout redevient normal. Mais dans le conte original, la Petite Sirène n'arrive jamais à ses fins et se transforme en écume de mer. Assez tragique.

Oh mon Dieu ! Elle est vraiment chanceuse ! (Pas la sirène, mais Audrey.)

Aveu : Je pense que j'aimerais être comme Audrey, une fille sophistiquée qui a fait le tour du monde.

Ce qu'aurait été ma vie si j'avais fait le tour du monde :

Tout aurait commencé par un simple voyage dans le Sud avec ma mère, après la mort de mon père. Nous aurions d'abord fait ça pour oublier, nous changer les idées, mais nous aurions découvert que voyager était tellement une seconde nature pour nous que nous aurions décidé de faire le tour du monde. Nous aurions constaté que la vie ne valait pas la peine d'être vécue si on ne voyait pas le monde dans toute sa splendeur. Ma matière préférée aurait été la géographie (contrairement à ma vraie vie où j'ai eu la note la plus épouvantable de toute l'histoire de ma scolarité dans cette matière) et j'aurais sûrement voulu devenir océanographe (ça sonne bien), car au fil de nos voyages en mer, j'aurais développé une passion pour les écosystèmes marins (ce qui me laisse un peu de glace dans ma vie réelle). Je serais également sûrement devenue un peu insupportable. Ce genre de personne qui ne peut prononcer une phrase sans nommer un pays. Du genre, quelqu'un dit: « Mmmm... il est bon, ce chocolat. » Et moi de répondre: « C'est vrai qu'il n'est pas mauvais, mais quand j'étais en Belgique, j'en ai goûté un teeeeeeeellement meilleur ! » Je n'aurais donc pas d'amis. Juste une connaissance étendue de la géographie planétaire.

12 h 15

J'ai senti une main dans mon dos, ce qui m'a fait sursauter.

Nicolas.

Il me regarde et me demande ce que je fais. Je réponds:

— Euh, je regarde les photos. Ben euh... t'sais, si quelqu'un met des photos dans sa case, c'est sûrement pour que le monde les voie, pas juste pour s'admirer tous les jours, hein, parce que, pfff, franchement, narcissisme.

Nicolas (en riant) : Je me demandais juste pourquoi tu n'arrivais pas pour dîner, je n'avais pas remarqué que tu regardais des photos.

Il regarde à son tour et s'exclame :

— Wow, cool ! Elle est vraiment allée partout. Hé, moi aussi j'ai une photo avec Buzz. Et une avec un perroquet aussi, mais c'est pas dans le Sud, c'est avec Bono, à l'animalerie.

Moi (non dit) : Ben c'est ça, mariez-vous donc tant qu'à y être !

Nicolas : Hé, avant qu'on aille rejoindre les autres...

Il m'entraîne vers notre racoin préféré et on s'embrasse vraiment longtemps. Et j'oublie que j'ai faim. Et tout le reste.

Note à moi-même : Dans mes voyages autour du monde, je n'aurais jamais rencontré Nicolas.

Note à moi-même n° 2 : Je suis la fille la plus quétaine de l'univers tout entier. Je le sais, et ce, même si je n'ai pas visité les confins du cosmos.

Samedi 6 octobre

Journée mère-fille organisée par ma mère, car quand je lui ai demandé ce qu'elle voulait pour sa fête, elle a répondu (et je cite) : « Passer du temps avec ma grande fille. » (Je n'aurais pas pu dire moi-même « ma grande fille », car je ne m'auto-appellerais jamais comme ça. Mais bon. C'est de famille, ç'a l'air, de virer quétaine quand on aime quelqu'un. Je l'accepte.) Sa fête est dans une semaine et comme on a un souper de famille prévu samedi prochain, aujourd'hui était le meilleur moment.

Nous nous promenons dans les allées d'une boutique qu'elle aime. Je lui souligne que, personnellement, je la trouve belle et que je ne sais pas trop pourquoi elle se cherche du linge de « madame ». Alors, elle me demande mon avis sur le style qu'elle devrait adopter ; quand je lui parle d'un look un peu plus « rock », elle a l'impression que je veux qu'elle s'habille comme Madonna. J'éclate de rire tellement je ne pensais pas du tout à Madonna quand je parlais de style un peu plus rock. Et ma mère me confie que, dans les années 1980, elle a déjà eu le look Madonna et me promet qu'elle va me montrer des photos (sur diapositives, oh mon Dieu, c'est tellement *vintage* !) quand on arrivera à la maison. J'ai hâte de voir ça !

11 h 50

On passe à la boutique où travaillent Kat et JF. Tous deux sont en train de replacer des vêtements sur des cintres. Ils nous avouent secrètement que, pour avoir l'air occupés (à cette heure-ci, il n'y a pas encore beaucoup de clients), ils déboutonnent et reboutonnent des chemises. C'est leur truc.

En sortant de la boutique, j'avoue à ma mère que je les envie un peu et que ça me fait un petit quelque chose de penser que le gérant a engagé deux de mes amis, mais qu'il ne m'engage pas, moi. Ma mère lance :

— C'est parce qu'il y a mieux qui t'attend. Je crois que c'est pour des situations comme ça que ton père disait qu'il y a des cadeaux emballés dans des gants de boxe. Ça donne un petit coup au début, mais tu découvriras le cadeau plus tard.

Moi : Ah, oui, je comprends mieux, expliqué comme ça, et dans ce cas précis. C'est bon d'avoir des genres de croyances comme ça, j'imagine.

Ma mère : C'est sûr que c'est bon. Sinon, on est trop perdus.

Venant de quelqu'un qui ne croit en rien et qui a été un zombie dépressif après la mort de mon père, c'est assez spécial, cette nouvelle foi en la vie, mais je m'abstiens de tout commentaire. J'aime cette version de ma mère.

Midi

Nous nous sommes arrêtées dans la halte des restos. J'ai été obligée de commencer à manger toute seule, car ma mère m'a demandé de l'attendre parce qu'elle avait une « petite course à faire » (c'est elle qui a dit ça comme ça, je n'invente rien ; je me demande souvent pourquoi les gens prennent la peine de dire « petit » devant tous les mots). J'ai voulu la suivre, mais elle a insisté pour y aller seule, prétextant que « je trouverais ça plate » (je cite encore, car je ne vois pas pourquoi je trouverais ça plus plate de la suivre dans sa « petite course » que dans d'autres courses où elle m'oblige à l'accompagner), alors j'ai laissé tomber.

12 h 09

J'attends ma mère en mangeant mon hamburger. Je n'aime pas manger seule, tout le monde me regarde comme si j'étais une âme en peine. Je regarde une montre imaginaire pour montrer par mon langage corporel que j'attends quelqu'un (en espérant que les gens comprennent que ce signe veut dire que j'attends bel et bien quelqu'un. Je pense qu'on devrait sortir un dictionnaire de signes universels). Je repère ma mère dans la file d'un restaurant santé et je lui envoie la main pour lui montrer où je suis assise (et pour signifier à ceux qui me regardent comme si j'étais une âme en peine que je ne suis *réellement* pas seule).

12 h 11

Ma mère arrive avec un sandwich santé (je le sais, car je vois de la luzerne qui dépasse de partout et il est plus brun que le divan du sous-sol de chez mes grands-parents) et un *smoothie* aux bleuets.

Je ne sais pas comment c'est arrivé sur le sujet, mais nous avons commencé à parler de cellulite. Je lui avoue que je ne comprends pas trop par quel phénomène se forment soudainement des cratères dans ma peau. Ma mère s'écrie :

— Bienvenue dans le monde de toutes les femmes !

Je lui dis que je n'ai jamais remarqué qu'elle avait de la cellulite et elle est toute flattée. Elle me promet de me montrer des petits exercices de raffermissement et me conseille de ne plus manger de frites (mais je doute de pouvoir y arriver).

Elle me demande comment ça va avec Nicolas (avec un bout de luzerne pas encore tout à fait rentré dans sa bouche) et je lui réponds que c'est cool. Mais je baisse la tête pour continuer de manger mon hamburger (pour ne pas voir cette image d'elle qui parle avec des bouts d'herbe qui lui sortent de la bouche). Puis, elle me parle de François, elle me demande comment je trouve la cohabitation avec lui. Je mâche longuement et je pointe ma bouche en voulant signifier : « Bouche pleine, peux pas parler. » (En même temps, c'est un message pour qu'elle fasse pareil.)

Je mâche, mâche, mâche. Espérant qu'elle change de sujet.

En fait, pour être vraiment honnête, j'aime bien François. Mais je ne suis pas encore capable de le dire *tout haut*.

Mais comme ma mère semble triste que je ne lui donne aucune réponse, j'avale ma bouchée et je dis :

— T'sais, si on faisait un concours de chums, ben je suis pas sûre lequel gagnerait entre Nicolas et François. Ils sont cool tous les deux.

Ma mère rit et semble satisfaite de ma réponse.

Ma mère : Ça change, hein, d'avoir un homme dans la maison.

Moi : Ouain, pas pareil. Mais au moins, ça fait quelqu'un pour ramasser les feuilles dehors !

Elle rit et ajoute :

— On peut changer de sujet, si tu veux, et parler de tes études.

Moi : Oh ouach, c'est plate, ça !

Ma mère : Non, ça m'intéresse ! As-tu finalement choisi en quoi tu allais étudier ?

Moi : Non... Tout le monde a un but sauf moi, on dirait.

Ma mère : Tu peux choisir quelque chose et changer après. Plein de monde le fait. Moi-même j'ai fait ça.

Moi : Pour vrai ?

Ma mère : Ben oui. Ce n'est pas une prison, c'est l'école.

Moi : Je pensais que c'était du pareil au même.

Ma mère : Hahaha ! Ben non, voyons.

Moi : J'ai l'impression que tous mes amis savent où ils s'en vont. Mais pas moi.

Ma mère : C'est le fun, ça. Tu vas pouvoir avoir des surprises. T'sais, les surprises, ça peut être cool. Ça peut être angoissant. Mais si ça arrive de façon inattendue, ça peut être une aventure agréable. En tout cas, on ne le sait pas tant qu'on ne le sait pas, mais si on finit par avoir une surprise, ben ça peut être le fun. Faut pas trop se stresser avec ça. D'avance, je veux dire.

Moi : T'es bizarre.

Et là, elle me confie que c'est la journée de rêve qu'elle souhaitait vivre avec sa fille. Et qu'elle aimerait faire encore quelques boutiques avant d'aller au cinéma pour voir « un film de filles ».

13 h 16

Après le dîner, nous nous arrêtons dans une boutique de chaussures. Je regarde le prix d'une paire de bottes alors que ma mère se fait happer par un vendeur. Quelques secondes plus tard, je l'entends éclater de rire, je me retourne et je la vois rire en donnant des tapes sur le torse du vendeur, beaucoup plus grand qu'elle. Un peu intriguée par son comportement, je vais la rejoindre pour l'observer. Je me place à côté d'un étalage de souliers derrière elle et, quand elle m'aperçoit, elle lance :

— Aurélie, je te présente Shan.

Lui : Shawn.

Ma mère rit de plus belle et roucoule (en lui tapant encore sur le torse) :

— Oh, excuse-moi, décidément, je n'y arriverai pas.

Shawn : Donc, on disait, cette paire, taille 8 ?

Ma mère : Ou 7 et demi, ça dépend des marques. Oh, Shawn...

Shawn : Oh, vous l'avez bien dit !

Ma mère (sous mon regard ahuri) : Hi hi hou ha ha !

Et c'est là, après un rire d'hyène hystérique, qu'elle ajoute une phrase qui pourrait carrément être confondue avec un meurtre prémédité :

— Hé, j'y pense ! Vous n'auriez pas besoin d'une fille dynamique comme Aurélie pour travailler ici ? Elle se cherche un travail.

Et elle me prend par l'épaule (ELLE ME PREND PAR L'ÉPAULE !!!!!!!!) et me fait un clin d'œil (ME FAIT UN CLIN D'ŒIL !!!!!).

Je recule, abasourdie par ce que je viens d'entendre, voulant trouver le plus rapidement possible une trappe dans le plancher pour m'y enfoncer.

Utilité d'une mère : Nous gâcher l'existence.

Utilité d'une mère n° 2 : Nous faire honte chaque fois qu'elle en a l'occasion.

Utilité d'une mère n° 3 : Causer un énorme questionnement sur son utilité tout court.

Utilité d'une mère n° 4 : Causer un sentiment de culpabilité lorsqu'on se questionne sur son utilité.

13 h 19

En reculant, je fonce (évidemment) dans l'étalage de souliers pendant que Shawn explique à ma mère que je dois remplir le formulaire de demande d'emploi. Je retiens deux souliers pour éviter qu'ils tombent, mais un troisième passe par-dessus mon épaule et tombe par terre. Je dois attendre que ma mère finisse d'essayer ses souliers. Pendant ce temps-là, elle énumère mes nombreuses qualités et elle discute avec le vendeur, comme ça, de mon avenir au sein de cette compagnie. Je n'ose placer un mot, de peur de discréditer les propos de ma mère qui exagère vraiment mes compétences en vente de souliers. Elle récupère même mon idée « originale » de vouloir lui donner un look plus rock. (Au. Secours.)

14 h 01

Petite discussion dans le centre commercial tandis que nous nous dirigeons vers le cinéma. J'explique à ma mère la honte qu'elle vient de me causer, mais elle ne comprend absolument pas mon point de vue et pense qu'elle a été une gérante exceptionnelle, style René Angelil pour Céline Dion. Elle ajoute même :

— Qu'est-ce que tu penses qu'il a fait, René Angelil, pour Céline Dion ? Il parlait des talents de sa chanteuse pour que les gens l'engagent.

Je ne savais pas trop quoi répondre, car je n'en revenais pas qu'elle me compare à... Céline Dion ? 1) Elle est chanteuse, 2) dans son métier, c'est normal d'avoir un gérant, 3) il s'agit d'une comparaison vraiment pas rapport étant donné mes piètres aptitudes en chant.

Moi : M'man, si jamais un jour mon but est de faire une carrière internationale dans le domaine du soulier, je te promets de considérer ta candidature comme gérante parce que tu as définitivement du talent là-dedans. Mais quand on magasine ensemble, j'aimerais ça juste magasiner sans que t'offres mes services n'importe où.

Ma mère : OK, OK. Heille, il était beau pas à peu près, Shawn, hein ?

Le fait qu'elle change de sujet me fait penser que son ordinateur interne a peut-être besoin de traiter l'information. Je n'insiste donc pas. J'imagine que l'information va être intégrée en temps et lieu.

— Il n'était pas comme vingt ans plus jeune que toi ?

Ma mère : Vingt ans ?! Exagère pas quand même ! Ben oui, je ne sais pas trop ce qui m'arrive, je tripe sur les petits jeunes. Mes hormones sont en feu, on dirait !

Note à moi-même : Trouver un coin intérieur de mon esprit où je pourrai me réfugier pour bloquer certaines informations inutiles et traumatisantes. Statut : très important, voire urgent.

Dimanche 7 octobre

Est-ce moi ou les corneilles sont en train d'envahir la planète (particulièrement les jours de congé) ? Je me suis réveillée au cri énervant des corneilles en repensant aux images de ma mère dans les années 1980. Elle était tellement drôle ! C'était épouvantable !

On a passé la soirée d'hier dans ma chambre à regarder ses vieilles diapositives et à rire comme des folles. Ma mère avait une coiffure horrible lorsqu'elle était ado, c'était atroce ! Les cheveux tout crêpés en boule sur la tête, d'énoooormes boucles d'oreilles, des bas résille et des gants assortis. Puis, elle est allée chercher une boîte contenant des cassettes (oui, oui, des cassettes : tellement préhistorique !) et on a dansé sur de la musique des années 1980 avec une image d'elle dans son style « Madonna époque *Like a Virgin* » projetée devant nous. Les chansons qu'on a repassées le plus souvent (en reculant la cassette plusieurs fois) sont *Jessie's Girl*, *Love is a Battlefield* et *I Love Rock'n Roll*.

À un moment donné, en fouillant dans la boîte pendant que ma mère dansait sur une chanson de Men Without Hats intitulée *Pop Goes the World*, j'ai trouvé une cassette sur laquelle était écrit : *Wat nap eneden chen* et j'ai crié :

— C'est quoi ça, « *Wat nap eneden chen* » ?

Elle s'est arrêtée, puis approchée. Elle a regardé le titre et a répété :

— *Wat nap eneden chen* ? Ça ne me dit rien.

Puis, elle a mis la cassette pour l'écouter parce qu'elle était curieuse de savoir ce que c'était. Quand elle a entendu les premiers accords, elle a éclaté de rire. J'ai demandé :

— Pourquoi tu ris ?

Et elle a dit :

— La toune, c'est *Walk Like an Egyptian* ! J'étais vraiment pourrie en anglais !

Ce qui m'a fait rire puisque, moi aussi, je change toujours les paroles des chansons en anglais, au grand dam de Kat, qui les comprend, les lit et les apprend par cœur et qui rit un peu de mes transformations. On riait tellement de sa traduction libre du titre qu'à un moment donné François est descendu pour voir ce qui se passait. Aussitôt ma mère a crié :

— Journée de filles ! Journée de filles ! Aucun homme accepté. *Keep out !*

Elle a vraiment dit : « *Keep out* », ce que j'ai trouvé drôle sortant de sa bouche, elle qui n'aime habituellement pas que j'utilise des expressions en anglais. On aurait juré que c'était elle, l'ado. C'est peut-être son cerveau qui disjoncte parce qu'elle va vieillir d'un an dans quelques jours et que ça l'ébranle un peu. Début quarantaine, ce n'est pas la préménopause, ça? Je ne sais pas trop, mais ça doit être pour ça qu'elle est toute chamboulée « hormonalement » et qu'elle tripe sur des gars plus jeunes, comme par rébellion à son vieillissement.

11 h 01

Ma mère (de la cuisine) : AURÉLIE, LÈVE-TOI, IL EST 11 H 15 ! ! !

Je regarde mon réveille-matin. Il est 11 h 01. Ma mère fait souvent ça, arrondir l'heure en faisant semblant qu'il est plus tard que l'heure qu'il est vraiment pour démontrer qu'elle a raison. Je me demande ce que ça peut bien lui faire que je dorme tard. Je ne dérange personne !

Je me lève, je prends la diapo de ma mère en robe de bal avec son cavalier de l'époque et je la place dans ma propre boîte de souvenirs (car c'est vraiment le genre de « look à ne pas reproduire », et je me dis que si jamais ma mère veut me donner des conseils pour mon look lorsque viendra le temps d'acheter ma robe, je pourrai m'en servir comme élément de preuve de son manque de crédibilité sur le sujet, au cas où elle me sortirait comme argument que Céline Dion aussi a une styliste ou quelque chose du genre).

11 h 11

Oh, il est 11 h 11 ! Merde, je n'ai pas de vœu.

11 h 11 et 29 secondes

Oh vite, il faut que je m'en trouve un.

11 h 11 et 47 secondes

Quoi ? Quoi ? Ahhhhh !!!

11 h 11 et 59 secondes

Paix dans le monde ! Et euh... euh... que rien ne change. Dans ma vie, je veux dire. Pas dans le monde. Dans le monde, ça peut changer, rien n'est parfait. Mais dans ma vie, oui. Ben, je ne veux pas me vanter de ça *cosmiquement parlant* et dire à l'univers que ma vie est parfaite comparée à celle du reste du monde. Mais juste pour dire que j'apprécie ma vie telle qu'elle est, et si ça pouvait rester comme ça, sans changement, je serais contente. Mais s'il y avait un changement à apporter, ce serait un changement « universel », style paix dans le monde.

11 h 12

Oh merde ! 11 h 12. J'ai sûrement raté mon vœu. Pas « raté » dans le sens que mes souhaits étaient nuls. Mais je suis peut-être arrivée trop tard. Oh, j'espère que non ! Ce serait vraiment trop poche qu'à cause d'un mauvais *timing*, ma vie soit toute chamboulée et/ou qu'il y ait une guerre mondiale ! Oups...

11 h 13

Ma mère : AURÉLIE, LÈVE-TOI, J'AI DIT ! IL EST 11 H 15 !!!!

Ben oui, ça fait dix minutes qu'il est 11 h 15 maintenant. Tsss !

Moi : J'arrive !!!!! J'étais occupée !

11 h 14

Je monte les escaliers rapidement et j'arrive, un peu essoufflée, dans la cuisine.

Ma mère essuie le comptoir et François lit le journal.

Je sors la bouffe de Sybil, qui miaule près de moi, et j'en mets dans son bol pendant qu'elle frôle mon mollet en ronronnant.

Ma mère : Bon, là, Aurélie, j'ai réfléchi à ça et il faudrait qu'on se fasse un système pour qu'on ne soit pas obligées de se crier après dans toute la maison. Donc, quand je t'appelle, viens-t'en et on pourra se parler normalement.

Moi : Si je comprends bien, toi, t'as le droit de crier une première fois, ensuite, moi, il faut que j'arrive et, après, on se parle normalement. Donc, toi, tu cries une fois et moi, je ne réponds pas, mais j'arrive aussitôt que tu m'appelles en criant, pour qu'on ne crie plus. C'est ça ?

Ma mère : Bon, si tu veux être arrogante et tout décortiquer à ta façon, fais ce que tu veux.

François lève les yeux de son journal, me regarde et me fait signe de laisser tomber.

Ma mère : De toute façon, tout le monde fait tout ce qu'il veut ici.

Moi (en ouvrant le garde-manger pour prendre une boîte de céréales) : OK, j'en ai manqué des bouts...

Ma mère dépose le linge à vaisselle qu'elle utilisait et s'en va.

Moi (à François) : Qu'est-ce qu'elle a ? On a passé une super belle journée hier. Est-ce que j'ai fait quelque chose de pas correct ?

François (en haussant les épaules) : Elle est fatiguée. C'est sa fête qui approche en plus, les femmes n'aiment pas trop ça vieillir. Comme cadeau, j'ai pensé l'emmener dans une auberge. Qu'est-ce que t'en penses?

Il sort son iPhone de sa poche et me montre des photos de l'auberge en question.

Moi: Bonne idée. Ç'a l'air beau.

14 h

C'est très nuageux, mais tout de même chaud. Presque comme l'été. Je peux même porter des sandales! (Ma mère a souligné que je ne devrais pas porter de sandales par ce temps, mais je suis sortie, feignant de ne pas l'avoir entendue.)

Je suis allée rejoindre Nicolas et sa gang dans le parc. Il y a Patin, Brittany, Raph, un gars de leur équipe de hockey appelé Jean-Bas, et sa blonde Laura. Ils sont assis par terre et forment un cercle, près d'un arbre. Je m'installe à côté de Nicolas pendant que ses amis pointent les meilleurs endroits pour faire du snowboard dans le parc et qu'ils disent avoir hâte qu'il y ait de la neige. Je lance que j'ai hâte de les voir en faire.

14 h 16

Je pense que c'est pour ça que je n'ai plus d'idée de vœu, je suis trop bien. (Sauf quand ma mère vire sur le top, mais bon, ça, j'y suis habituée.)

14 h 17

J'aperçois une araignée qui grimpe sur le bras de Patin. Je bondis hors du cercle. Les larmes aux yeux. Paralysée. Haletante. Incapable de dire quoi que ce soit. Avec le cœur qui pompe malgré cette quasi-crise cardiaque.

Laura sursaute elle aussi en voyant l'araignée sur le bras de Patin et s'écrie :

— Une araignée sur ton bras ! ! ! ! ! ! ! Arrrrrrk !

Patin balaie son bras du revers de la main. Et l'araignée court maintenant sur la couverture.

Toujours debout, les yeux rivés sur l'araignée, je me secoue les cheveux de toutes mes forces, puis les bras, de peur qu'une araignée grimpe sur moi également.

Patin essaie de tuer l'araignée avec sa cannette de boisson gazeuse, mais le creux sous la cannette lui permet de rester en vie. Il prend un soulier, l'écrase et nous assure :

— C'est correct, les filles.

Je suis encore sous le choc. Je n'ai plus confiance. J'ai l'impression d'être dans un endroit envahi d'araignées et que l'une d'entre elles montera sur mon bras.

Oh. Mon. Dieu. Si ç'avait été MON bras ? Je n'ose imaginer.

Nicolas me rassure en me faisant signe de me rasseoir :

— Correct. Je te le jure.

Réticente, je reprends lentement ma place près de lui. Il me regarde en écarquillant les yeux et fait :

— Hiiiiing.

Carrément « hiiiiing », à quelques sons près, car je ne sais pas si je peux reproduire avec exactitude son onomatopée. Mais ce son, et la face qui va avec, sont remplis de jugement et/ou d'incompréhension. Malgré tout ce que j'ai pu lui dire sur moi.

J'ai honte.

Des rires fusent tout autour. Je fais semblant de rire de moi-même, suivant Laura qui n'arrête pas de répéter « ça m'écœure les bébittes » pour se défendre.

Mais ce n'est pas mon cas. Les insectes ne m'écœurent pas. Les araignées ne m'écœurent pas non plus : j'en ai une peur atroce, incontrôlable, indescriptible et illogique.

Et je l'avais expliqué à Nicolas.

Qui m'a regardée en faisant « hiiiiing ».

16 h

Après le départ des amis de Nicolas, nous restons dans le parc, collés. Ça sent les feuilles mortes. J'essaie de me concentrer sur les aspects positifs (comme les odeurs) pour ne pas trop penser à son « hiiiiing » ni à la possible démence (génétiquement héréditaire) de ma mère ni à toutes sortes de choses qui peuvent faire bifurquer mes pensées.

16 h 10

Impossible de ne pas penser au « hiiiiing » ! Peut-être que j'ai mal interprété. Parfois, je suis si prompte à sauter aux conclusions. J'aurais donc imaginé qu'il me jugeait, mais ce serait finalement autre chose. Peut-être que Nicolas parle chinois. Et que c'est une parole rassurante dans cette langue.

Moi : Parles-tu chinois ?

Nicolas : Non. Pourquoi ?

Moi : Je te demande ça pour... en apprendre davantage sur tes connaissances linguistiques.

Peut-être que c'est un cri de ralliement encourageant que lui et ses amis ont inventé dans leur équipe de hockey pour que leurs adversaires ne les comprennent pas. Il m'en a peut-être déjà fait part et j'aurais simplement oublié.

Moi : Avez-vous des cris de ralliement secrets dans votre équipe de hockey ?

Nicolas : Non.

Moi : Tu ne m'as pas déjà dit que vous inventiez des mots pour vous encourager sans que les équipes adverses comprennent ?

Nicolas (en riant) : Non ! Pourquoi tu me poses toutes ces questions bizarres ? Hahaha ! T'es drôle !

Moi : Pour rien, comme ça.

Pour faire diversion, je change de sujet et lui parle longuement de ma théorie de l'envahissement de la planète par les corneilles et/ou de leur inutilité en tant que réveille-matin, lorsque je confonds un bout d'herbe sur mon bras avec une araignée et que je le repousse vivement.

Nicolas rit. (Ce qui me fait penser bien évidemment au « hiiiiing ».) Et il dit :

— Je t'aime parce que t'es unique.

Moi : Je t'aime parce que tu sens bon.

Lui : Je t'aime parce que t'embrasses bien.

Moi : Je t'aime parce que t'es intelligent...

Lui : Je t'aime parce que...

Moi : OK, arrête, on est vraiment quétaines.

Lui : On s'en fout.

19 h

En rentrant à la maison, j'ai vu ma mère lire. Tout semblait normal.

Théorie : Peut-être que tout le monde est seulement affecté par le temps gris et un réveil brutal pour cause de cri de corneilles et que ça nous rend tous un peu plus étranges. Donc, ce serait l'étrangeté de l'ambiance automnale qui, après tout, inspire les plus grands films d'horreur. Rien de plus. Oui, ça doit être ça.

Lundi 8 octobre

Journée pédagogique ! Action de grâce.

J'ai appelé ma grand-mère Laflamme pour m'excuser de ne pas être allée la voir et elle m'a conseillé de ne pas m'en faire avec ça. Puis, elle m'a dit que Gab est venu lui demander de mes nouvelles la semaine dernière.

Ce qu'aurait été ma vie si j'avais déménagé chez ma grand-mère Laflamme :

Si j'avais déménagé chez ma grand-mère Laflamme, je sortirais sûrement avec Gabriel. Quand j'ai passé l'été chez elle, j'étais souvent avec lui, et j'avais peut-être trop le cœur brisé (à cause de ma rupture avec Nicolas) pour l'apprécier à sa juste valeur. Nous nous sommes embrassés, et c'était cool. Il m'a même aidée à organiser la manifestation pour sauver mon école. J'aurais peu à peu fait mon deuil de Nicolas et c'est sûr que je serais sortie avec

Gab. Nous serions devenus des militants. Pour toutes sortes de causes. Je me serais découverte une passion pour l'implication sociale et j'aurais voulu travailler dans un organisme comme Greenpeace ou quelque chose du genre. J'aurais porté des jupes fleuries, j'aurais refusé toute bouffe qui ne soit pas bio et j'aurais arboré une coiffure avec des *dreads*. Après le secondaire, Gab et moi aurions emménagé ensemble dans une yourte. Nous aurions vécu sans électricité et nous aurions été heureux d'être en harmonie avec la nature. Bref, si j'avais déménagé chez ma grand-mère, je serais devenue une hippie.

13 h 34

Toujours au téléphone avec ma grand-mère.

Moi : Grand-maman, penses-tu que si j'avais déménagé chez toi, je serais devenue une hippie ?

Ma grand-mère rit et me dit que, finalement, elle s'ennuie vraiment de moi. Et qu'elle est un peu déçue que je n'aie pas pu aller la voir.

15 h 01

Tous mes amis voulaient qu'on fasse quelque chose, mais j'ai décidé de consacrer ma journée à mon travail de français, celui que je dois soumettre pour le concours qui tient tant à cœur à Louis Brière. Je suis peut-être un peu à la dernière minute, mais j'ai décidé de changer le plan que j'avais et de faire plutôt une histoire sur tous les chemins que peut prendre une vie selon nos décisions, inspirée par toutes mes réflexions à ce sujet ces derniers temps.

Mardi 9 octobre

Sur l'heure du dîner, Kat et moi décidons d'aller dehors. C'est une idée de Kat qui trouve que je stresse trop avec cette histoire de concours.

J'ai remis mon texte à Louis Brière pour le concours de français. J'ai fait ce que j'ai pu. On verra les résultats. J'essaie de ne pas trop y penser. Et prendre l'air me fera le plus grand bien.

Il fait super beau et Kat pense que c'est bon pour notre peau de profiter du soleil tant qu'il y en a. Elle prétend que la vitamine D prévient les boutons, et elle a toute une théorie qu'elle aurait supposément lue dans le *Miss*. Si je me souviens bien, c'était un publireportage sur un produit contre l'acné et ça disait (au bas de la page, en petits caractères) qu'il ne fallait pas se fier qu'à ça, mais je ne l'ai pas contredite.

Nous sommes étendues dans l'herbe, devant une haie de cèdres pas encore à maturité. Ça sent bon. Kat me raconte qu'elle pense abandonner l'équitation vu qu'elle n'arrive pas à concilier école/études/famille/chum/passion. Je lui avoue que je trouverais ça dommage qu'elle abandonne puisqu'elle est si douée (c'était vraiment pour l'encourager, car je ne connais rien là-dedans), mais elle me répond que c'est surtout un passe-temps pour elle. Et qu'elle a récemment perdu de l'intérêt pour cette activité. Elle ne sait pas trop où elle s'en va avec ça et préférerait se consacrer à autre chose.

Au moment où je m'apprête à lui faire part de mon opinion, Truch apparaît devant nous et nous salue.

Jean-David Truchon. Que tout le monde appelle « Truch ». Le premier chum de Kat. Un gars qui se prend carrément pour le gars le plus hot de la planète alors qu'il est seulement arrogant et poche. Kat a tellement eu une grosse peine d'amour lorsqu'il l'a laissée (alors que je trouve personnellement qu'elle a été libérée d'un grand poids) qu'elle a développé sa passion pour les chevaux pour l'oublier. Habituellement, quand on le croise à l'école, on le salue et on poursuit notre chemin, mais présentement, il reste planté devant nous, comme s'il voulait engager la conversation. Kat et moi sommes couchées. Il est debout.

Kat monte ses lunettes fumées sur sa tête et demande :

— Peux-tu te tasser de trois centimètres, s'il te plaît ? Tu nous caches le soleil pis on a besoin de vitamine D.

Truch (en se tassant) : Oh, OK... scuse.

Il reste planté là. Pendant que Kat et moi continuons à prendre du soleil, il demande :

— Kat... est-ce que je pourrais te parler ?

Kat : OK.

Truch : Tout seuls...

Kat me regarde et je bafouille :

— Oh, ça dérange pas, fallait justement que j'aille... aux gars. Ben, je veux dire, aux toilettes. Ben, euh, dire quelque chose aux gars et aller aux toilettes... après.

Je n'ai aucun talent pour le mensonge.

Je me dirige vers l'école, mais, m'assurant que personne ne me voit, je me mets à quatre pattes, j'avance vers la mini-haie de cèdres et je me cache derrière pour entendre ce qu'ils se disent. Je sais que Kat va tout me raconter, mais... c'est plus fort que moi : il faut que j'espionne.

12 h 43

Kat s'assoit et Truch s'installe près d'elle.

Kat est dos à moi (je vois une mousse sur son chandail que j'aurais vraiment envie d'enlever, mais je m'abstiens) et Truch, à côté d'elle, semble visiblement mal à l'aise.

Kat : Tu voulais me parler ? Parce que... tu ne parles pas beaucoup.

Truch : Attends. C'est parce que c'est difficile.

Kat (qui fait un mouvement pour se recoucher par terre) : Tu me le diras quand tu seras prêt. En attendant, je vais me faire bronzer encore un peu, si ça ne te dérange pas.

Il la retient dans son mouvement :

— Je voulais te dire que je m'excuse.

Kat reste un peu, je dirais, figée.

Je sursaute quand quelqu'un chuchote à mon oreille :

— Qu'est-ce qui se passe ?

C'est Tommy.

Moi : Chuuuuuut !

Et je lui pointe Kat et Truch. Tommy reste à côté de moi et écoute lui aussi.

Kat : Je ne sais pas quoi dire, c'est du passé.

Truch : J'ai été poche. Pis je voulais m'excuser.

Kat : Ben là, c'est pas grave, je m'en suis sortie, t'sais. J'ai pas fait de dépression.

Truch : Je le sais, c'est pas ton genre. Mais... j'ai compris des affaires.

Tommy et moi sursautons lorsque quelqu'un nous tape sur l'épaule. C'est Nicolas. Je mets mon index sur mes lèvres pour lui signifier de ne pas faire de bruit. Malgré tout, il chuchote :

— Qu'est-ce que vous faites ?

Et je réponds, très doucement :

— On est sur le bord de savoir ce qu'il a compris.

Nicolas s'accroupit près de nous et regarde la scène.

Truch : J'étais jeune, pis... en tout cas.

Kat : C'est ça que t'as compris ? *My God* ! Grosse révélation ! Ça t'a pris du temps ! On est jeunes, pis on vieillit. Cours normal des choses.

Nicolas me regarde et sourit.

Truch : Tu m'as toujours fait rire. Pis t'es vraiment la plus belle fille de l'école. C'est ça que je voulais te dire. T'es hot. Pis j'étais trop jeune pour savoir que j'étais vraiment amoureux. Pis je m'ennuie de toi. Souvent. Fait que... c'est ça. Bye.

J'ai une soudaine sympathie pour Truch. Je comprends que ç'a dû être difficile pour lui d'avouer ça, puisque moi-même je l'ai déjà fait avec Nicolas. Je lui lance un regard furtif et je change de position de peur que Truch puisse me repérer.

Truch se retourne pour s'en aller. Et Kat se lève, le prend par le bras et s'excuse :

— Désolée d'avoir été un peu bête.

Truch : Je te comprends. Je n'ai pas été cool. Je le mérite.

Kat : Coudonc, as-tu suivi un stage avec Gandhi ou quelque chose du genre ?

Truch rit et répète :

— J'ai vieilli, je te dis !

Kat l'invite à se rasseoir. Pendant quelques minutes, ils se parlent de leur vie. Kat lui parle de l'équitation et il lui avoue qu'il est déjà allé voir une de ses compétitions. Elle semble vraiment surprise. Tommy, Nicolas et moi nous regardons, stupéfaits. Kat lui parle d'Emmerick et de sa ressemblance frappante avec Robert Pattinson, dans le noir. Truch rit avec un gros préjugé dans le regard. Elle lui donne un coup sur l'épaule et lui dit :

— T'as pas changé tant que ça !

Truch : Ben là ! Tu me dis que ton chum est le sosie d'un acteur dans le noir, *come on* ! Pis *Twilight*, y a juste les filles pour aimer ça.

Tommy me regarde et me fait signe qu'il est d'accord et qu'il trouve Truch cool.

Kat : C'est une histoire de vampires, les gars devraient aimer ça.

Truch : De vampires, mon œil ! C'est une histoire d'amour qui donne mal au cœur tellement c'est sucré. Ark !

Kat : Parle pas contre *Twilight* !

Truch : Pis depuis quand les vampires brillent au soleil ? En plus, dans le film, il dit : « Regarde comme je suis un monstre » et sa peau brille comme un diamant. T'es un monstre si ta peau se calcine ou tombe en lambeaux, pas si tu brilles comme un bijou. Il fait ça juste pour se vanter ou quoi? Comme quelqu'un qui dirait: « Regarde comme je suis méchant » pendant qu'il fait du bénévolat auprès des personnes âgées. La fausse modestie... beurk!

Kat: Ouain, t'haïs ça, *Twilight*. J'ai un ami qui pense la même chose que toi.

Tommy me regarde, il se pointe et chuchote:

— Elle dit que je suis son ami?

Moi: Ben oui, t'es son ami, niaiseux!

Truch: Aimer un film juste parce qu'on trouve un acteur beau...

Kat: Heille, c'est pas pour ça!

Truch: Pfff!

Kat: OK, pas *juste* pour ça. Pis c'est Aurélie qui tripe sur Robert Pattinson, moi je préfère Taylor Lautner.

Je regarde Nicolas et chuchote:

— Pas tant que ça.

Il sourit.

Truch: Tout ce que je peux te dire, c'est pfff!

Kat: T'as pas changé du tout, finalement.

Truch: Oh, dis pas ça! J'ai changé. Je suis un gars avec des opinions, c'est tout. Pis... je suis jaloux, je pense. De ces gars-là! Hahaha! Pis de ton chum s'il ressemble à Robert Pattinson dans le noir.

J'approche un peu plus du trou de la haie de cèdres, car Kat a la tête de côté et j'ai l'impression qu'elle rit niaiseusement. Est-ce qu'elle rit niaiseusement? Est-ce qu'elle est charmée? Elle lui donne des coups d'épaule en (c'est maintenant confirmé) riant niaiseusement.

Je regarde Tommy à la recherche d'une réponse, mais il semble concentré lui aussi.

Est-ce qu'il aime Kat en secret ? Tout le monde est amoureux de Kat ou quoi ? Je regarde Nicolas et il me sourit en me passant la main sur la nuque. Bon, fiou, au moins ça en fait un qui n'est pas amoureux de Kat.

Truch : Est-ce que ce serait trop *weird* d'être amis ? Je sais que t'as un chum, mais... j'sais pas, si ça te tente.

Kat : OK. Amis.

Ils se font une accolade et je vois Truch renifler les cheveux de Kat. Tommy et moi, on se regarde, estomaqués. En fait, je ne sais pas si Tommy est estomaqué, mais je le suis, moi, en tout cas.

Voix de Julyanne (beaucoup trop forte) : Qu'est-ce que vous faites ?

Je lui mets la main sur la bouche et la fais basculer derrière le cèdre.

Truch et Kat se retournent pendant que nous sommes tous les quatre à tenter d'expliquer notre présence ici, par terre.

Tommy (vers Nicolas) : Pis, Nic, l'as-tu trouvé ?

Nicolas (en faisant semblant de chercher) : Non.

Kat : Qu'est-ce que vous faites ?

Moi : Ben... je suis allée les rejoindre, euh... à la salle de jeux. Pis là, je me suis rendu compte que j'avais oublié quelque chose. De petit. Mon bracelet ! Tu le sais comment j'aime mon bracelet ! Là, Tommy et Nicolas m'ont proposé leur aide. Ben, t'sais, Nicolas a de super bons yeux...

Nicolas : Ouain. Je vois vraiment bien de loin.

Moi : Pis là, on a pensé venir chercher dans ce coin-ci, vu que c'est la dernière place où j'ai été. C'est ça. Pis Julyanne est arrivée. Hé, hé.

18 h 01

Au téléphone avec Kat, qui n'a jamais avalé l'histoire du bracelet. Alors, j'ai dû lui avouer que je l'espionnais. Et elle ne m'a pas crue quand je lui ai révélé que Truch avait reniflé ses cheveux. Elle a simplement fini par dire que c'était peut-être à cause de son nouveau shampoing hyper irrésistible à la noix de coco, et qu'elle croyait sincèrement qu'ils pouvaient devenir amis. Je lui ai demandé si elle ne trouvait pas ça un peu bizarre d'être amie avec son ex, après un peu plus d'un an sans contact, mais elle a affirmé que de l'eau avait coulé sous les ponts et qu'elle était capable d'être amie avec lui. Elle a même ajouté :

— T'sais, dans le fond, il avait le droit de me laisser. C'est pas parce qu'on sort avec quelqu'un qu'on est obligé de rester avec lui tout le temps. Il avait des choses à vivre. C'est correct.

J'ai ajouté que je croyais en fait que son arrivée était un signe. Il est arrivé au moment où elle parlait de laisser tomber l'équitation parce qu'elle n'a pas le temps de tout faire (traduction libre de ma part : ne pas voir assez souvent son chum). Et, quand elle sortait avec Truch, elle est devenue complètement guimauve et a mis sa personnalité de côté pour se mouler à lui. Et je pense que le « signe » de l'apparition de Truch voulait lui rappeler ce fait. Elle a répliqué :

— OK, d'abord. Si je ne laisse pas tomber l'équitation, est-ce que tu me laisses être amie avec Truch ?

Moi : Oui.

Kat : C'est réglé.

Moi : Réglé.

Kat : Merci d'être mon bouledogue protecteur.

Moi : De rien, mon petit minou.

Kat : Hahahaha ! Hé, tu ne trouves pas que Truch et Tommy se ressemblent un peu ? C'était peut-être pour ça que je n'aimais pas trop Tommy. Je faisais une association mentale, genre.

Moi : Je pense que tu n'es pas très douée en psychologie. Reste en sciences.

Kat : Je suis sûre que j'ai raison. Sais-tu ce que prédisait mon horoscope du mois ? Que Vénus me confère un charme fou qui me permettrait de renouer avec d'anciennes connaissances. Et que ma maturité me permettrait de tirer un trait sur le passé et de défaire des nœuds.

Moi : Défaire des nœuds ?

Kat : En langage astrologique, je pense que ça veut dire que je vais comprendre ben des affaires.

Moi : Ah.

Kat : Super adéquat, mon horoscope !

Moi : Qu'est-ce que prédit le mien ?

Kat : Attends, je vais aller chercher mon *Miss*... Que les gens sont impressionnés par ton esprit. On a vu ça aujourd'hui avec ton affaire de bracelet dans les buissons, hein ? Que ce que tu entreprends se transforme en succès. Et qu'on te réserve tout un accueil au cours d'une sortie ou d'une réunion. Et un petit déplacement dans l'air est prévu après le 22.

Moi : N'importe quoi ! Faut que je te laisse, ma mère me crie de venir souper et je n'ai plus le droit de lui répondre de loin maintenant. Bye.

Vendredi 12 octobre

Dééééépressiiiiiion.

Je ne suis bonne à rien, même pour les affaires dans lesquelles je suis supposément bonne.

Mon texte a été refusé pour le concours de textes en français.

Mon mauvais karma continue avec Louis Brière.

16 h 45

Chez Tommy, après l'école.

Il joue à *Guitar Hero*, assis dans un fauteuil alors que je suis couchée par terre et que je regarde le plafond. Il me demande de venir chanter. Je lui réponds que ça ne me tente pas. Et je lui parle de mon texte de français.

Tommy : Ouain, pis ?

Moi : Je ne sais pas ce que je veux faire dans la vie pis la seule affaire que j'aime, ça adonne que je suis nulle là-dedans, fait que... il y a de quoi être déprimée.

Tommy : Tu capotes tellement pour rien.

Moi : Je ne pense pas, non. Faut que je me trouve un but.

Tommy : Ça peut être n'importe quoi, ton but.

Moi : De toute façon, tu ne comprends rien.

Tommy met son jeu sur pause, se lève et se dirige vers sa garde-robe. Je lui demande ce qu'il fait et il me dit que c'est une surprise qu'il gardait pour plus tard, mais que je ne lui laisse pas le choix, qu'il va tout gâcher à cause de moi.

Il revient avec... ma marionnette. Celle que j'avais fabriquée pour le cours d'art dramatique l'an passé et qui avait été vendue aux enchères et achetée quinze dollars par un inconnu.

Moi : C'était toi, l'acheteur inconnu ?

Tommy : Vu que c'était un encan secret, j'ai mis quinze dollars pour être sûr que personne d'autre ne puisse l'acheter.

Je tends les mains vers ma marionnette en le remerciant.

Tommy : Non, je la garde !

Moi : Comment ça ?

Tommy : Je ne l'ai pas achetée pour toi.

Moi : Tu l'as achetée pour quoi ?

Tommy : Pour un souvenir. Si jamais, dans quelques années, on ne se parle plus, parce que beaucoup de monde après le secondaire se perd de vue, ben je vais avoir un souvenir de ma meilleure amie. De la fille pour qui j'ai changé d'école.

Moi : T'as pas changé d'école pour moi ! C'était pour être avec ton père.

Tommy : Oui, mais le fait que tu sois ma voisine, ça m'a aidé à rester, je pense. Je te trouvais cool. Pis il fallait que je change de gang.

Moi : Ouain, ta gang de bums.

Tommy : Tu ne me crois pas, hein ?

Moi : J'ai de la misère à t'imaginer en train de faire des choses pas correctes.

Tommy ne dit rien et il continue de jouer de façon très concentrée. Il rate et s'écrie :

— Merde !

Moi : OK, OK, je te crois. Oh... On ne se perdra pas de vue après le secondaire, hein ? T'es nono de dire ça.

Tommy : Ça arrive à tout le monde. Est-ce que ta mère se tient avec des amis du secondaire ?

Moi : Non...

Tommy : Mes parents non plus. Pis quand on ne se parlera plus, ben je vais avoir ta marionnette laide pour me rappeler de toi pis de notre amitié.

Moi : Est pas laide, ma marionnette !

Tommy : Mets-en qu'est laide.

Moi : Ben t'es niaiseux d'avoir payé quinze dollars !

Tommy : Non.

Moi : Pourquoi d'abord ?

Tommy : J'sais pas, ça peut valoir cher un jour sur eBay.

Moi : T'es niaiseux ! Donne.

Tommy : Non, bon. C'est ma marionnette. T'avais juste à l'acheter si tu la voulais.

Moi : T'es cool, Tommy. J'espère qu'on sera une exception et qu'on restera amis longtemps.

Tommy : Moi aussi ! Bon, t'arrêtes-tu de chialer pour jouer un peu à *Guitar Hero*, là ?

Moi : Juste une question : t'attendais quoi pour me dire que c'était toi qui avais ma marionnette ?

Tommy : Un bon moment. Genre ta fête ou la fin de l'école. Mais là, tu me tapais trop sur les nerfs avec ton chialage d'Aurore l'enfant martyre. Est-ce qu'on peut arrêter les discussions de filles plates pis jouer aux jeux vidéo maintenant ?

Ce qu'aurait été ma vie si je n'avais pas rencontré Tommy :

Si je n'avais pas rencontré Tommy, je n'aurais personne avec qui passer ma soirée pendant que mon chum est avec ses amis et que ma meilleure amie est avec son chum. Mais, surtout, j'aurais sûrement toujours senti un vide dans mon existence. Pas parce que je n'aurais eu personne avec qui passer mes vendredis soir quand les deux personnes citées plus haut ne sont pas disponibles, mais seulement parce qu'il est important pour moi. Et j'aurais essayé de combler ce vide par des sensations fortes et de repousser les limites de mon adrénaline. J'aurais voulu essayer plein de nouvelles choses qui sortent de l'ordinaire. Je serais devenue adepte de parachutisme. Tellement que j'aurais envie d'en faire un métier et je penserais à ouvrir ma propre école de parachutisme pour transmettre ma passion pour ce sport extrême.

P.-S. : Je crois quand même que le but de Tommy, « m'amener à croire en mon génie personnel et unique » (même si ce ne sont pas exactement ses mots), n'est pas atteint. Comment puis-je « croire en mon génie personnel et unique » en regardant cette marionnette laide ?

Samedi 13 octobre

Vive le *snooze*. Fonction très utile des réveille-matin.

9 h 02

On est samedi ! Pourquoi ai-je programmé mon réveille-matin ?

OH. MERDE.

Le mariage de la tante de Nicolas ! ! ! ! ! ! ! ! ! ! !

Il y a quelques jours, chez Nicolas

Je ne me souviens plus trop de ce que nous étions en train de faire, mais il m'a dit :

— Je ne sais pas si ça te tenterait ou si tu trouves ça quétaine, mais j'aimerais ça t'inviter... dans un mariage.

Moi : Ben oui.

Nicolas (en se passant la main dans les cheveux) : Oui, tu trouves ça quétaine ?

Moi : Non, non ! ! ! Je disais « ben oui » dans le sens de : « Ben oui, c'est évident que je vais y aller avec toi ! » Hahahaha ! Qui se marie ?

Nicolas : Ma tante.

Moi : OK. C'est quand ?

Nicolas : Le 13 octobre.

Moi : Elle n'est pas superstitieuse.

Nicolas : Comment ça ?

Moi : Ben, le 13, ça porte malheur, non ?

Nicolas : Ah, c'est vrai. J'sais pas. Probablement pas.

À la suite de quoi je me suis souvenue que c'était le souper de fête de ma mère. Je lui en ai donc parlé, et elle a semblé quelque peu irritée, car même si sa fête officielle est le lendemain, elle prétendait que c'était plus facile de regrouper des gens un samedi, mais elle m'a dit (après un long soupir) qu'elle remettrait son souper de fête au lendemain, précisant que ce serait mieux, car ce serait à sa vraie date de fête. Ma mère a également ajouté que c'était bizarre que je sois invitée à la dernière minute dans un mariage, car habituellement, ce genre d'événement est organisé très à l'avance. Alors elle m'a soupçonnée de lui mentir. Ce qui a mis un mini-léger doute dans mon esprit sur les raisons qui ont motivé Nicolas à m'inviter à la dernière minute. Il m'a expliqué que les invitations avaient été lancées avant qu'on reprenne ensemble et qu'il devait y aller avec Raph, mais que celui-ci avait annulé juste avant qu'il m'invite. J'ai alors relaté cette conversation à ma mère qui a arrêté de me regarder suspicieusement comme si je faisais partie d'une mafia de menteurs qui utilisent des événements grandioses comme alibi pour commettre des délits. (Tsssssss !)

Retour à aujourd'hui, 9 h 02 et 25 secondes

Comment j'ai pu oublier ? Sûrement à cause de la date porte-malheur. Je bondis hors du lit. Je pile sans faire exprès sur une patte ou sur la queue de Sybil (pas eu le temps de regarder), elle pousse un grand miaulement qui sonne comme « wiiiaoooow » (j'évite d'en attribuer la responsabilité au chiffre 13, ce serait exagéré) et je cours jusqu'à la cuisine.

Je fais tout à la vitesse de l'éclair. Je mange un bol de céréales sur le bord de la table. Prends ma douche en vitesse. Je mets ma robe, mais ma mère dit :

— C'est à une heure de voiture, cette auberge-là, tu vas froisser ta robe !

C'est la robe que ma grand-mère Laflamme m'a donnée l'été où je suis allée chez elle, lorsque Gab m'avait invitée à l'accompagner dans un mariage. Elle m'avait acheté cette robe en cadeau. Ça me donne l'occasion de la porter une autre fois. Elle est super belle ! Mais elle ne répond pas aux critères d'une robe de bal, le critère numéro un étant : il faut que ce soit une nouvelle robe.

J'écoute ma mère (car, honnêtement, je ne l'obstine pas ces temps-ci ; personne ne veut être dans le chemin de Godzilla, donc personne ne veut contrarier Momzilla, ce qu'elle est à mes yeux ces temps-ci). Déjà, au moment où je me suis levée, elle marmonnait toute seule « Ben non ! On m'écoute pas, moi ! Je lui conseille de se lever de bonne heure pour se préparer, et je parle dans le vide. Ce que je dis, ça ne compte pas. Blablabla... » Évidemment, le « blablabla » est un ajout de ma part pour signifier qu'il y avait plus à son monologue solitaire. Si elle disait vraiment « blablabla », ça ferait des sermons plus colorés et donc, peut-être, plus intéressants.

J'attribue sa mauvaise humeur au fait qu'elle a reporté son souper de fête à demain pour moi. Alors, je préfère faire ce qu'elle dit, peut-être un peu, je l'avoue, par culpabilité de l'avoir obligée à changer ses plans.

9 h 15

Je me change et je mets mes jeans et un t-shirt avec des espadrilles et je range ma robe dans une housse.

Ensuite, ma mère m'ordonne : « Viens ici, je vais te friser les cheveux, ça va être super beau ! » et elle m'assoit de force à la table, dans la cuisine où elle a préalablement branché un fer à friser. Je proteste un peu et elle me lance impatiemment :

— Fais-moi donc confiance un peu pour une fois ! Si tu n'aimes pas ça, on les défrisera !

Ne. Pas. Contredire. Momzilla.

10 h 01

Ding dong ! On sonne à la porte. Ça doit être Nicolas ! Je me lève pour aller répondre, mais je suis retenue par le fer enroulé dans une de mes couettes. Ma mère me retient par l'épaule et me rassoit, comme si j'étais une poupée de chiffon, en grognant :

— Je n'ai pas fini.

Et elle crie :

— François ! Rends-toi donc utile pour une fois pis va répondre à la porte !

François arrive dans la pièce et me regarde, impuissant. Je lui fais signe que je ne comprends pas non plus. Elle doit être stressée parce que c'est sa fête demain et que ça ne lui tente pas de recevoir tout ce monde qui doit venir souper. Ce serait son genre de se plaindre que c'est SA fête et qu'elle doit s'occuper de TOUT toute seule, comme d'habitude, etc., etc., alors que c'est elle qui a eu l'idée d'inviter tout le monde. Peut-être qu'elle préférerait une surprise (comme celle qu'elle m'a organisée cet été) ou quelque chose comme ça. Je ne sais pas, elle est dure à suivre.

François ouvre la porte et complimente Nicolas :

— Wow ! T'es *swell* comme un cheval à quatre piasses !

Nicolas rit. Moi aussi. Tandis que ma mère continue de me friser les cheveux.

Moi : Qu'est-ce que ça veut dire, ça ? Qu'il est bien habillé ? Ou qu'il a l'air *cheap* ?

François : C'est mon père qui dit ça. Dans le temps, quatre piasses, c'était beaucoup.

Moi : En tout cas, j'en connais une qui aimerait vraiment ça qu'un cheval hot ne coûte que quatre piasses.

Je parle de Kat, évidemment.

Nicolas (en riant) : Oui, c'est clair.

Ma mère : Bon, Aurélie, t'arrêtes de bouger, là ? Si tu veux que je te coiffe.

Je ne réponds rien et j'arrête de « bouger », comme elle dit (comme si je gigotais tant que ça). Je regarde Nicolas et c'est vrai qu'il est vraiment beau. Il porte un habit gris foncé avec un t-shirt assez cool sous son veston. Il constate :

— Tu n'es pas habillée.

Moi : Ma mère veut que je mette ma robe là-bas pour ne pas trop la froisser.

Ma mère : Ben oui, c'est évident. C'est un tissu qui froisse à rien ! Personne ne me croit, ici, comme si je parlais dans le vide tout le temps. (Je regarde François, à la recherche d'un complice qui ne comprend pas l'attitude de ma mère, comme moi.) Bon, je n'ai pas le temps de finir ça comme il faut vu que le père de Nicolas t'attend. Ça va faire l'affaire.

Je me regarde dans le miroir et j'ai un côté avec de gros boudins et un côté avec des boudins, disons, plus ondulés que frisés.

Moi : Ben là ! ! ! Qu'est-ce que je vais faire ? Ce n'est pas pareil des deux côtés !

Ma mère : Ça ne paraît pas. Passe un peu ta main dans le côté plus frisé, pis ça va s'équilibrer. Qu'est-ce que tu veux, j'ai juste eu le temps de le faire comme il faut d'un côté. Si tu t'étais levée plus tôt, on aurait eu le temps.

Je lève les yeux au ciel en me passant la main dans les cheveux comme elle a dit pour défriser un peu le côté frisé. J'attrape mon sac à dos et je suis Nicolas jusqu'à la voiture pour me sauver le plus vite possible d'ici.

10 h 07

J'entre dans la minifourgonnette. Yves, le père de Nicolas, me salue, et Anne, sa blonde, assise sur le siège passager, me félicite pour ma coiffure originale, ce qui me fait sentir un peu mal à l'aise, mais je décide de m'en tenir à la réponse d'usage, « merci », sans plus d'explications, pensant que c'est peut-être moins pire que je pense. Max, le frère de Nicolas, est installé sur la banquette arrière avec sa blonde Vanessa.

Puis, tous les deux me regardent de façon insistante et, comprenant qu'ils se questionnent sûrement sur ma tenue vestimentaire inappropriée, je leur explique que ma mère préfère que je mette ma robe sur place. Ils haussent les épaules et nous partons.

10 h 54

AAAAAAAAAHHHHHHH !!!!!!!!!!!! J'AI OUBLIÉ MA ROBE !!!!!!!!!!!!

Ça vient de me frapper pendant que je parlais avec Vanessa et qu'elle m'a demandé :

— Mais pourquoi ta robe serait moins froissée dans ton sac que sur toi ?

J'ai émis un grand hoquet d'horreur, ce qui a fait peur à Yves, qui croyait que j'avais vu un animal sur la route ou quelque chose du genre.

Yves, Anne, Max, Vanessa et Nicolas m'ont tous regardée et j'ai dû expliquer ce que je venais de réaliser.

Max éclate de rire en premier. Yves précise qu'il est trop tard pour retourner. Anne me prend vraiment en pitié de façon infantilisante :

— Oh, pauvre chou, pauvre chou !

Nicolas tente de me rassurer :

— C'est vraiment pas grave, Aurélie. Tout le monde va comprendre. Au pire, on va dire que c'est vraiment la mode et que tu es chic selon notre code de « jeunes ».

Note à moi-même : En rentrant à la maison ce soir, tenter de me souvenir que je n'ai aucun instinct meurtrier (à part envers les araignées). Surtout. Pas. Envers. Ma. Mère.

12 h

Cocktail de bienvenue.

J'ai un côté de cheveux frisés, un côté de cheveux ondulés. Je suis en jeans et chandail de laine. Pas n'importe quel chandail de laine. Un vieux. Vert. Avec un trou au niveau des poignets parce que je cache toujours mes mains dans mes manches et qu'à la longue ç'a fait un trou pour laisser passer mon pouce. Selon moi, c'est une amélioration, et tous les chandails devraient avoir un trou pour laisser passer le pouce. Puisque c'est une amélioration selon mon opinion personnelle, on peut dire que je porte le chandail de laine d'une designer, c'est-à-dire moi-même. Ah ! Je pourrais être designer dans la vie. Faire seulement des vêtements que j'aime. Les gens les aimeraient aussi, c'est sûr !

12 h 14

Tout le monde me regarde de façon bizarre.

Note à moi-même : Si je deviens designer, ne pas utiliser de lainage vert dans ma collection de vêtements chics.

12 h 16

Il pleut. Peut-être que si je vais un peu sous la pluie, ça va complètement défaire mes boudins, alors ça va régler la question de ma coiffure. Mais puisque nous sommes à la campagne et que la terre est boueuse, mes espadrilles vont devenir toutes boueuses et je vais avoir l'air d'une fille non seulement mal habillée, mais sale.

12 h 34

Je mange des petites bouchées compulsivement. J'ai même mangé des mini-blés d'Inde alors que je déteste les mini-blés d'Inde.

Nicolas arrive près de moi :

— Ça va ?

Moi : Ça va... comme un chien dans un jeu de quilles, un cheveu sur la soupe pis toutes ces affaires-là.

Nicolas : Moi, je trouve que t'es la plus belle.

Je souris, peu convaincue.

Un homme qui ressemble au père de Nicolas en beaucoup plus vieux (sûrement son grand-père) arrive près de nous et dit :

— Hé, jeune homme ! Tu ne nous présentes pas ta p'tite blonde ? Ma chouette, il y a une chambre à l'auberge si tu veux mettre ta belle robe.

Moi : Euh... j'ai comme... oublié ma robe.

Il éclate de rire et je sens que je peux faire de son grand-père mon allié. Il me fait beaucoup penser à ma grand-mère Laflamme.

J'affiche mon plus grand sourire et je lui tends la main en disant :

— Je suis vraiment contente de vous rencontrer. Nicolas m'a souvent parlé de son grand-père. En bien, c'est évident.

Lui : Il est mort.

Nicolas : Oui, euh... Aurélie, c'est le frère de mon père, Paul.

Moi : Ah oui, j'avais compris, c'est juste que ce que je voulais dire, c'est que j'étais contente de vous rencontrer, mais que j'aurais *aussi* voulu rencontrer le grand-père de Nicolas. Je disais ça pour faire la conversation. Vu que c'est votre père. Vous devez avoir plein de souvenirs. Moi aussi, mon père est mort. (Je pointe du doigt en bougeant la main de moi à lui.) Plein de points communs.

Paul me regarde d'un air perplexe et bredouille :

— Eh bien... ça m'a fait plaisir de te rencontrer.

Et il se tourne pour parler à quelqu'un d'autre.

Moi (à Nicolas) : Scuse...

Il éclate de rire et dit :

— Je n'en reviens pas hahahaha que t'aies pensé que mon oncle hahahaha était mon grand-père ! Hahahahahaha !

Moi : Ben oui. Ha. Ha. Très drôle.

Nicolas : Tu t'en es bien sortie.

Un gars de notre âge (ou en tout cas, qui a *l'air* d'être de notre âge, mais je ne me fie plus à mon jugement sur l'âge des gens) s'approche de nous. Nicolas me le présente immédiatement comme son cousin et me chuchote à l'oreille : « Pas mon oncle, là », et je ricane malgré moi.

Justin (le cousin) : T'es pas mal cool d'être venue en jeans, j'aurais le goût de faire comme toi.

Moi : Ah ouain, ben t'sais, les mariages, hein, dans le fond, ce sont les mariés qui comptent, héhé.

Justin commence à parler du fait que les mariés s'en vont en Italie pour leur voyage de noces. Nicolas demande « où », et son cousin lui avoue avoir un blanc en ajoutant :

— Tu sais, la capitale. Voyons, c'est quoi donc, le nom ?

Moi : Venise ?

Nicolas : Non, la capitale, c'est Rome.

Grosse. Nouille. Épaisse. Un aller simple pour Tombouctou sur-le-champ, s'il vous plaît !

Moi : Ah oui, hahahaha ! C'est vrai ! C'est que je ne pensais pas qu'il parlait de « la capitale » comme la capitale *officielle*, je croyais qu'il voulait dire, genre, la « capitale de l'amour » à cause du mariage, alors c'est pour ça que j'ai tout de suite pensé à Venise. Pour son côté... romantique.

Et puis (non dit) j'ai toujours été poche en géo. Et puis n° 2 (toujours non dit) on n'est pas dans un quiz avec des prix à gagner !

Mon regard est attiré par quelque chose qui bouge sur le fil électrique au-dessus de la tête du cousin. Deux écureuils se courent après et ils perdent l'équilibre, c'est vraiment tordant ! J'éclate de rire. Nicolas et son cousin me regardent et je leur pointe les écureuils, qui ont maintenant disparu sur le poteau au bout du fil. Nicolas et son cousin se retournent vers moi avec un regard perplexe.

Moi : Oh, il y avait des hamsters, euh... je veux dire, des écureuils, sur le fil.

Justin (vers Nicolas): Elle est bizarre, ta blonde.

Impression de rentrer dans le sol (dommage que ce ne soit qu'une impression, car ç'aurait été un phénomène vraiment pratique et pas seulement aujourd'hui).

Nicolas: Elle est différente, c'est ce qui fait son charme.

Normalement, mon cerveau activerait la fonction « titilititi », mais tous mes neurones sont occupés à conserver une certaine dignité humaine, car c'est le point faible de mon métabolisme, et ça demande plus d'énergie à mon activité cérébrale en ce moment.

14 h 32

Message texte de Tommy:

Pis, le mariage?

Je réponds:

Je m'enfonce de plus en plus dans l'humiliation la plus profonde.

Il répond:

OK. Tout est normal ;)

3 h 14

Ça fait une heure que je suis revenue. Je n'ai pas croisé ma mère en arrivant, car elle dormait, ce qui est une bonne chose.

Bilan de ma journée: À oublier. Complètement. Le plus vite possible. Si j'ai une hérédité d'Alzheimer, qu'elle se manifeste maintenant serait grandement apprécié.

Dimanche 14 octobre

Oublier la journée d'hier ne sera pas facile.

C'est la fête de ma mère. Et qu'est-ce qui semble la réjouir plus que n'importe quoi d'autre ? Rire de moi.

Ça fait vingt minutes qu'elle rit de moi pendant que, tête baissée, j'essaie d'avoir l'air hyper concentrée sur ce que je mange en faisant semblant que je n'entends pas. Nicolas est assis à côté de moi et sourit. Je crois même qu'il tente de me faire rire, mais je ne connecte pas avec, disons, l'humour en ce moment, on dirait.

Évidemment, ma mère prétend qu'elle ne rit pas de moi. Bien sûr que non. Elle dit qu'elle rit d'*elle-même* ! Oui, c'est évident, ça. Elle rit d'elle-même, mais en racontant *ma* journée épouvantable d'hier. Elle avoue que lorsqu'elle a vu que j'avais oublié ma robe, c'est là qu'elle a éclaté de rire « comme une vache espagnole ». François l'a tout de suite reprise :

— L'expression, c'est « parler français comme une vache espagnole ».

Ma mère rit de plus belle et admet :

— Je n'ai vraiment pas d'allure ces temps-ci ! Pauvre Aurélie ! Je ne sais pas pourquoi j'ai insisté pour que tu ne portes pas ta robe dans l'auto. J'obsède tellement à propos de choses futiles.

Contente qu'elle le réalise... une journée en retard.

Et elle se colle sur François.

Bon, au moins, elle a l'air réconciliée avec lui.

Il faut dire que ça ne me dérange pas trop qu'elle ait commencé à rire de moi. Parce que juste avant, elle ne faisait que stresser tout le monde, alors ç'a juste changé l'énergie de la soirée.

Avant de raconter cette anecdote hilarante où sa fille est allée dans un mariage en jeans avec une moitié de tête frisée, elle ne cessait de ramasser chaque microsaleté que quelqu'un pouvait faire. Personne ne l'a dit, mais ça rendait tout le monde mal à l'aise (en tout cas, officiellement, ça *me* rendait mal à l'aise. En ce qui concerne les autres, je n'ai pas de confirmation officielle).

Plein de gens se sont déplacés pour elle. Mes grands-parents Charbonneau sont là. Ma grand-mère m'a tricoté des pantoufles. Je lui ai rappelé que ce n'était pas ma fête à moi, mais elle m'a affirmé que ça lui faisait plaisir. Elle en a aussi fait pour mon cousin, William, qui est là avec ma tante Loulou et mon oncle Claude. Ma grand-mère Laflamme est également venue faire un tour, ce qui m'a fait plaisir, car j'avais hâte de lui présenter mon chum.

Les parents de François et sa sœur sont là aussi.

Et Nicolas. Ce qui fait un peu bizarre, car c'est la première fois que je le présente à ma famille. Il a été gentil, car il a longtemps joué avec mon cousin, William, qui a perdu une dent, ce qui lui donne un air espiègle. (Ce commentaire est totalement futile, mais j'ai focalisé là-dessus toute la soirée, je ne sais pas trop pourquoi, peut-être que ça me faisait sentir supérieure, car il a l'air plus fou que moi avec des dents manquantes. J'avoue, me remonter le moral grâce à un cousin qui perd ses dents, c'est vraiment pathétique. Je suis rendue là. C'est tout dire.)

En partant, ma grand-mère Laflamme m'a dit à l'oreille:

— Il est gentil, ton p'tit chum.

Même si on s'entend bien avec nos grands-parents, certaines choses ne changent pas, comme le fait qu'ils appellent mon chum mon « p'tit » chum. Argh.

23 h

Même si ma mère est un tyran, je lui ai dit que je ne lui en voulais pas pour hier et que, dans quelques années, je trouverais sûrement ça drôle. (J'ai vraiment précisé « dans quelques années » pour qu'elle comprenne que, *présentement*, je ne trouve pas ça drôle *du tout*, mais elle n'a pas semblé saisir ma subtilité.) Je lui ai offert de m'occuper de la vaisselle et elle a jubilé (plus que lorsqu'elle a ouvert mon cadeau, ce qui est un peu insultant). Elle est allée se coucher alors que je nettoyais la cuisine et elle m'a lancé:

— T'es ma fille préférée.

Je la soupçonne d'avoir bu. Mais j'ai quand même répondu (en toute sobriété):

— Toi aussi, t'es ma mère préférée.

J'ai pensé ajouter « même si, récemment, on dirait que t'as pété un câble », mais je me suis retenue juste à temps, pensant que 1) même si elle est dans de bonnes dispositions, je préfère ne pas la contrarier ces temps-ci étant donné son comportement erratique, que 2) c'est encore sa fête jusqu'à minuit, et que 3) je préfère terminer la journée sur une note positive parce que, karmiquement parlant, c'est mieux, et vu mes récentes malchances, je préfère avoir de bons points à ce niveau-là, ça ne peut jamais nuire.

Lundi 15 octobre

L'impression réjouissante d'avoir enfin de nouveaux vêtements en enfilant une vieille chemise laide et usée qu'on ne portait plus, retrouvée au fond de la garde-robe, ne dure qu'un instant.

Je prends mes livres de cours de l'avant-midi et je les dépose dans mon sac. Kat n'arrête pas de rire.

Lorsque j'ai trouvé la chemise (totalement par hasard, je cherchais quelque chose, mais j'ai oublié ce que c'était aussitôt que je l'ai aperçue), je me suis rappelé à quel point j'avais voulu cette chemise. Mais j'ai oublié que ça fait environ deux ans de ça et que deux ans, en années « mode », c'est pire qu'en années « chien ».

Bon, Kat rit à cause de ma chemise démodée, mais aussi parce que je lui ai raconté l'épisode « mariage en jeans ». Et, sur le point de s'étouffer de rire, elle me demande pourquoi je ne l'ai pas appelée avant et je lui réponds que si elle lisait ses courriels la fin de semaine, elle aurait vu que je lui ai déjà raconté l'aventure. Elle me dit :

— On a toutes les deux un cellulaire ! Appelle-moi !

Je lui explique que je n'ose plus la déranger la fin de semaine, la sachant tellement occupée avec l'équitation et son chum.

Kat s'assombrit. Et me confie que, même si elle aime Emmerick, elle trouve de plus en plus difficile cette relation à distance.

Moi : Voyons, Kat ! Il habite à une demi-heure de chez toi ! Et il conduit ! Et il vient souvent te rejoindre après l'école, je ne remarque même pas la différence !

Kat : C'est parce que ce n'est pas toi qui sors avec ! J'ai de l'équitation. Lui, il a plein d'affaires. Il vivrait en Chine et on se verrait peut-être plus souvent !

Moi : Je ne sais pas, avec le décalage horaire et tout...

Kat : Ha. Ha. Façon de parler.

Julyanne arrive près de nous, me salue froidement et tend un sac à Kat en disant :

— Ton lunch. T'étais tellement pressée que tu l'as oublié.

Puis elle s'en va.

Je regarde Kat en lui demandant ce qui se passe et elle me répond, avec un haussement d'épaules :

— Elle est frue parce que je ne l'ai pas attendue ce matin.

Moi : Elle est quand même gentille d'avoir apporté ton lunch.

Autre haussement d'épaules. Je sens que le sujet est délicat et je regarde Julyanne s'éloigner vers les cases de première secondaire.

Kat : Je pense qu'elle trouve ça dur, le secondaire. Mes parents n'arrêtent pas de me dire de l'aider, et je fais ce que je peux, mais il faut qu'elle fasse sa place toute seule. On n'avait pas de grandes sœurs, toi et moi, et on s'est débrouillées... Ben, *je* me suis débrouillée. Toi, pas trop sûre avec tes goûts vestimentaires.

Touché.

Regard d'exaspération totale envers Kat.

Moi : Plus j'y pense, plus je trouve que Julyanne est vraiment une sainte de t'avoir apporté ton lunch. Je t'aurais laissée crever de faim !

Sur ce, je pars en levant le nez et elle me suit en courant tout en continuant de rire et en me priant de ne pas le prendre mal, mais je la sème en criant que je dois aller à mon cours. Pas que je sois si pressée d'arriver (après tout, j'ai maths), mais j'ai besoin d'air (ou plutôt de compréhension amicale, pas d'*humiliation* amicale).

21 h 30

J'ai un peu évité Kat aujourd'hui. Et je ne l'ai pas appelée ce soir.

Je suis peut-être un peu soupe au lait, j'en conviens. Mais je suis tannée d'être le clown de service.

Note à moi-même : Je ne suis pas mal habillée, je suis créative et je joue avec les codes de la mode.

21 h 35

Pour fin expérimentale, je suis allée demander à ma mère ce qu'elle pensait de ma chemise et elle s'est écriée qu'elle la trouvait trèèèèèès belle, avec un degré d'excitation qui frôlait l'hystérie. Louche.

Note à moi-même nº 2 : Revoir mes codes de la mode.

Note à moi-même nº 3 : Revoir ma créativité aussi, tant qu'à y être. Elle est peut-être endormie dans le fond de la garde-robe, comme ma chemise que j'ai trouvée. Voilà pourquoi je ne peux pas participer au concours de textes.

Note à moi-même nº 4 : À bien y penser, c'est bel et bien ma créativité qui est en cause, étant donné que je la compare à une chemise. (Isssshhhh.)

Mercredi 17 octobre

J'adore la période d'étude libre. Dans la semaine, c'est mon moment préféré. Je travaille présentement à mon travail d'éthique et culture, que je dois remettre bientôt. Mais je ne suis plus capable de retenir une envie pressante d'aller aux toilettes. Je demande au surveillant si je peux m'absenter. Il grogne :

— On revient tout juste du dîner, tu n'aurais pas pu y penser avant ?

Je souris niaiseusement. C'est toujours la meilleure réponse à ce genre de commentaire. Si j'avais émis le moindre commentaire baveux, il m'aurait refusé l'accès aux toilettes. La vérité, c'est que oui, j'avais envie dix minutes avant que les cours commencent, mais j'étais en grande discussion avec Tommy et je me suis dit que je ne pouvais pas lui couper la parole pour aller aux toilettes et que je pourrais sûrement me retenir jusqu'à la pause entre les deux cours de l'après-midi. Mais j'en suis officiellement incapable. Ça me déconcentre.

13 h 45

Dans la toilette à côté de la mienne, je remarque un sac qui ressemble à celui de Julyanne.

Je chuchote :

— Julyanne ?

Je chuchote, car, si ce n'est pas elle, je pourrai passer ça sur le compte d'une conversation téléphonique au cellulaire ou quelque chose comme ça. Bon, être au téléphone aux toilettes, c'est un peu bizarre, mais parler toute seule ou se tromper de personne, c'est encore plus humiliant.

Personne ne répond.

Je vois que ce sont ses souliers aussi. J'essaie de parler un peu plus fort :

— Julyanne ?

Elle ne répond pas.

Inquiète, croyant qu'elle est blessée ou quelque chose comme ça, je sors de la toilette et je cogne de toutes mes forces en haussant le ton :

— Julyanne ! Julyanne ! ! !

Elle finit par ouvrir et retourne s'asseoir sur la toilette. Je remarque qu'elle a le visage bouffi. Elle pleure.

J'ai l'impression d'être ramenée d'un coup sec dans mon passé. Dans le temps, je me réfugiais aux toilettes et/ou j'y mangeais systématiquement après une chicane avec Kat. J'ai un coup au cœur à voir Julyanne comme ça.

Moi : Qu'est-ce que tu fais dans les toilettes de l'aile des cinquième secondaire ?

Julyanne réussit à articuler à travers un sanglot :

— Je ne veux pas que les gens de première secondaire me voient pleurer.

Moi : Est-ce que tu t'es chicanée avec tes amis ?

Julyanne : Oui.

Moi : C'est grave ?

Julyanne me fait un air qui signifie : « Regarde-moi, ça doit être grave. » Alors, je précise ma question :

— Qu'est-ce qui s'est passé ?

Julyanne : Pénélope, mon amie, pensait que je tripais sur son chum, François-Xavier, et là, dans le cours d'arts plastiques, on était assis en groupes de quatre, et à un moment donné, je me suis levée pour aller chercher un pinceau et quand je suis revenue, j'ai vu qu'elle avait peint ça sur mon sac à dos.

Elle lève son sac à dos vers moi et je vois qu'il y est écrit : « Julyanne loves Ludo. »

Julyanne (qui continue) : Là, j'ai l'air de triper sur Ludovic et je te jure, c'est le gars le plus laid et le plus con de la classe ! Mais le pire, c'est que

Pénélope a monté nos autres amis contre moi, et là je suis en chicane avec mes amis. De toute façon, tu ne peux pas comprendre.

Moi : T'sais, ça arrive à tout le monde.

Julyanne : Non.

Moi : Quand Kat pis moi on se chicanait, on mangeait dans les toilettes...

Julyanne : Tu dis ça juste pour que j'arrête de pleurer.

Moi : Non, je te jure. C'est ma meilleure amie, mais à l'école privée, c'était aussi ma seule amie. Alors quand on se chicanait, on n'avait pas le choix… Ici, c'est différent parce qu'il y a les gars, mais c'est quand même ma seule amie fille.

Julyanne : Ah...

Moi : Toi, t'es venue à cette école avec tous tes amis du primaire. Des fois, on change. Peut-être que tu devrais rencontrer une nouvelle amie. J'ai aussi la théorie que ma vie au secondaire aurait été différente si je m'étais inscrite dans des comités. Peut-être que tu peux essayer.

Julyanne : Il est sûrement trop tard.

Moi : J'sais pas... mais veux-tu manger avec nous pour les prochains jours, en attendant de te réconcilier avec tes amis ou de t'en faire d'autres ?

Julyanne : Si je fais ça, ça va trop paraître que c'est parce que je n'ai pas d'amis...

Elle penche la tête. J'en profite pour texter Kat à l'insu de Julyanne :

> RV, toilette de l'aile A des cinquième secondaire. Au PC.

13 h 55

J'aperçois les souliers de Kat. J'ouvre la porte et tire mon amie par le chandail pour qu'elle nous rejoigne dans la cabine. Elle crie, mais je lui plaque une main sur la bouche.

Lorsqu'elle réalise que c'est nous, elle chuchote :

— Qu'est-ce que vous faites ?

Elle remarque Julyanne et nous regarde avec des points d'interrogation dans les yeux.

Sa sœur lui raconte ce qui se passe et elle la serre dans ses bras, pleine de compassion. Pendant ce moment, je dois me tasser dans le coin de la toilette. Je me sens un peu de trop.

Kat demande à sa sœur :

— Tu veux que j'aille leur parler ? leur faire peur ?

Julyanne : Faut que je règle ça moi-même.

Kat : Si t'as besoin de moi, je suis là, ma sœur.

Elle se tourne vers moi :

— En tout cas, nous autres, on n'aurait jamais fait quelque chose de chien comme ça dans nos chicanes.

Bon, on a eu toutes sortes de chicanes. Et je préfère ne pas me chicaner avec elle en revenant sur des chicanes réglées, alors je fais semblant d'être totalement d'accord avec elle.

Ce qu'aurait été ma vie sans Kat :

Si, à l'examen d'entrée au secondaire, je n'avais pas rencontré Kat, je ne sais pas ce que j'aurais fait. Je serais peut-être devenue amie avec Justine et Marilou. Non, impossible, nous n'avons rien en commun. J'aurais donc été une solitaire, car aucune autre personne de mon ancienne école secondaire n'était mon amie. J'aurais probablement passé tous mes temps libres à discuter avec les profs. Ç'aurait grandement amélioré mon rendement scolaire. J'aurais développé des raisonnements très sophistiqués. Certains profs, dont sœur Rose, m'auraient même demandé de devenir leur assistante, car mes notes auraient été au-dessus de la moyenne. C'est évident, car tous mes temps libres auraient été consacrés à mes études, puisque je n'aurais rien eu d'autre à faire. Je n'aurais peut-être jamais commencé à écouter *Les frères Scott* ni *Gossip Girl*. C'est évident, car étant donné mes études approfondies, je serais devenue un génie et j'aurais deviné le dénouement de toutes les intrigues à l'avance et ça m'aurait profondément ennuyée. J'en serais venue à considérer la télévision comme une perte de temps et d'énergie. De son côté, Kat se serait peut-être liée d'amitié avec Justine et Marilou, car elle s'entendait bien avec elles. Mais, remarquant que Justine et Marilou avaient une complicité spéciale, elle aurait eu l'impression que quelque chose lui manquait profondément. Un jour, elle se serait inscrite à l'aide aux devoirs en français, et c'est moi qui aurais été désignée pour l'aider. Nous aurions commencé à parler. Et, en trois minutes, nous serions devenues les meilleures amies du monde, *4ever and ever*. Parce que ma vie sans Kat, c'est carrément juste impossible.

13 h 57

Je regarde Kat, et ma mini-colère parce qu'elle m'a confondue hier avec un clown se dissipe.

Puis, Julyanne lui avoue qu'elle ne croyait pas que Kat la défendrait. Qu'à l'école secondaire, la personne qu'elle redoutait le plus, c'était sa propre sœur.

— Franchement ! T'es ma sœur ! Y a personne d'autre que moi qui peut te tyranniser. C'est mon droit réservé.

Julyanne rit. Et saute dans les bras de Kat.

14 h 01

Kat et moi avons convaincu Julyanne de retourner à son cours. Kat lui a mis un peu de poudre pour atténuer ses rougeurs. Une fois Julyanne partie, elle m'a avoué qu'elle se sentait un peu coupable de l'avoir laissée partir.

Puis, j'ai repensé à tout mon secondaire et à celui de Kat. Toutes les choses que nous avons traversées seules. On dirait que voir quelqu'un d'autre, près de soi, vivre des choses difficiles, c'est encore pire que de les vivre soi-même. On dirait que pendant que je voyais Julyanne pleurer, j'aurais voulu prendre sa place et faire je-ne-sais-pas-trop-quoi. Moi-même je n'aurais pas trop su quoi faire. J'aurais juste voulu prendre sa peine et la vivre à sa place, car je sais que j'aurais pu m'en sortir. Ça me fait penser aussi à toutes les fois où j'ai vu ma mère pleurer, déprimée, et où j'aurais voulu prendre possession de son corps pour vivre sa peine à sa place, sentant que j'étais plus capable qu'elle de traverser ce moment. Mais c'est impossible.

Je rassure Kat en lui disant qu'elle n'a pas été si pire que ça, en lui rappelant qu'au premier jour elle l'a conduite à son premier cours et qu'elle a fait de son mieux depuis le début de l'année. Et qu'elle ne peut pas prendre sur ses épaules ce que vit Julyanne, ni vivre son secondaire à sa place. Ça n'a pas eu l'air de rassurer mon amie plus qu'il faut parce qu'elle est tombée dans une transe *drama queen* intense et elle a affirmé être la pire sœur de l'univers tout entier. Je lui ai dit que je n'avais pas la capacité de gérer plus d'un drame à la fois (en blague) et ça l'a fait rire (fiou, car, dans l'état où elle était, elle aurait pu mal le prendre), mais elle m'a tout de même remerciée pour mon essai. Et j'ai remercié mon (parfois utile) côté clown.

14 h 05

Le retour en classe ne s'est pas fait sans heurts. En entrant, le surveillant me lance:

— Des petits problèmes de digestion, mademoiselle Laflamme?

— Oui, j'ai de la misère à digérer le fait qu'on brime ma liberté de satisfaire un besoin fondamental et primaire.

Cette fois-ci, le commentaire s'imposait. Et il est sorti, comme ça, paf. Je n'en reviens pas. J'ai fait rire tout le monde. J'ai consolé Julyanne, rassuré Kat et sorti un commentaire brillant, moi qui suis si souvent en retard dans mes réparties!

Le surveillant hausse simplement les sourcils pendant que je reprends ma place.

Je me sens carrément comme un superhéros. Et ça applaudit dans ma tête (bon, c'est peut-être exagéré, mais j'ai le droit, car personne ne le sait, hihi).

Jeudi 18 octobre

J'essaie un nouvel antisudorifique.

Donc, si jamais je pue, c'est totalement involontaire, car c'est un essai. J'ai averti mes amis de me faire part de toutes leurs impressions sur mes odeurs corporelles. Et Tommy n'arrête pas de me taquiner en se mettant le nez sous mon bras.

12 h 10

À la table, Kat regarde partout dans la cafétéria, sans manger. Je lui demande ce qu'elle a et elle affirme qu'elle cherche Julyanne. Elle a sans doute peur qu'elle soit en train de manger dans les toilettes, comme nous à une époque pas si lointaine quand on se chicanait.

Parfois on dirait que Kat est la seule qui peut être méchante avec Julyanne. Mais quand sa sœur se fait maltraiter par d'autres qu'elle, elle ne le prend pas.

Je jette un coup d'œil dans la cafétéria et je ne trouve pas Julyanne.

Kat mange en vitesse de façon un peu nerveuse et commence:

— Au...

Moi : Je vais aller avec toi chercher ta sœur si tu veux.

Tommy : J'espère que vous n'aurez pas trop de marches à monter, avec le nouvel antisudorifique ! Hahahahaha !

Kat (vers moi) : Le pire, c'est qu'il se trouve drôle. Il est ben correct, ton antisudorifique.

Moi : Je voulais juste essayer quelque chose de nouveau. Argh.

12 h 15

On voit Julyanne arriver avec une amie et s'asseoir à une table.

Nicolas : Coudonc, qu'est-ce que vous regardez comme ça ?

J'invente quelque chose pour créer une diversion afin de ne pas trahir Julyanne. Kat change de sujet, mais continue de fixer le vide (ou un point précis dans la cafétéria ? Hum…).

12 h 16

Julyanne semble rire.

Moi : Fiou, elle a l'air correcte.

Kat : Hein ? Qui ça ?

12 h 17

Suivi antisudorifique : Niveau de toxicité du produit possiblement très élevé. Peut même provoquer des hallucinations. J'ai cru halluciner que Kat regardait non pas Julyanne, mais... Truch ? ? ? ! ! !

18 h 01

Dans le salon, avec ma mère et François, nous regardons les nouvelles. (Précision : ils regardent les nouvelles et je clavarde avec Kat.) Mais une nouvelle attire mon attention. J'entends qu'un jour les humains pourront peut-être vivre sur la Lune.

Le reporter : La NASA prépare son imminent projet Objectif Lune. À bord de la navette, deux engins d'exploration : l'un pour trouver de l'eau, l'autre, des pistes d'alunissage. La mission vise à réunir, en somme, les conditions qui pourraient permettre aux humains de travailler à long terme sur l'astre, voire d'y vivre.

D'après ce que je comprends (parce que, honnêtement, je ne comprends jamais les reporters de nouvelles, on dirait qu'ils parlent un langage qu'eux seuls comprennent, sur un ton monocorde et endormant), c'est que les humains pourraient un jour vivre et travailler sur la Lune. Ça créerait de nouveaux emplois.

Je me tourne vers ma mère et dis :

— Peut-être que je suis faite pour ce genre de vie.

Ma mère : Tu veux être astronaute ?

Moi : Non. Je veux travailler sur la Lune. Je ne sais pas pour faire quoi. Mon travail n'a peut-être pas encore été inventé. Parce que, pour l'instant, techniquement, on ne peut pas vivre sur la Lune.

Elle rit.

Moi : Un jour, je vais vivre sur la Lune et je vais dire à tout le monde que t'as ri de moi quand je t'ai parlé de mon projet.

François : Je te voyais plus dans un domaine artistique qu'en astronautique.

Moi : C'est pas astronaute ! C'est une *autre* vie sur la Lune. Je pourrais être serveuse dans un restaurant lunaire, par exemple.

Ma mère rit et demande :

— Tu veux être serveuse ? T'as de la misère à mettre la table ici.

Moi : Sur la Lune, il y aurait comme un défi.

François : Tu pourrais travailler pour moi et écrire des slogans publicitaires. Je te verrais bien faire ça.

Moi : L'écriture, c'est pas trop mon fort.

Ma mère : Depuis quand ?

Je leur raconte mon échec à me classer parmi les candidats du concours d'écriture.

François : Pourquoi tu ne confrontes pas ton prof ?

Moi : Parce que je suis normale.

Ma mère : C'est juste un con, ce prof-là, pour ne pas reconnaître ton talent ! J'aurais le goût d'aller lui dire, moi, que si ce n'est pas lui, le juge du concours, il n'a pas à faire une présélection !

François et moi nous lançons un regard qui en dit long sur notre étonnement face aux comportements inusités de ma mère, de plus en plus fréquents, que j'associe à sa ménopause précoce.

François : Je ne pense pas que ça va aider Aurélie si tu t'en mêles, France.

Moi : Ouain...

François : Je t'assure. Va lui demander pourquoi ton texte n'a pas été retenu. Peut-être que ça peut te donner des pistes pour les prochaines fois.

Ma mère : Ça se peut que son prof soit complètement dans le champ, aussi. L'art, c'est subjectif ! Et le *burnout*, c'est fréquent chez les professeurs !

Ou chez les mères... (?) J'aurais envie de lui dire : « Du calme, Momzilla », mais je m'abstiens, pour des raisons évidentes.

Suivi antisudorifique : Pas fort. J'ai senti une grande poussée de transpiration sous mes bras en m'imaginant confronter mon prof de français. Si ce produit n'est pas capable de tenir le coup alors que je ne bouge même pas, il devrait être retiré du marché. Penser à en faire part éventuellement à la compagnie.

Vendredi 19 octobre

Dernier cours de la journée : éduc.

Après le cours, je voulais me changer. Vu qu'il n'y avait plus de cabinets de toilette libres et que j'avais rendez-vous avec Nicolas, je suis allée me changer dans une douche. En me penchant pour ramasser mes choses, j'ai accroché le robinet de la douche... qui m'a arrosée. Je suis alors sortie en panique. Pour réaliser que mes choses étaient toujours dans la douche. Il a donc fallu que j'y retourne pour les chercher et que je me fasse mouiller encore une fois pour ramasser mes affaires complètement trempées.

En sortant du vestiaire, toujours trempée, j'ai croisé Denis qui m'a demandé :

— Coudonc, qu'est-ce qui se passe ?

Je lui ai raconté l'anecdote.

Ce à quoi il a répondu :

— Je vais commencer à croire tes histoires de démence.

Incapable de répondre quoi que ce soit, je me suis excusée (pourquoi ??? Je ne sais pas !!!) et je suis partie la tête basse.

Avis à mon cerveau : Classer cette histoire de « confrontation avec mon prof » loin loin loin dans les filières oubliées des confins de ma mémoire. Exécution immédiate. Cela m'évitera beaucoup de problèmes. On voit bien que je ne suis pas faite pour les confrontations avec les profs. Cet événement était un signe.

Samedi 20 octobre

J'ai acheté un jus dont l'étiquette stipule : « Blablabla grâce aux vitamines ajoutées, blablabla, herbes, blablabla, aide grandement la concentration, blablabla. » Je me suis dit que ça allait sûrement m'aider à faire mon devoir d'éthique et culture. Devoir que je remets à plus tard depuis le début de l'année. On dirait que lorsqu'on nous donne un devoir avec un long délai pour le faire, on croit que ce sera facile parce qu'on a tellement de temps devant nous, mais on finit toujours par le faire à la dernière minute. Bon, je parlais de mon jus et non de ma procrastination. Toujours est-il que j'ai eu de la difficulté à ouvrir la bouteille. Tellement que je me suis fait une ampoule. Et maintenant, je sais que le jus fonctionne, car j'ai beaucoup de concentration ! Mais le problème, c'est que je me concentre sur mon ampoule, et non sur mon travail...

13 h 45

Compétition d'équitation de Kat. Je ne pouvais pas manquer ça. Surtout qu'elle a utilisé l'argument : « Tu ne peux pas me faire ça, c'est toi qui m'as obligée à continuer ! » Assez convaincant.

Tous nos amis sont là. Je prends place dans les gradins entre Julyanne et Nicolas. Tommy s'assoit à côté de Nicolas, suivi de JF. Emmerick, qui était assis à côté des parents de Kat, à l'autre bout, s'approche et s'assoit à côté de JF.

On voit Truch et Mattéo, son ami, quelques gradins plus bas. Truch prend des photos de Kat avec son téléphone. Je lance un regard vers Emmerick qui ne semble pas en faire de cas (pas comme moi), probablement parce qu'il ne le connaît pas.

Nicolas : Tu n'as jamais eu envie de t'inscrire avec elle ?

Je lui montre l'ampoule que je me suis faite en ouvrant simplement une bouteille de jus. Il rit.

Tommy (sarcastique) : T'es tellement douillette, Laf !

Moi (en tendant le bras par-dessus Nicolas, je lui donne un coup sur l'épaule) : Laisse-moi tranquille !

Tommy : Attention ! En me frappant, tu vas te faire un bleu !

13 h 46

Je reçois un message texte de Kat:

Hé! Je te vois! Merci d'être venue!

Je réponds:

Arrête d'écrire des textos, concentre-toi!

Elle me répond:

;)))

13 h 47

Je me tourne vers Julyanne et je lui demande comment ça va à l'école. Elle me raconte (en chuchotant pour ne pas que ses parents entendent) que tout est arrangé avec ses amies, ce qui me fait plaisir à entendre. Et elle m'annonce qu'elle a pu se joindre au comité qui s'occupe de l'organisation des spectacles de la première secondaire.

Julyanne: Tu m'as vraiment aidée. Merci.

21 h 54

Je mange des biscuits dans mon lit en pensant que la vie est tout à fait merveilleuse. 1) Kat a gagné la compétition, 2) j'ai passé plein de beaux moments avec mes amis, 3) j'ai presque oublié mon ampoule, 4) j'ai découvert que j'avais été utile à la sœur de mon amie, et 5) j'ai encore procrastiné devant mon travail d'éthique et culture, mais j'ai pensé que la journée d'aujourd'hui a été tellement inspirante que, demain, je l'écrirai en un rien de temps.

Oui, la vie est merveilleuse.

Bon, je me sens comme une riche bourgeoise snobinette qu'on voit dans les films, qui dirait que la vie est merveilleuse en se soufflant sur les ongles pour sécher son vernis (car tout le monde sait que les riches bourgeoises snobinettes disent toujours que la vie est belle en séchant leur vernis à ongles).

Ma voix intérieure me chuchote soudainement un à un tous les problèmes du monde entier, style tremblements de terre, famine, guerres, tsunamis...

Espèce de voix intérieure dotée d'une conscience sociale qui me gâche mes bonheurs simples et qui me coupe l'appétit !

Dimanche 21 octobre

Argh (X 1000) ! ! ! ! Je terminais mon travail d'éthique et culture lorsque mon document a disparu !

Peut-être que je ne sais tellement pas quoi faire de ma vie que ça fait boguer mon ordi. Mon cerveau, en période de stress, agirait-il directement sur l'électricité ?

Ça fait un mois que je travaille là-dessus (bon, techniquement, une journée) et tout le fruit de mon labeur a disparu. Et je suis incapable de me souvenir de ce que j'ai écrit ! ! !

Note à moi-même : Tenter de trouver une corrélation entre la disparition des neurones, volatilisés en même temps que mes méga-octets.

Mardi 23 octobre

J'ai pu remettre mon travail d'éthique et culture à temps. Comment ? En fait, je cherchais désespérément à retrouver tout ce que j'avais écrit avant que mon document s'efface inopinément à cause d'une erreur de type 9.086klsh (reproduction non conforme du véritable message d'erreur qui est apparu à l'écran), quand un éclair de génie m'a traversée. J'ai pensé que je pourrais reprendre le texte de français que j'avais remis pour le concours et qui ne servira finalement à rien, le remanier un peu et le remettre dans sa version modifiée à mon prof.

Je suis pleine de ressources !

Et adepte du recyclage sous toutes ses formes (probablement grâce à ma voix intérieure dotée d'une conscience sociale).

Mercredi 24 octobre

Étude de maths à la table de la cuisine. J'essaie de me concentrer malgré la conversation entre ma mère et François. Et étant donné ma belle lancée des derniers jours, je me sens vraiment motivée. Même en maths, c'est tout dire ! (Peut-être que mon jus vitaminé fonctionne réellement.)

« Dans certaines situations, le lien entre deux variables peut être un lien de cause à effet, c'est-à-dire que l'une des variables agit directement sur l'autre variable.

Exercice : Détermine le coefficient de corrélation dans la situation suivante... »

Ma mère échappe une assiette par terre et François, qui lit quelque chose en face de moi, sursaute et renverse son café sur mes papiers alors que je m'écrie :

— Ahhhhh !

Ma mère (visiblement énervée) : On t'a fait un beau coin bureau dans ta chambre, à ta demande ! Ça ne te tente pas d'aller travailler là des fois ?

Moi : Heille, toi, t'es vraiment pas du monde ces temps-ci !

François : Je pense que tu ne devrais pas parler à ta mère comme ça.

Je ramasse mes choses sur la table, je les mets d'un seul coup dans mon sac et je les préviens :

— Je vais être chez Tommy. Attendez-moi pas.

19 h 45

Je prends mon vélo et je roule jusque chez Tommy. Lui aussi, sa chambre est au sous-sol, mais au moins, c'est plus le fun vu qu'il est là. J'entre dans sa maison, je salue son père, sa belle-mère, son frère et sa sœur qui sont au salon, et je me dirige vers la chambre de Tommy. Il est devant son ordinateur, à la guitare, et il apprend une chanson. Je me penche par-dessus son épaule et je vois qu'il s'agit de *We're Going To Be Friends* des White Stripes. Il me dit :

— Je l'aime, cette chanson-là.

Moi : Ouais. C'est cool.

Tommy : On sait ben, toi, à part la musique pop...

Moi : Rapport ? ! ? Je viens de dire que c'était cool ! Et j'aime autre chose !

Tommy : Comme quoi ?

Moi : Ben ça dépend, là, je ne suis pas capable de te décrire *tout* mon répertoire musical. J'ai beaucoup de choses en tête en ce moment.

Tommy : Comme Nicolas ?

Moi : Argh. Je parlais de mes cours. Je me concentre là-dessus plutôt que sur ma culture musicale.

Tommy : Hé, je blague, il est *nice*, Nicolas. Je suis content pour toi.

Moi : Bon, je suis pas venue pour parler de mon chum ou de mes goûts musicaux, mais pour travailler, fait que dérange-moi pas.

Je m'installe sur le ventre par terre, près de lui. Je lui raconte ce qui vient de se passer avec ma mère et François. Je lui parle aussi du comportement bizarre de ma mère ces temps-ci. Tommy m'écoute tout en continuant de jouer les accords de sa chanson. Peu à peu, je la connais par cœur et je ris de lui quand il rate un bout. À un moment donné, sorti de nulle part, il lance :

Tommy : Coudonc, me semblait que t'étais pas venue pour parler, mais plutôt pour travailler...

Moi : C'est toi qui me déranges.

Tommy : Hé, écoute, je suis tombé là-dessus l'autre jour sur YouTube et je voulais te la faire entendre.

Il me fait écouter une chanson super triste, que je ne connais pas, avec du piano, et d'une langueur indescriptible.

Moi : T'écoutes de la musique de vieux des fois, je trouve.

Tommy : Écoute. C'est bon. Ça m'a fait penser à toi et à ton père.

Je lève la tête de mes livres et, sur l'écran de son ordi, je regarde l'image immobile sur laquelle on a ajouté la musique. Pendant que la chanson joue, je me demande pourquoi Tommy me la fait entendre, lui qui me sait si fragile par rapport à tout ce qui concerne mon père.

Tommy : Tu ne m'as jamais raconté comment ton père est mort.

Moi : Tu ne me l'as jamais demandé.

Tommy : Je n'ai jamais osé.

Moi : Embolie pulmonaire. Pis c'est ça. Ç'a été la fin...

Tommy : Pour lui...

Je me sens devenir tout à coup bien lourde et je dépose ma tête dans mon livre.

Jeudi 25 octobre

Je me réveille la joue collée sur mon livre de maths avec un peu de bave sur le bord de ma bouche. J'ai une couverture brune sur moi et je suis tout habillée. Je suis mêlée et je ne sais pas trop où je suis. Oh mon Dieu ! Je suis chez Tommy ! Il est dans son lit, endormi. Je crie :

— Tommyyyyyyyyyyyyyy !!!!!!!!!!!!!!

Il se réveille tranquillement. Les yeux collés et la bouche pâteuse, il répond :

— Quoi ?! Dors. C'est pas encore l'heure.

Moi : Ben là !!!!!!!!!!!!! T'aurais pu me réveiller pour que j'aille chez moi ! Ma mère doit avoir appelé la police !!!!!!

Tommy : Ben non... Dors, je vais t'expliquer.

Moi : Faut que j'aille chez nous immédiatement !

Tommy (les yeux fermés) : Tu t'es endormie, tu n'étais pas réveillable. J'ai appelé ta mère et je lui ai expliqué que tu dormirais ici et elle a dit que c'était correct.

Il faut que j'aille me changer. Que je me brosse les dents. Que je prenne ma douche. Que. Que. Que. Oh mon Dieu ! Je n'y arriverai jamais !!!

Je ramasse mes choses et je déguerpis pendant que Tommy se rendort.

6 h 47

J'arrive chez moi et me dirige tout de suite vers la salle de bain pour me brosser les dents. Je me regarde dans le miroir en mettant du dentifrice sur ma brosse et je remarque de la bave séchée sur ma joue. Oh ouach ! C'est complètement dégueulasse !

6 h 48

Aaaaaaaaaaaaaaaarrrrrrrrrrkkkkkk !!! Je me suis brossé les dents avec de la crème pour le corps au lieu du dentifrice. C'est dé-gueu-laaaaa-sssssssssse !

6 h 49

Je regarde mon lit. Peut-être que si je me couche juste encore dix minutes, ça ne dérangera pas trop.

8 h 45

Merde ! ! ! J'ai beaucoup trop dormi ! ! ! ! ! ! ! ! !

9 h 20

J'ai fait tout ce que j'ai pu. Vraiment. Je le jure. J'ai seulement cinq minutes de retard. Encore en français. Décidément, je suis vraiment malchanceuse en ce qui concerne ce cours. Monsieur Brière m'a donné une retenue et je devrai rester après l'école. Et il m'a enlevé des points de comportement pour cause de retards accumulés et d'insubordination (Ben quoi ? Fallait bien que je me défende. Bon, j'avoue que j'aurais peut-être pu *éviter* de le faire en soulignant sa calvitie naissante, mais ç'a été plus fort que moi, c'est sorti tout seul.)

16 h 20

Après l'école. Aux cases.

J'appelle ma mère pour l'avertir que je rentrerai plus tard à cause de ma retenue. Elle n'est vraiment pas contente.

Nicolas arrive près de moi pendant qu'elle me fait un sermon au téléphone, et je lui fais signe d'attendre une minute.

Ma mère : Blablablablablablabla...

Inutile de répéter tous les mots. Je n'écoute plus et j'embrasse Nicolas pendant qu'elle tient son discours interminable. Je ne fais que « hu-hum » une fois de temps en temps pour montrer que je l'écoute. Elle finit par me dire qu'elle va raccrocher « pour ventiler » (ses mots), car elle a besoin de calme. Je me retiens de dire : « Je suis vraiment déçue de terminer cette conversation, c'était trop intéressant », et je raccroche en disant simplement :

— Désolée, je ne recommencerai plus. Bye...

Nicolas : Je m'ennuie pas mal de ma blonde, moi. Est-ce que ça te tente qu'on fasse quelque chose avant le souper ?

Moi : J'ai une retenue.

Nicolas : Hein ? Pourquoi ?

Moi : Retard et insubordination.

Il me regarde, intrigué. Je lui raconte mon incapacité de travailler chez moi et le fait que je me suis endormie chez Tommy, le visage dans mon livre de maths. Il rit.

Nicolas : Je veux aller en retenue avec toi. On a juste à s'embrasser devant tout le monde pis on perdra des points pour « manifestation amoureuse », comme ça je vais pouvoir rester avec toi.

Moi : Oui, mais je vais perdre des points aussi. Ça m'en fait pas mal...

Nicolas : Je vais faire sonner l'alarme d'incendie, d'abord. Voler quelque chose. Faire semblant de fumer aux toilettes... n'importe quoi !

Moi : Oh, tu ferais ça pour moi ?

Nicolas : C'est sûr !

Moi : T'es trop... trop... T'es trop hot. Mais on se verra plus tard, je ne veux pas que tu fasses ça.

Nicolas : OK. Mais je vais essayer quand même.

Puis, il m'entraîne vers le coin secret, près de la case 0777, à côté de la machine distributrice. Et il m'embrasse.

Audrey arrive et dit :

— Excusez-moi de vous déranger, mais... tout le monde s'embrasse ici et ça commence un peu à me taper sur les nerfs de voir du monde se frencher chaque fois que je viens chercher quelque chose dans ma case. Est-ce que ça vous dérangerait de faire ça ailleurs ? Ça m'écœure un peu.

Nicolas et moi éclatons de rire en même temps et partons, moi à ma retenue, lui chez lui.

Note à moi-même : La case 0777 n'est finalement peut-être pas si hot que ça.

Note à moi-même n° 2 : Mon chum, oui. Héhé.

Note à moi-même n° 3 : Éviter que mon bonheur absolu me monte à la tête.

Note à moi-même n° 4 (catégorie « évidence ») : Mon chum est hot pareil ! ! !

Samedi 27 octobre

Ma mère et François sont partis pour l'auberge ce matin. Je jouais à un jeu vidéo dans le salon pendant qu'ils se préparaient. Quand ils sont finalement partis, ma mère est revenue trois fois parce qu'elle avait oublié des choses supposément importantes. La première fois, sa brosse à dents. La deuxième fois, un livre. La troisième fois, elle ne s'en souvenait plus une fois entrée dans la maison et elle est ressortie. J'essayais de ne pas trop la regarder, car je crois que le fait de voir ma mère faire ces gestes relevant de la démence précoce s'intègre à mon cerveau, et que c'est pour ça que je deviens comme ça moi aussi en vieillissant.

10 h 03

LIBERTÉÉÉÉÉÉÉÉÉÉÉÉÉÉÉ!!!!!!!!!!!!!!!!!!!!!!

10 h 04

Libertéééééééééééé !

10 h 05

Libertééé ?

10 h 06

Ouain. Il n'y a pas grand-chose à faire, seule dans une maison.

10 h 07

J'appelle Kat.

Sa mère répond et m'annonce qu'elle est encore couchée.

Argh.

10 h 08

J'appelle Kat sur son cell.

Elle répond avec une voix endormie.

Moi : Scuse, je sais que je te réveille, mais c'est important.

Kat : Oh, c'est pas grave, j'étais tannée de dormir.

Moi : Comment tu fais pour savoir, pendant que tu dormais, que t'étais tannée de dormir ?

Kat : Trop de mots pour mon état. Je disais ça pour que tu ne te sentes pas mal. Qu'est-ce que tu veux ?

Moi : Ben, t'sais, ma mère est pas là, c'est l'Halloween. Party ? On appelle du monde ?

Kat : Cool ! Je suis total réveillée maintenant !

14 h 09

Kat arrive avec Emmerick et plein de décorations et de bonbons achetés au magasin du dollar. On démêle tout ça et on commence à décorer.

14 h 54

Kat regarde notre travail et s'écrie :

— Oh mon Dieu que c'est laid !

Emmerick et moi éclatons de rire.

Kat : C'est trop laid, on enlève ça !

Emmerick : Ben non, c'est drôle, ça fait une ambiance !

15 h 59

Tommy arrive avec son jeu de *Rock Band* et demande :

— Je mets ça où ?

Kat : Plogue-le sur la télé dans le salon.

16 h 05

Moi : J'ai peur que personne ne vienne !

Kat : On a dit à tout le monde de passer le mot, ça va être correct. Pis j'ai envoyé une invitation sur Internet et plein de monde m'a déjà répondu.

Emmerick : J'ai des amis qui vont arriver plus tard.

Tommy : Moi aussi.

Kat : T'as d'autres amis, toi ?

Tommy : Tu ne connais pas toute ma vie. Du monde dans mes cours de musique. D'autre monde avec qui je travaille dans la compagnie de jeu vidéo. Ah, pis pourquoi je me défends avec toi ?

Kat rit et le chatouille en lui disant :

— Hon, t'es fâché, Tommypounet ?

Et il se sauve en lui disant de le lâcher.

17 h 36

Nicolas arrive avec des hot-dogs et je lui saute dans les bras. Il revient de travailler et sent encore l'animalerie. Il me demande s'il peut prendre sa douche ici. Il voulait arriver plus vite parce qu'il avait hâte de me voir (hoooooonnn !). J'aurais carrément envie d'aller l'espionner pendant qu'il prend sa douche pour voir comment il fait pour sentir si bon, mais je vais m'abstenir de cette mission d'espionnage pour l'instant.

18 h 45

On mange des nachos pendant que Nicolas cuisine des hot-dogs pour tout le monde. Entre-temps, JF et Raph arrivent. Et je regrette presque d'avoir invité d'autres personnes, car on a vraiment du fun. Je passe la remarque à Tommy qui répond que ça manque un peu de filles et qu'il est content que d'autres personnes s'en viennent. Pas fou.

19 h 30

On s'est séparés un peu partout dans la maison pour mettre nos costumes. Nicolas a mis un chandail des Canadiens, car il n'a pas eu le temps de magasiner un autre costume. Raph s'est déguisé en groupie du Canadien et son costume est super drôle, avec un t-shirt des Canadiens, une feuille d'érable dans le front, une casquette à l'effigie de l'équipe, avec un porte-verre de chaque côté et des pailles pour boire de la bière, et une main géante. Comme il avait deux casquettes, il en a donné une à Nicolas qui faisait pitié avec seulement son chandail.

Kat et Emmerick sont respectivement costumés en cow-girl et cow-boy.

JF s'est déguisé en noble de l'époque de la Révolution française (c'est lui qui le dit), mais Kat trouvait ça un peu trop propre et lui a mis des dents de vampire.

Tommy s'est déguisé en Albator, un genre de pirate de l'espace, une série de dessins animés que son père écoutait quand il était petit et qu'ils regardent maintenant ensemble en DVD. Il est beau et porte fièrement une grande cape en velours, une épée, un t-shirt arborant une tête de mort, et la touche spéciale qui le rend encore plus sexy : une cicatrice sur la joue. Kat et moi sommes vraiment pâmées sur son costume ! Nicolas et Emmerick nous suggèrent de nous calmer le pompon.

Parlant de pompon, pour ma part, je me suis déguisée en *cheerleader*, car ça faisait des années que j'en rêvais. Depuis que je suis habillée, j'ai juste le goût de sauter partout avec mes pompons et d'encourager tout le monde (ce qui énerve un peu mes amis, je dois l'avouer).

20 h 45

En très peu de temps, ma maison s'est retrouvée remplie d'évadés de prison, d'extra-terrestres, d'une danseuse du ventre, de bébés géants, de vampires, de diables, de personnages des années 1980 et de superhéros de toutes sortes (si on enlève le contexte de l'Halloween, ça ferait vraiment bizarre de dire ça).

Truch et Mattéo sont également arrivés, déguisés respectivement en Albator et en Master Chief.

Emmerick a rencontré Truch et semblait bien à l'aise avec la situation, même lorsque Kat lui a appris qu'il s'agissait de son ex.

Lorsque Tommy a vu que Truch était déguisé comme lui (mais avec des différences dans le costume, notamment dans les couleurs de pantalon – Truch a des pantalons blancs, tandis que Tommy a des jeans), il s'est approché de lui et a dit, en lui cognant le poing :

— Confrère corsaire de l'espace.

Ce à quoi Truch a répondu, en lui cognant le poing :

— Hé, tu connais ça ? Je me pensais super original !

Tommy : J'écoute toujours ça avec mon père et mon petit frère.

Truch : Moi aussi, c'est mon père qui me l'a fait découvrir, mais maintenant, c'est moi le plus grand fan !

Tommy : Non, je pense que c'est moi !

Truch : C'est lequel ton préféré ?

Tommy : *Albator 78*.

Truch : J'avoue.

Tommy : Mais toi, tu adhères à la théorie qui veut que ce soit un *prequel* ou un autre Albator parce que Matsumoto aime reprendre les mêmes personnages et les faire évoluer dans un autre univers ?

Truch : J'aime mieux penser que c'est un *prequel*, même si le vaisseau n'est pas de la même couleur, ce qui fait croire à certains fans que ce serait différent. Au pire, ils ont pu le peindre. Pis on rencontre les parents de Stellie aussi... Non, non, c'est un *prequel*.

Tommy : Yeah ! On est faits pour s'entendre !

Kat et moi nous regardons sans comprendre. Mon amie leur demande :

— Mais de quoi vous parlez, espèces de *geeks* ?

Truch : D'*Albator*.

Kat : Ça raconte quoi ?

Tommy : Tu n'aimerais pas, il n'y a pas de vampires.

Les gars se tapent dans la main et Tommy invite Truch à jouer à *Rock Band* avec lui. En se dirigeant vers le jeu, Tommy me crie: « *Save the cheerleader, save the world!* » en référence à la télésérie *Heroes* et sûrement pour me taquiner avec mon costume, qu'il trouve un peu poche.

21 h 02

Nicolas a invité quelques membres de son équipe de hockey et plusieurs d'entre eux se sont déguisés soit en joueurs de hockey, soit en Canadiens (très original). Il a aussi invité Noémie Rivard, une fille qui allait à notre école avant de déménager.

Elle est arrivée déguisée en hippie et Tommy est tout de suite venu l'inviter à jouer à *Rock Band*.

Elle a accepté. D'une voix tellement fatigante que je me demande comment Tommy a fait pour ne pas grimacer. Mais bon, chacun sa voix. Elle est née comme ça, ce n'est pas sa faute.

Note à moi-même: Je me demande s'il existe un organisme pour venir en aide aux gens qui ont des voix fatigantes. C'est sûr que je ferais un don pour aider Noémie. Ça n'a pas de sens d'être pognée toute sa vie comme ça. Quel handicap!

21 h 11

Il y a déjà plein de gars autour de Noémie (car elle chante vraiment bien, selon eux, malgré sa voix poche, selon moi) et j'entends Tommy dire:

— Hé, si ça continue de même, on va se faire voler notre chanteuse!

Kat me demande pourquoi je fais un air.

Moi : Un air ? Un air de quoi ?

Kat : J'sais pas, un air... bête.

Moi (en chuchotant) : Dis-le à personne, mais... je trouve que Noémie a une voix vraiment fatigante. Ça ne doit pas être drôle de vivre comme ça.

Kat : Oh, franchement, Aurélie ! Elle est super cool ! Sois mature !

Moi : Je suis mature ! Je me sens juste concernée par les difficultés de venir au monde avec une voix énervante. Si tu n'es pas capable de voir de l'altruisme là-dedans, là... franchement toi-même !

Kat : Bon, je *feel* pour faire le party, pas pour tes mots à cent piasses.

Moi : OK, OK, madame Mature.

21 h 16

Kat a aussi invité Justine et Marilou, que nous n'avons pas vues depuis la fermeture de notre école. Nous étions contentes de les voir arriver. Elles nous ont raconté que la nouvelle école privée n'est pas aussi le fun que notre ancienne école, mais qu'il y a des gars et que c'est cool. Elles ont même invité leurs chums et nous les ont présentés. Tous les quatre se sont déguisés en punks, si bien que ça nous a pris un certain temps pour les reconnaître. C'était cool, car malgré notre timidité envers elles lorsque nous étions plus jeunes, tout semblait avoir disparu maintenant. Et on se remémorait des souvenirs de notre ancienne école, avec sœur Rose, Jocelyne Gagnon, Denis Beaulieu... Ça m'a fait un petit quelque chose de repenser à tout ça. Nostalgie.

22 h 35

Tout le monde semble avoir du fun: Une gang joue à *Rock Band* dans le salon en haut, une gang joue au hockey à la Wii en bas dans ma chambre, une gang jase sur la terrasse en arrière, une petite gang joue au black jack ou au poker, des amoureux s'embrassent...

Nicolas est dans la gang qui joue au hockey sur la Wii et il est vraiment sexy avec tous ses mouvements et ses cris d'homme de Cro-Magnon lorsqu'il marque un but. (Personnellement, je ne savais pas que je trouvais ça sexy, des cris d'hommes de Cro-Magnon. C'est toute une découverte !)

23 h 03

Je quitte le sous-sol où Nicolas joue au hockey sur la Wii pour revenir au salon et me prendre quelques chips et bonbons. J'alterne les deux, ma collation préférée. Des gens jouent encore à *Rock Band*, mais Tommy n'est plus là. Je crois l'apercevoir dans un coin plus loin en train d'embrasser... Noémie ? Est-ce bien ça ? Il fait noir, je vois mal. Suis-je myope ? Tommy et Noémie ? Il me semble qu'elle n'est pas du tout son genre !

Je m'approche d'eux tout en ayant l'air nonchalante. Il faut que je conserve une certaine distance (règle numéro un de l'espionnage pour ne pas être repérée). Est-ce Tommy ? Ou Truch ? Sa tête est penchée sur celle de Noémie et, dans l'obscurité, je n'arrive pas à voir la couleur de son pantalon.

Je m'avance un peu plus et je vois qu'il s'agit de Truch, mais en m'approchant je trébuche sur quelque chose et je perds l'équilibre.

23 h 05

Je suis présentement à quatre pattes par terre, la jupe relevée, et donc les bobettes à l'air devant TOUT LE MONDE dans mon salon.

Soudain, je reçois un grand tissu lourd sur moi. La voix de Tommy :

— Cache-toi, Laf.

Il a lancé sa cape sur moi. Sûrement par gentillesse, il voulait cacher mes bobettes que tout le monde voyait, ce qui est assez gentleman de sa part. Sauf que sa cape me recouvre complètement. Et elle est assez grande. Lourde. En velours. Si bien que, par terre, il y a en ce moment une grosse bosse (moi) recouverte d'un grand pan de tissu en velours noir, qui avance à travers les invités du party. Je me débats pour tenter de me libérer, et je ne sais plus comment m'en sortir. Je crie : « Au secours ! Aidez-moi ! » car j'ai peur de m'étouffer. Je sens qu'on tire sur la cape et j'entends la voix de Tommy qui demande :

— Voyons, qu'est-ce que tu fais ?

Et je réponds, avec une voix, assourdie par le velours, qui sonne comme celle du bonhomme Carnaval :

— Je ne sais pas, c'est toi qui m'as jeté ça dessus ! Aide-moi !

Tommy : Arrête de bouger trois secondes !

Il réussit à me dépêtrer et, une fois ma tête sortie, je vois son air inquiet. J'éclate de rire, imitée par Tommy qui semble soulagé. Puis, tout le monde rit et le party continue.

Léger petit mini-problème (détail) que cette anecdote a généré : Nicolas est arrivé au moment où Tommy m'aidait à me relever, toujours enroulée dans sa cape, ce qui paraissait peut-être un peu louche. Mais qui ne l'est VRAIMENT PAS ! ! ! ! Je lui ai expliqué la scène en riant, mais il a seulement répondu :

— J'imagine qu'il fallait y être.

23 h 15

Je suis descendue au sous-sol pour passer le reste de la soirée avec Nicolas et sa gang.

Assise sur le bras du divan, j'observe mon chum et ses amis. Je remarque que les cris d'hommes de Cro-Magnon sont moins intéressants après, disons, cinq cris. En fait, je crois que la passion des cris d'hommes de Cro-Magnon perd de son attrait après le plaisir de la découverte. C'est remarquable à quel point on s'en lasse vite. Au moins, j'ai fait cet apprentissage très tôt dans mon évolution personnelle et je sais que la prochaine fois qu'une activité avec possibilité de cris d'hommes de Cro-Magnon me sera proposée, je pourrai poliment décliner en prétextant un horaire chargé ou autre raison que je pourrai trouver selon l'occasion.

23 h 45

Kat vient me souffler à l'oreille :

— C'est juste le plus cool party *ever*.

Je lui annonce alors que j'ai vu Truch frencher Noémie. Elle répond :

— Noémie ? Noémie-qui-a-une-voix-poche ?

Moi : Ben là, franchement, Kat ! Et elle est suuuuuuper gentille ! Tu l'as dit tantôt. Sois mature ! T'es jalouse ?

Kat : Ben non, là, mais je ne sais pas trop pourquoi ton chum l'a invitée. C'est louche.

Moi : C'est toi qui es louche.

Dimanche 28 octobre

Techniquement, continuité du samedi 27, car on ne s'est pas couchés...

1 h 46

Tout le monde est parti. Kat, Emmerick, Tommy, Nicolas et JF sont restés dormir chez moi.

Potins et points culminants de la soirée :

• Noémie est venue nous confier à quel point elle tripait sur Truch. Comme elle a appris que Kat était déjà sortie avec lui, elle lui a demandé si c'était bel et bien fini entre eux et si ça la dérangeait et Kat a répondu que non (mais on sentait que oui ; en fait, *je* sentais que oui).

• Kat et Emmerick ont eu une mini-chicane, mais je ne sais pas pourquoi, et elle m'a assuré qu'elle me raconterait tout demain. De toute façon, ça s'est réglé super vite, car je les ai surpris à s'embrasser à bouche que veux-tu quelques minutes après qu'elle m'a parlé de leur chicane.

• Des policiers sont venus nous avertir de faire moins de bruit. Avant qu'ils repartent, je leur ai demandé s'ils faisaient un rapport sur les plaintes pour le bruit, qu'ils envoyaient ensuite par la poste pour nous, disons, rappeler que nous avions enfreint une loi, pour qu'on ne le refasse plus. Et ils sont partis à rire et ont simplement dit: « Non. » (Fiou, j'imaginais l'air que ma mère aurait en recevant une telle missive...)

• C'était la première fois que je dormais avec Nicolas. Avec un gars tout court. Et je ne sais pas si cette activité est faite pour moi. En fait, c'est peut-être le fait que ça fait seize ans que je dors toute seule et que je ne suis pas habituée à, disons, partager mon espace de sommeil. Toujours est-il que j'ai fait un peu d'insomnie. Mais je mets ça sur le compte du fait que j'appréciais peut-être énormément la présence de Nicolas, donc mon esprit était incapable de plonger dans le sommeil, car il voulait profiter du moment. En tout cas, c'est ce que j'ai répondu à Nicolas quand il s'est réveillé et qu'il m'a vue regarder le plafond et qu'il m'a demandé: « Tu ne dors pas ? » Après mon explication, il a juste marmonné:

— Espace de sommeil... Maudit que je t'aime.

Il s'est approché et m'a embrassé le cou, ce qui m'a chatouillée un peu. J'ai ri en lançant:

— Oui, moi aussi, mais là il faut que tu te tasses un peu pour me laisser dormir parce que je suis super fatiguée, hahahaha !

Kat (avec une voix endormie) : Chut, les amoureux ! Vous réveillez tout le monde, on n'a pas tous un lit, nous autres...

J'ai regardé sur le plancher de ma chambre où tout le monde dormait et j'ai remarqué que Kat semblait n'avoir aucun problème à dormir collée.

14 h 01

Je me réveille en sursaut comme si un réveille-matin interne m'avait propulsée hors du sommeil. Je me lève d'un bond et deviens un peu étourdie, alors je repose ma tête sur mon oreiller. Tout le monde dort. Je secoue Nicolas.

— Faut qu'on fasse le ménage avant que ma mère arrive !!!

Kat se réveille et, toujours endormie, elle demande :

— Qu'est-ce qui se passe ?

Moi : Faut qu'on fasse le ménage avant que ma mère et François arrivent de l'auberge ! Sinon, ben... on se revoit à mes funérailles !

Tommy : *Drama queen.*

Kat : Ben non, elle a raison !

14 h 36

Kat, Nicolas, Tommy, JF et moi faisons le ménage.

Emmerick fait du macaroni au fromage pour tout le monde.

14 h 37

Dans un coin, en train de passer le balai, pendant que Kat met des déchets dans un sac de poubelle, je m'approche d'elle et lui chuchote à l'oreille :

— Qu'est-ce qui s'est passé hier avec Emmerick ?

Kat : Il a été un peu jaloux de Truch. Mais c'est réglé.

Moi (avec un regard très suspicieux) : Est-ce qu'il avait raison d'être jaloux ?

Kat tente de m'expliquer (avec une économie de mots exemplaire pour que personne ne nous entende, mais que moi je réussis à comprendre, étant sa meilleure amie) que c'est certain que ça la bouleverse de développer une amitié avec son ex, mais qu'elle s'adapte bien et que même si, sur le coup, ça lui a fait quelque chose de savoir qu'il embrassait Noémie, elle ne ressent plus rien pour lui. Que c'était de l'orgueil mal placé (ça, c'est mon ajout personnel, car elle n'a *techniquement* pas *officiellement* dit ça).

Puis, elle lance un regard amoureux vers Emmerick en affirmant :

— Je l'aime, mon chum.

Moi : Qui n'aimerait pas un quasi-sosie de Robert Pattinson qui fait du macaroni au fromage pour déjeuner ?

On rit.

17 h 07

J'écoute un film, collée contre Nicolas, dans ma chambre. Tout le monde est parti et ma mère n'est pas encore arrivée (fiou). On a eu le temps de faire tout le ménage (re-fiou).

Je suis tellement fatiguée que mes yeux se ferment tout seuls, zéro concentrée sur le film.

17 h 09

J'entends des pas au-dessus de ma tête et ma mère crier :

— Auréliiiiiiie ! ! !

Je me lève d'un bond et je monte les escaliers quatre à quatre pour aller voir ce qui se passe.

17 h 10

J'arrive en haut, suivie par Nicolas.

Ma mère me regarde et me salue.

Moi : Euh... salut. C'est tout ?

Ma mère : Oui.

Moi : T'as crié fort, fait que je pensais...

Ma mère : Fallait bien que tu m'entendes.

Moi : Non, mais vu que l'autre jour tu m'as dit de ne pas crier…

Ma mère : Bon, vas-tu arrêter de me remettre des affaires sur le nez comme si j'étais une marâtre, s'il te plaît ? J'avais hâte de te voir, je suis arrivée, j'ai crié ton nom, c'est tout. Allô Nicolas, ça va bien, mon grand ?

Ma mère et François déposent leurs valises.

Nicolas et moi nous regardons, nerveux malgré nous.

Nicolas : Allô, France. Oui, ça va. Avez-vous passé une belle fin de semaine ?

François : C'était super beau ! Une belle place !

Ma mère : Au début, je pensais que c'était un chalet de pêche et j'étais un peu déçue, parce que, bon, je n'aime pas trop la pêche, mais finalement, c'était une magnifique petite auberge. La bouffe était bonne. (Elle se retourne vers François.) Merci, mon amour, pour le cadeau !

François enlace ma mère et l'embrasse.

Comme ce n'est pas mon but dans la vie d'être témoin des élans affectifs de ma mère et de son chum, je fais signe à Nicolas que j'aimerais qu'on retourne au sous-sol lorsque j'entends ma mère dire :

— Ça sent donc ben propre ici. As-tu fait le ménage, coudonc ?

Moi : Euh, oui. Surprise ! Bonne fête !

Ma mère se promène en respirant la maison comme si elle était un chien renifleur. Elle s'arrête près d'un fauteuil et déclare :

— Il n'y avait pas de bouchon de bouteille de bière derrière le fauteuil la dernière fois que j'ai regardé là !

Moi : Des fois, on est tellement habitués au décor qu'on ne remarque pas certains détails.

François prend le bouchon et ajoute :

— Ce n'est pas ma sorte. T'as bu de la bière, Nicolas ?

Nicolas : Ça m'arrive...

Ma mère : Nicolas, je ne veux pas te mettre à la porte, mais j'aimerais avoir une discussion avec ma fille. Est-ce que ça te dérangerait de revenir plus tard ?

Pendant que je tente de faire imploser mon émotion de honte absolue tout en gardant un visage impassible, je m'approche de Nicolas, qui enfile son manteau, pour l'embrasser et lui dire au revoir.

Heure inconnue (approximativement dix secondes après le départ de Nicolas)

Ma mère (tenant le bouchon de bière comme si c'était quelque chose de toxique) : Peux-tu m'expliquer ce que ce bouchon de bière faisait près du fauteuil ? Et aussi pourquoi ça sent le nettoyant à plein nez ?

Moi : Heille, j'ai hâte d'être une adulte, c'est effrayant, moi !

Ma mère : Pourquoi ?

Moi : Parce que vous n'avez tellement rien à penser que vous vous souvenez de ce qu'il y a *derrière* les meubles ! Ça doit être vraiment relaxant d'avoir toute cette place dans votre esprit !

Ma mère : Là, toi, je ne suis plus capable de t'entendre me parler sur ce ton-là !

Moi : Parlant de ton, c'est le fun que tu abordes le sujet, parce que ton ton, depuis quelques semaines, est assez insupportable aussi. Fait qu'on est quittes.

Ma mère (les lèvres pincées, pesant chaque mot comme si elle se retenait d'exploser) : As-tu fait un party, oui ou non ?

Moi : Oui, bon !

Ma mère (dont le ton monte) : Pourquoi tu ne m'en as pas parlé ? Qu'est-ce qui te fait croire que je ne t'aurais pas dit oui ? Pourquoi tu as senti le besoin de faire ça dans mon dos ?

Moi : Ce n'est pas une conspiration internationale ! C'est juste arrivé de même. On a appelé le monde à la dernière minute !

Ma mère : Pis m'appeler pour me demander la permission, ça ne te tentait pas ? C'est quand même encore ma maison, ici !

Moi : Ouain, *ta* maison.

Ma mère : Pis s'il était arrivé quelque chose, hein ? Sais-tu qui aurait été tenu responsable ? François et moi. Des jeunes ont fait une orgie dans ma maison… Je pourrais me faire arrêter pour ça !

François : Exagère pas, France.

Ma mère : Pourrais-tu ne pas t'en mêler s'il te plaît ? C'est ma fille, à ce que je sache.

Ma mère lui lance un regard glacial et il quitte la pièce.

Moi : Il n'est rien arrivé !

Ma mère : Mais il aurait pu arriver quelque chose ! Si tu lisais autre chose que les boîtes de céréales le matin, tu saurais que des accidents graves arrivent tous les jours ! Qu'est-ce que tu aurais fait si quelqu'un avait défoncé une fenêtre ? Ou si quelqu'un avait brisé quelque chose ? Ou si la police était intervenue pendant la soirée ?

Je me pince les lèvres en repensant aux deux policiers qui sont passés.

Moi : On ne vit pas dans *CSI* !

Ma mère : *CSI* s'inspire de faits divers réels, tu sauras !

Moi : Qui se passent aux États-Unis !

Ma mère : Ça peut arriver partout ! Bon, on s'éloigne du sujet. Je suis vraiment fâchée et déçue que tu aies fait ça dans mon dos ! Sans m'en parler. Que tu m'aies menti.

Moi : C'est beau, la prochaine fois que je voudrai faire un party, je vais te prévenir, promis.

Ma mère (toujours très fâchée) : Oh non, ma fille ! Avant que tu refasses un party ici, il va pleuvoir des poules ! Euh... les poules vont avoir des dents, je veux dire !

Je me retiens pour ne pas rire, parce que c'est assez drôle qu'elle se trompe en étant totalement en colère. Mais je juge que ce n'est pas le bon moment pour sortir mon sens de l'humour, très aiguisé dans chaque situation.

Ma mère (qui continue) : M'as-tu bien comprise ?

Moi : Oui, je vais refaire un party quand il va pleuvoir des poules.

Oups. C'était total involontaire. Spontanément, je mets ma main sur ma bouche.

Ma mère : OK, tu veux jouer la fin finaude, parfait. Pas de télé pour une semaine.

Moi : De toute façon, on dirait que tu te cherches juste des raisons pour être fâchée ces temps-ci ! T'es tout le temps bête ! Si t'étais arrivée pis qu'il y avait eu des traîneries, tu m'aurais engueulée parce que je n'ai pas fait le ménage. Là, j'ai fait le ménage, mais, détail, après un party, pis t'es fâchée pareil.

Ma mère (ironique) : Oh ! ben merci, d'abord ! T'as fait un beau ménage, bravo ! Je te remercie. Tu m'as menti. Des mineurs ont bu de la bière pis Dieu sait quoi d'autre chez moi. Tu m'as délibérément manqué de respect. Mais t'as fait un beau ménage !

Moi : Regarde, OK, je m'excuse pour le party. Je n'ai pas pensé mal faire, je voulais juste me faire du fun avec mes amis. Je m'excuse vraiment. Mais ce serait le fun que tu te rendes compte que, ces temps-ci, t'es tout le temps fâchée... pis je comprends pourquoi pour l'affaire du party, mais je ne comprends pas toujours pourquoi pour le reste. OK, je ne fais pas le ménage comme tu veux. Pis je n'ai pas toujours des notes excellentes. Mais il me semble que... ben... que d'habitude, t'es moins pire que ça.

Ma mère : Peut-être que je suis à bout ! As-tu pensé à ça ?

La colère monte en moi comme si elle me noyait. Tout en me dirigeant vers ma chambre, envahie par un flot d'émotions mélangées, je lance furieusement :

Moi : C'est moi qui suis à bout ! Si tu ne voulais pas d'enfant, t'avais juste à ne pas en faire !

20 h

Dans ma chambre depuis que j'ai claqué la porte du sous-sol.

Je suis trop fatiguée pour avoir quelque émotion que ce soit par rapport à tout ça. Je ne suis pas allée souper. Je n'ai pas faim de toute façon.

J'entends ma mère pleurer en parlant à François. Je baisse le son de ma télé pour écouter leur conversation, mais je n'entends rien.

20 h 10

François apparaît dans l'escalier et me demande s'il peut descendre. Je lui fais signe que oui.

Il s'approche de mon lit et, toujours debout, il me dit :

— Écoute, je sais que tu trouves ta mère un peu... (Il ne trouve visiblement aucun adjectif pour la décrire.) Mais ça va se placer. Elle n'est juste pas dans son assiette ces temps-ci. Laisse-lui du temps.

Moi : Elle est juste pas dans son assiette depuis ma naissance, mais bon, c'est une autre histoire.

François : Ne sois pas trop dure avec elle.

Précision : C'est *elle* qui est dure avec moi ! Pourquoi tout retombe sur moi ? Pourquoi c'est *moi* qui dois me montrer compréhensive ? À bas l'injustice sociale !

Mercredi 31 octobre

Sortie scolaire au Jardin botanique.

Ça va me faire du bien et me changer des derniers événements de ma vie.

Je suis surprise que ma mère ait accepté de signer le formulaire de permission pour me laisser y aller (un soir de semaine : ouhhh !). Une chance que c'est une sortie éducative. Depuis notre chicane, nous ne nous parlons que pour les choses essentielles du genre « viens manger », « as-tu passé une bonne journée ? », « veux-tu des pâtes ? » (non pas que vouloir des pâtes soit une chose essentielle, c'est juste un exemple précis qui m'est venu en tête parce que c'est arrivé hier soir). Elle ne me laisse rien faire sans que je sois sous Haute Surveillance.

Nous sommes tous dans l'autobus jaune nous conduisant vers la Magie des lanternes du Jardin botanique pour le cours d'éthique et culture. Je ne suis pas dans le même autobus que Kat, JF et Nicolas, mais lorsque nous arriverons, Hugo Giguère (le prof) nous a affirmé que nous ne serons pas obligés de rester avec notre groupe et que nous pourrons faire la visite avec nos amis. Il est vraiment cool, ce prof !

Avant de partir de l'école, il nous a expliqué que notre travail concernant cette visite serait un compte rendu de ce que nous allions apprendre sur les coutumes et traditions chinoises. En échange de cette sortie (qui est en soirée), il nous donnera deux périodes libres pour faire notre travail en classe. Tout le monde a tripé quand il nous a annoncé ça.

Tommy et moi nous sommes assis ensemble sur un banc au milieu de l'autobus. Des gens près de nous disent qu'ils voudraient aller passer l'Halloween, mais qu'à l'heure où on reviendra, il ne restera plus de bonbons. D'autres leur répondent qu'ils sont un peu immatures de passer encore l'Halloween à leur âge.

Je n'écoute tout ça que d'une oreille, car ce débat me semble futile (choisissez vos batailles, c'est ce que je leur dirais si je n'étais pas si occupée à envoyer des textos à Kat et à Nicolas qui sont dans l'autre autobus).

Kat à moi, 18 h 01 :

Attendez-nous avant de commencer la visite !

Moi à Kat, 18 h 02 :

D'ac ! ;)

Nicolas à moi, 18 h 02 :

On essaie de revenir dans le même bus, c'est plate sans toi ! ;)

Moi à Nicolas, 18 h 03 :

OK ! On fait quelque chose après ?

Nicolas à moi, 18 h 03 :

Clair !

Kat à moi, 18 h 04 :

Bon, Nicolas n'en peut plus, il a trop hâte d'arriver, il est drôle à voir, il se tortille !

Moi à Kat, 18 h 04 :

Il a envie d'aller aux toilettes ?

Kat à moi, 18 h 04 :

LOL !

Nicolas à moi, 18 h 05 :

Titilititi !

Moi à Nicolas, 18 h 05 :

Titilititi !

Nicolas à moi, 18 h 06 :

C'est long à écrire par texto, hein ? Ce n'est pas un mot reconnu par le dictionnaire intelligent. ;)

Moi à Nicolas, 18 h 06 :

C'est la preuve qu'il n'est PAS intelligent !

Nicolas à moi, 18 h 06 :

LOL !

Tommy à moi, 18 h 07 :

T'arrêtes-tu de texter, là ? Privilégie les rapports humains à ceux qui sont virtuels ! Je suis juste à côté de toi !

Moi à Tommy, 18 h 07 :

Jaloux ! :P

Nicolas à moi, 18 h 07 :

Qu'est-ce qu'on fait après ?

Moi à Nicolas, 18 h 07 :

On se parle en arrivant au Jardin botanique, Tommy me trouve gossante :(À+

18 h 16

Arrivés au Jardin botanique, Kat, Nicolas, Raph et JF nous rejoignent, Tommy et moi. Nicolas me prend la main et nous nous dirigeons vers l'entrée où les professeurs nous attendent pour nous décrire le déroulement de l'activité.

18 h 17

Nous écoutons d'une oreille distraite les consignes des profs. Ils nous énumèrent les règles à suivre en nous expliquant que ce sera une visite libre, mais que nous devons rester attentifs ; ils nous rappellent le compte rendu que nous aurons à écrire. Ensuite, on nous présente une guide du Jardin botanique qui nous raconte que la fête des lanternes est une tradition chinoise qui remonte à la dynastie des Han, datant de 206 avant J.-C. à 220 après J.-C. C'est une fête nocturne qui se déroule durant le cycle des festivités du Nouvel An lunaire ; à la tombée du jour, adultes et enfants vont à la promenade une lanterne à la main.

Je note cette information sur un calepin.

Kat m'observe, l'air de me dire que j'en fais un peu trop, et me chuchote à l'oreille de prendre ça relax et de profiter du moment. Selon elle, je pourrai toujours trouver cette information sur Internet plus tard. Elle n'a pas tort. Je range mon calepin.

Monsieur Giguère remercie la guide et nous annonce que nous avons deux heures pour faire la visite. Il ajoute :

— Rendez-vous à 20 heures, à la sortie, où les autobus attendront.

Kat s'insurge, à ma grande surprise :

— Scuse, vous ne savez pas compter ?

Une prof surveillante : Pardon ?

Kat : Ben là ! Il est six heures et quart, vous dites qu'on va avoir deux heures et que le rendez-vous est à huit heures ! Ça fait une heure quarante-cinq.

Si je recule un peu, je ne passerai que pour une vague connaissance de Kat.

La prof s'apprête à dire quelque chose à monsieur Giguère lorsque celui-ci déclare :

— Mademoiselle a raison. Nous allons appeler les chauffeurs pour qu'ils soient là à huit heures et quart. Ça vous convient? Je suis content que cette visite vous enthousiasme autant.

— Oui, mais là, si on n'arrête pas de parler, faudra que ce soit à huit heures vingt.

Moi (à l'oreille de Kat) : Arrête, franchement!

Monsieur Giguère (en riant) : Bon, bon, bon. Bonne visite à tous!

Nous nous dirigeons vers l'entrée lorsqu'un gars de mon autobus, qui débattait sur l'importance de l'Halloween plus tôt, vient dire à Kat:

— Merci, grâce à toi, on est pognés pour rester ici deux heures pis on va manquer l'Halloween!

— Si tu passes l'Halloween à ton âge, ce n'est pas mon problème. Moi, ça me tente, cette sortie-là! Pour une fois qu'on fait quelque chose de cool à l'école! T'sais, si t'aimes ça tant que ça, les bonbons, trouve-toi une job pis tu vas pouvoir t'acheter tous les bonbons que tu veux!

Elle me regarde en levant les yeux au ciel.

JF s'interpose, toujours avec sa verve de gentleman:

— Je pense que cette discussion est stérile. Désolé, messieurs, si l'intervention de mon amie vous a choqués. Elle ne faisait que souligner une incohérence temporelle. Et, dans ce sens, elle avait raison.

Je réprime un fou rire.

Truch arrive près de nous, accompagné de Mattéo. Il demande:

— Est-ce qu'il y a un problème ici?

Le gars lâche une demi-tonne de jurons.

Truch : Je pense que tu ne t'es pas fait des amis.

Kat : Je m'en fous, c'est des cons. Vous venez avec nous ?

Truch et Mattéo se consultent du regard et acceptent l'invitation de Kat.

18 h 45

Wow ! C'est tellement beau, tout ce décor de lanternes ! Nous nous promenons dans le Jardin botanique illuminé de plusieurs lanternes de couleurs, de dragons colorés lumineux, d'éléments d'architecture et de scènes festives typiquement asiatiques.

D'un certain angle, un des personnages me rappelle Pikachu, et ça me met tout de suite dans la tête la chanson des *Pokémon*, que je me mets à fredonner sans trop m'en rendre compte, imitée par Tommy, amusé par ma référence. Nous nous sommes déjà avoué avoir encore nos cartes *Pokémon* à collectionner, dans notre boîte à souvenirs.

Truch : Scusez, mais c'est quoi votre rapport avec *Pokémon* ?

Moi : Le bonhomme, là-bas, me rappelle Pikachu.

Truch : Pikachu, c'est japonais. Ici, c'est chinois.

Est-ce nécessaire d'expliquer pourquoi j'ai toujours détesté Truch ?

Je chante la chanson-thème un peu plus fort en tentant de me souvenir des paroles, aidée par Nicolas et même par Kat qui se joint à nous.

Truch : À une certaine époque, c'était cool de se souvenir de *Pokémon*, mais tout le monde est repassé par là. Vous êtes en retard.

Moi : Ben, j'avais juste la toune dans la tête. Scusez de vous avoir dérangé, monsieur Truchon-super-tendance-avec-ses-tounes-dans-la-tête !

Tommy : Le pire, c'est que Laf et moi, on pense encore que nos cartes à collectionner vont prendre de la valeur !

Il me regarde et ajoute :

— On n'a vraiment pas d'allure, Laf ! Faudrait qu'on s'en débarrasse.

Moi : Je ne suis pas prête psychologiquement.

Raison non dite : J'ai tellement insisté auprès de mes parents pour les avoir. Mon argument suprême était qu'un jour, ç'aurait une grande valeur. Oh là là ! N'importe quoi ! Ils ont dépensé plein d'argent et je me sens mal à l'idée de m'en débarrasser, même si ces cartes se sont avérées complètement inutiles dans ma vie !

Moi : Truch, est-ce que c'est mieux, ça ?

Je me mets à chanter le thème de *Sailor Moon*, imitée par Kat et JF. Tommy rit, mais avoue que c'est moins son genre. Nicolas semble avoir un peu honte et pitonne sur son téléphone.

19 h

Nicolas me demande si on peut visiter un bout tout seuls et m'entraîne loin de la gang. Tout le monde se moque un peu de nous en nous voyant nous éclipser, ce qui nous fait rire.

Il m'amène dans un coin tranquille et, derrière lui, on croirait voir tout un village de Chine, qui me rappelle un peu la scène finale de la bataille dans *Mulan*, que j'ai revu l'autre jour lorsque je gardais mes voisins.

Nicolas commence à m'embrasser et je me laisse transporter par son odeur qui m'enivre toujours. Comme ma tête est un peu penchée vers l'arrière, je heurte une lanterne pendue derrière moi, ce qui me fait sursauter. Je l'inspecte pour être certaine que je ne l'ai pas brisée. Tout semble correct.

Moi : Je ne sais pas si ce sont les mêmes règles qu'à l'école pour les « manifestations amoureuses ». J'ai déjà perdu des points de comportement là-dessus avec Iohann.

OK, cerveau. Pourquoi avoir sorti cette information totalement inutile ? Changeons de sujet.

Moi (qui continue) : Euh... tu ne m'as jamais dit comment tu faisais pour sentir toujours la gomme au melon, même si tu n'en as pas dans ta bouche.

Lui : J'en ai tout le temps, regarde.

Et il ouvre sa bouche pour me montrer sa gomme.

Lui (qui continue) : J'ai ma technique pour la cacher.

Je ris (alors que ça n'a pas du tout rapport que je rie, parce que, techniquement, ce n'est pas une blague que je fais, mais Nicolas a le tour de me faire cet effet qui me rend complètement nouille).

Lui : Aurélie, je voulais te dire que je t'aime vraiment beaucoup.

Moi : Oh, moi aussi. Tellement !

Lui : Faut que je te parle de quelque chose... Je ne sais pas trop comment dire ça... Je me sens mal...

Moi : Pas de problème, tu peux me le dire. Est-ce que j'ai fait quelque chose... ?

Lui : Non. En fait, c'est que... j'ai un malaise avec Tommy.

Moi : Hein ?

Lui : On dirait que je ne suis pas capable de passer par-dessus le fait que vous vous soyez embrassés.

Moi : Nicolas ! ! ! Ça fait un million de fois que je te répète que ce n'était rien. Et si tu n'étais pas là pour me le rappeler tout le temps, je ne m'en souviendrais même plus !

Lui : C'est le fait de t'avoir vue. De repenser à ça quand je vous vois. Ça me fait quelque chose.

Moi : C'était rien ! Il m'a embrassée parce qu'il pensait que je n'avais pas de chum. Ça s'est arrêté après une seconde et je me suis sauvée. Et ça fait deux ans !

Lui : Oui, mais... s'il a pensé que tu n'avais pas de chum, c'est peut-être parce qu'il y avait quelque chose de fort entre vous deux.

Moi : De l'amitié, c'est tout. C'est un gars, pis vos hormones font que... je ne sais pas trop... t'sais ?

Lui : C'est toujours vers lui que tu vas pour te faire consoler ou pour faire tes devoirs, ou pour n'importe quoi. Pas vers moi.

Je n'ose pas lui rappeler l'épisode « hiiiing ».

Moi : C'est mon meilleur ami. C'est comme si je me permettais d'être poche avec lui. Pis quand je suis avec toi, je veux que tu me voies à mon meilleur.

Lui : Pourquoi ?

Moi : Je ne sais pas... Je ne veux pas que tu voies mes imperfections.

Lui : Mais avec Tommy, c'est correct ?

Moi : Oui, parce que je n'ai rien à prouver, vu qu'il est juste mon ami. Pis que ce sera toujours comme ça.

Lui : Tu n'as rien à me prouver. Moi aussi, je veux être ton ami.

Moi : Hein ?!?

Lui : Je voudrais que ce soit moi, ton meilleur ami.

Moi : T'es mon chum, c'est encore mieux !

Lui : Comment tu te sentirais si j'avais une amie fille que j'appelle chaque fois que j'ai quelque chose qui ne va pas ?

Moi : Ouain... vu de même... J'sais pas... Mais aussi, t'es souvent occupé.

Et le « hiiiing ». Et le « hiiiing ». Et le « hiiiing ». Et le « hiiiing » !!!!!

Lui : Tu l'appelles seulement quand je suis occupé ?

Moi : Non, mais...

Le « hiiiing » ? Le « hiiiing ». Le « hiiiing » !!!!!

Lui : Je trouve juste qu'il est « trop là », pis des fois, je me sens un peu... à part, quand vous êtes ensemble. J'ai vraiment essayé... Mais là, je me sens mal.

Moi : Je comprends...

Lui : Je ne veux pas être poche. Mais je ne me sens pas bien là-dedans.

Moi : Je ne sais pas trop quoi dire. Tu ne peux pas me demander de choisir entre vous deux.

Lui : Ce n'est pas ça que je veux…

Moi : Un peu, dans un sens.

Lui : Ça faisait longtemps que je l'avais sur le cœur. Fallait que ça sorte, désolé.

Moi : C'est correct... Mais, qu'est-ce que tu veux que je fasse ?

Lui : J'sais pas... Que votre amitié prenne une autre forme, peut-être ? J'ai des amies filles que je vois une fois de temps en temps, à qui je parle à l'école ou dans les partys, sans qu'elles soient si... présentes. J'aimerais ça que ce soit comme ça avec Tommy. Qu'il ne prenne pas autant de place. Je sais juste que, quand il est là, je ne me sens pas bien. Je me connais pis je sais que je ne serai pas capable de continuer ça longtemps...

Moi : Tu voudrais que j'arrête d'être amie avec lui ?

Lui : Ben non... mais dans un sens... comme c'est là, oui.

Impression d'étourdissement.

Impression que le sol s'ouvre sous mes pieds.

Impression de faire une chute de dix étages.

Impression qu'un dragon de l'exposition des lanternes m'attrape au vol et que je suis trop sonnée pour crier « au secours » (après tout, un dragon ?!).

Impression que le décor de lanternes bouge autour de moi et qu'il prend vie dans une espèce de monde chinois à la fois ancien et moderne.

Impression que Kat dirige une armée de Mongols et qu'elle déclare la guerre en envoyant ses ordres par texto à tous ses soldats. (Je ne sais pas pourquoi je l'imagine en train de faire ça par texto, total anachronique, mais ça me fait rire, ce qui allège un peu ce sentiment de vertige.)

Impression que JF, Truch et Mattéo sont de haut gradés de l'armée de Kat et qu'ils lui soufflent de mauvaises stratégies (toujours par texto, je ne sais pas pourquoi, ça me semble plus discret), qu'elle approuve d'un bonhomme sourire, ce qui lui fait perdre toute crédibilité comme chef.

Impression que Kat range son cellulaire pour crier en chinois : « À mon commandement, chargez ! » (Ce qui est étrange, car ce serait davantage une phrase française de l'époque des fusils et non de celle des épées et des flèches, mais comment puis-je savoir ce que les Mongols criaient à leur armée ?)

Impression que Nicolas et Tommy se livrent une bataille de kung-fu.

Impression qu'une bande de geishas, dirigées par Audrey, essaient de les séparer, mais qu'elles sont tellement coincées dans leur costume qu'elles n'ont pas assez de liberté de mouvement pour faire quoi que ce soit.

Impression que Raph tente d'éloigner l'armée de geishas et que celles-ci lui donnent des coups de lanternes, auxquels il n'ose pas répondre malgré ses habiletés de kung-fu qui lui permettent de se sauver en sautant sur un mur.

Impression que, coincée sur mon dragon, je ne peux rien faire, ni empêcher ce qui est en train de se produire au sol.

Note à moi-même : Comment fait-on pour s'agripper à un dragon ? Les écailles, ça doit piquer, non ?

Note à moi-même nº 2 : M'assurer de toujours traîner des gants, au cas où je rencontrerais un dragon, pour pouvoir me tenir solidement et ne pas tomber.

Note à moi-même nº 3 (catégories « urgente » et « planétaire ») : L'air doit être plus pollué qu'on pensait. Tenter de faire disparaître le smog pour éviter toute hallucination de ce genre à l'avenir.

Novembre

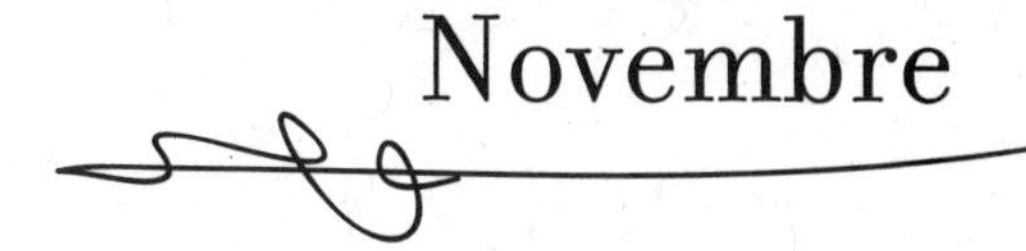

Dans le brouillard

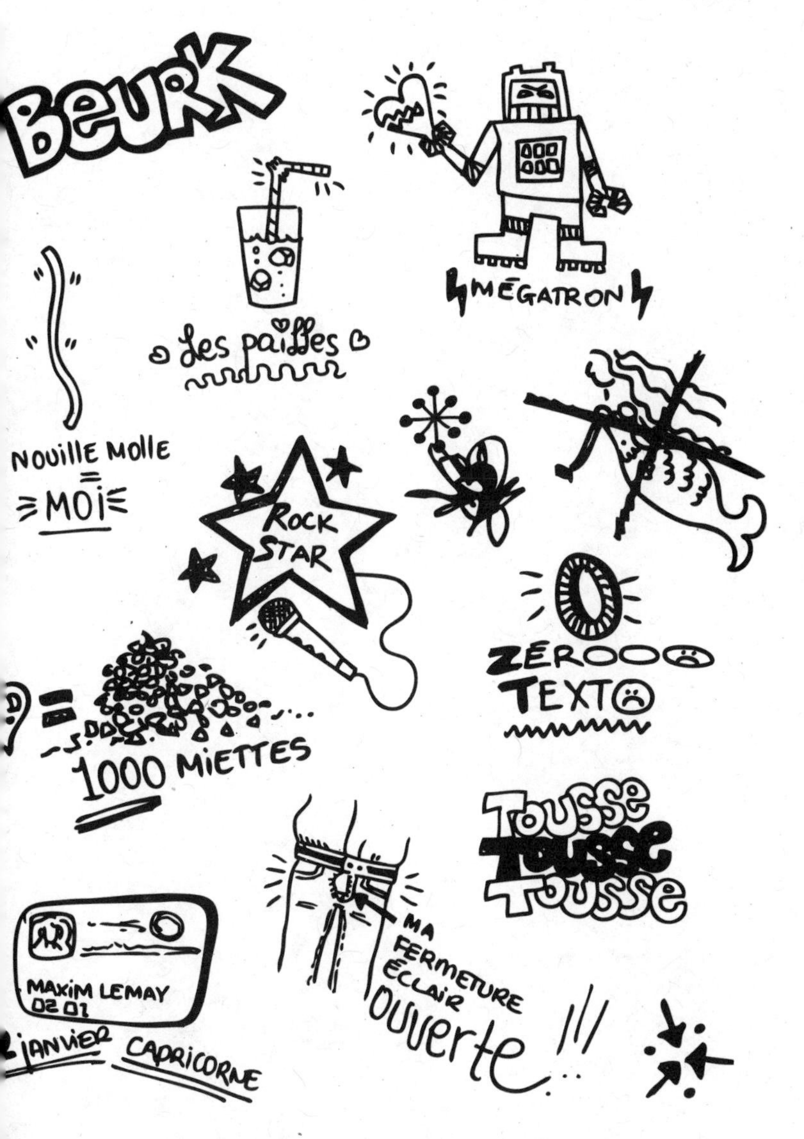

Jeudi 1er novembre

Parfois, je lis un livre ou je regarde un film et je trouve le personnage principal niaiseux. Je ne comprends pas ses choix. Comme s'il était lent à comprendre ce que nous, spectateurs de sa vie, avons déjà compris depuis longtemps. Mais quand il s'agit de ma propre vie, c'est le néant total. Si j'étais l'héroïne d'un livre et que j'étais spectatrice de l'histoire de ma vie, qu'est-ce que je conseillerais au personnage (moi) pendant que je lis ?

Si j'étais l'héroïne d'une histoire qui comporterait, disons, plusieurs tomes, comme *Harry Potter* ou *Twilight*, et que j'avais vu tout ce que Tommy a fait pour moi, nommée ici « l'héroïne », je ne voudrais jamais que mon personnage abandonne Tommy. Pour rien au monde. Pas plus que je ne voudrais qu'elle abandonne Kat. Ou ma mère. Ou Sybil. Ou mes grands-parents. Ou qui que ce soit. Comment quelqu'un peut-il exiger ça de quelqu'un qu'il aime ? Nicolas m'aime-t-il, puisqu'il ne peut supporter cette facette de ma vie et de ma personnalité ? D'un autre côté, je le comprends. Je n'aimerais pas qu'il ait une telle complicité avec une autre fille. Il ne m'a pas demandé de ne plus jamais parler à Tommy. Que m'a-t-il demandé au juste ? C'est flou. (Espèce de smog polluant qui fait halluciner des dragons *et* perdre la mémoire.)

J'aimerais vraiment que, dans ma tête, il y ait Google Maps intégré pour m'indiquer le bon chemin à suivre.

Voici en un mot comment je me sens : Beurk.

Voici en une phrase comment je me sens : Beurk beurk beurk, beurk beurk beurk beurk.

Vendredi 2 novembre

Je suis une fille bizarre. Par exemple, j'adore boire avec une paille, et ce, même si j'avance à grands pas vers l'âge adulte (j'ai seize ans, donc, techniquement, l'âge adulte est dans deux ans). Et quand je bois avec une paille, il se peut très bien que j'affirme : « J'adooore ça, boire avec une paille ! » à un moment inopportun parce que je me réjouis des mini-bonheurs que peuvent procurer certaines inventions qui prouvent le véritable génie de l'être humain. Non, mais parfois, je me demande qui a eu l'idée d'inventer une paille. C'était un méchant bon flash ! Pas besoin d'incliner le verre (sauf pour aller chercher le fond avec la paille), juste à inspirer dans le petit tube de plastique. OK, j'avoue, ma passion pour les pailles n'est pas très écolo. Oh, excuuuuusez-moiiiii, je vais brûler en enfer. La planète va exploser par ma faute à cause de mon obsession des pailles!

D'ailleurs, ça m'amène à un autre point de ma bizarrerie: je suis maintenant une rebelle confirmée. Par exemple, avant, quand j'étais dans un resto et que le serveur me recommandait de ne pas toucher l'assiette parce qu'elle était chaude, je n'y touchais pas, mais maintenant, je suis tentée illico de la toucher pour vérifier. Ce qui signifie que j'ai beaucoup de difficulté à respecter les règles. Ai-je toujours été comme ça? Et si cette propension au non-respect de l'autorité me conduisait à commettre un délit grave? À ce sujet, si jamais naît un Organisme de protection des araignées (OPA), je serai vraiment dans le trouble si on fouille mon passé! Et si l'Organisme de protection des insectes (OPI) voit le jour, ce sera encore pire.

Conclusion: Ma bizarrerie pourrait provoquer l'apocalypse et/ou mon emprisonnement à perpétuité.

Tout ça pour dire que lorsque ma mère affirme (dans ses moments d'impatience) que je suis comme TOUS les ados, au lieu de m'insulter, ça me réjouit. Ça me fait sentir normale. Ça me rassure sur toutes mes bizarreries qui me font habituellement sentir trop étrange.

Comme en ce moment. À la table de la cafétéria. Tout le monde me regarde et cherche quoi répondre à mon affirmation: « J'adooore boire avec une paille! » Ça doit bien faire cinq secondes que j'ai dit ça, mais le regard persistant de mes amis me donne l'impression que ce moment a duré cinq heures. C'est Tommy qui brise le silence :

— Ben, on est contents que t'en aies parlé.

Nicolas : Moi, ça dépend de ce que je bois.

Kat : Moi, j'aime mieux les pailles orange. Ou mauves ! Hum… plutôt violettes. Mais pas les blanches !

Raph : Heille, méchante conversation profonde !

Kat : Parce que dire que vous vous ennuyez du hockey, c'est tellement plus profond !

Bon, comme je le mentionnais, mon commentaire de la paille est arrivé à un moment, disons, assez inopportun de la conversation.

Une minute plus tôt

Raph : Blablabla... hockey... Blablabla... hockey...

Patin : Blablabla... hockey... Blablabla... hockey...

Nicolas : Blablabla... hockey... Blablabla... hockey...

Moi : J'adooore ça boire avec une paille !

Retour à 12 h 17

Bon, alors oui, j'avoue, dans ce contexte, ça, ça peut paraître étrange. Mais si on connaît l'ensemble de ma réflexion, on voit bien que tout est très logique. Alors, Nicolas a commencé à parler de hockey avec ses amis. Le hockey m'a fait penser au sport. Le sport m'a fait penser aux possibilités d'être pris de démence si on n'en fait pas et à ma conversation avec Denis Villeneuve sur l'impossibilité de changer mes options de cours. Mes options de cours m'ont fait me questionner sur mes choix. Ai-je bien choisi en optant pour l'art et l'histoire ? Peut-être aurais-je été mieux en sciences ? Avec Nicolas et Kat. J'aurais pu devenir médecin ou chercheuse. J'aurais pu en savoir plus sur les mystères biologiques de l'être humain. Trouver une alternative à l'exercice pour contrer la démence. L'exercice m'a ensuite fait penser au vélo avec Tommy. Tommy m'a fait penser à ce que Nicolas m'a confié. Puis, je me suis demandé si, pendant le dîner, Nicolas était fâché qu'on mange avec Tommy. Ce qui m'a amenée à penser que j'avais du mal à prendre des décisions. Ma difficulté à prendre des décisions m'a fait penser à l'école. Je me suis une fois de plus demandé si j'avais bien fait de choisir le profil sciences humaines. J'ai eu soif. J'ai bu une gorgée. Avec ma paille. J'ai aimé boire avec ma paille. J'ai pensé à l'écologie. Je me suis sentie coupable. Ma culpabilité m'a fait penser à mon vol de craie avec Tommy. J'ai pensé à mon côté rebelle. Mon côté rebelle m'a fait penser à mon texte du concours de français, que j'ai remanié et remis pour le cours d'éthique et culture, et qui m'a valu 87 % ! Je me suis dit que mon côté rebelle était donc parfois salutaire. J'ai pensé que c'était rebelle de boire avec des pailles quand on essaie de sauver la planète d'une catastrophe écologique. Et ma passion pour les pailles est sortie au grand jour. Comme ça. Inopinément. Sans que j'y réfléchisse trop. Ce qui m'a une fois de plus fait paraître étrange aux yeux de tout le monde.

À ma défense, j'adore vraiment ça, boire avec une paille. Au moins, une chose de parfaitement claire dans ma vie.

Samedi 3 novembre

PSYCHO

COMMENT PRENDRE DES DÉCISIONS ?

Tu es paniquée lorsque vient le temps de prendre des décisions ? Si certaines décisions te semblent évidentes et faciles, d'autres peuvent s'avérer un véritable casse-tête ! Voici quelques pistes qui t'aideront à faire tes choix.

LE TEMPS

Lorsque tu te sens tiraillée par un choix important, il est essentiel de ne pas prendre de décision impulsivement. Dans un contexte d'indécision, prends du temps pour réfléchir à tes options. Cela te permettra d'y voir plus clair dans tes besoins et désirs. Tu seras ainsi plus apte à évaluer les choix qui s'offrent à toi.

L'INFORMATION

Essaie de recueillir toute l'information dont tu as besoin pour prendre ta décision. S'il s'agit d'un choix de carrière, essaie de savoir tout ce qu'implique ce choix de vie, ce que tu aurais à faire, ce que ça demande comme aptitudes, ce que ça requiert comme expérience ou comme études. S'il s'agit d'un nouvel amour, apprends à connaître la personne. S'il s'agit d'un nouveau travail à temps partiel, informe-toi au sujet du nombre d'heures que cela va te demander par semaine, vérifie si tu peux l'inclure dans ton horaire actuel ou si tu devras sacrifier une autre activité que tu aimes. Bref, toute information pertinente sur les options qui s'offrent à toi t'aidera à choisir la bonne voie.

PESER LE POUR ET LE CONTRE : FAIRE UNE LISTE

Une fois que tu as recueilli toutes les informations nécessaires, fais une liste du pour et du contre. Dans la liste du pour, note tout ce que cette décision pourrait t'apporter de positif, et dans la liste du contre, note tout ce que cette décision t'apporte comme angoisses, toutes les conséquences que tu sens qu'elle pourrait avoir sur ta vie, et ce que ça te demandera comme sacrifices. Ensuite, évalue tes deux listes. Ce n'est pas le nombre d'éléments de chacune qui compte — car il ne s'agit pas d'une compétition —, mais l'importance de chacun des éléments que tu auras notés.

DEMANDER CONSEIL

Les gens autour de toi ont peut-être des points de vue très intéressants sur la situation. Parfois, ils ont le recul nécessaire, ce qui est impossible lorsqu'on a le nez collé sur le problème. Sans te faire dicter quoi faire, écoute ce que les autres ont à dire ; ça pourrait te donner de bonnes pistes de réflexion.

Attention : Nul ne peut prendre une décision à ta place. Parfois, on est tellement angoissée à l'idée de faire un choix qu'on aimerait en faire porter la responsabilité à quelqu'un d'autre. Souviens-toi que personne ne peut te fournir la solution miracle et que, même si tu écoutes les autres, tu devras seule prendre la décision.

SUIVRE SON INSTINCT

Inévitablement, ta petite voix intérieure te souffle une réponse. Ainsi, une direction te tente plus qu'une autre, mais ton esprit logique vient brouiller ce sentiment. Tu es donc déchirée entre ta tête et ton cœur. Essaie d'évaluer ce que ta décision te ferait ressentir émotionnellement et choisis la voie dans laquelle tu pourrais te sentir bien.

Attention : Suivre son instinct ne signifie pas qu'il faut prendre des décisions impulsives sans mesurer rationnellement les conséquences de son choix. Il est bien de prendre une décision en se basant, de façon équilibrée, sur la logique et sur l'émotion. Une décision trop rationnelle ne tient pas compte des conséquences émotives, tandis qu'une décision trop intuitive ne tient pas compte des faits.

AGIR

L'indécision donne parfois l'impression d'être ballottée de gauche à droite : un jour on est certaine de quelque chose, le lendemain de son contraire, et lorsque vient le moment d'agir, on remet une fois de plus tout en question. Il est normal d'hésiter, de se poser des questions et de tenter de faire le choix le plus éclairé possible, mais ça ne doit pas durer éternellement. À craindre de faire le mauvais choix, il se peut que tu rates de belles occasions qui se présentent à toi. À un moment donné, il faut prendre une décision et agir.

S'ASSUMER

Après avoir réfléchi, lorsque tu as trouvé la bonne direction, il faut t'y tenir. Il est également important de respecter tes engagements, sans revenir constamment sur ta décision en te demandant si tu as fait le bon choix. C'est ce qui te permettra d'avancer et d'évoluer dans le chemin que tu auras décidé de suivre.

LA BONNE DÉCISION ?

Comment savoir si tu as pris la bonne décision ? Il est impossible d'en avoir la certitude à 100 %. Dis-toi que la meilleure décision est toujours celle que tu prendras. Il n'y a pas de bon chemin : il y a TON chemin. L'important est que tu te sentes bien avec la décision que tu auras prise en fonction des éléments dont tu disposais à ce moment-là. Si tu te sens en harmonie avec tes choix, tu te sentiras forte devant les difficultés qui pourraient surgir.

RIEN N'EST COULÉ DANS LE BÉTON

Une décision se valide au contact de la réalité. Il se peut que, confrontée à la réalité de ta décision, tu te sentes malheureuse et que tu aies la ferme conviction de t'être trompée. Dans ce cas, recommence le processus et change ta trajectoire ! La vie est toujours intéressante lorsqu'elle est remplie de surprises et de détours inattendus !

Dimanche 4 novembre

Pendant qu'on coupe des légumes, François me demande si ça va bien avec Nicolas. Je réponds oui. Il me demande :

— Tu comprends mieux les hommes finalement ?

Il fait sûrement référence à une conversation que j'ai eue avec lui dans le temps où je ne comprenais pas le comportement de Iohann. Malgré le fait que, sur le coup, je trouve qu'il aborde ce sujet de façon un peu soudaine et intrusive (n'aurait-il pas été plus élégant de commencer la conversation par quelque chose d'un peu moins intense, du genre la température, des émissions de télé ou autres ?), je lui fais part de ce léger tout petit mini-détail qui me perturbe un peu dans ma relation avec Nicolas : le fait qu'il n'arrête pas de revenir sur ce qui s'est passé à MusiquePlus avec Tommy. Ce qui ne représente strictement rien. Un détail. Dont je ne me souviendrais même plus si ce n'était que Nicolas me le rappelle régulièrement.

François m'explique que Nicolas est probablement « piqué dans son orgueil mâle » et qu'il se sent menacé par Tommy, qui est très près de moi et « assez beau bonhomme ». Tommy ? Beau bonhomme ? Bizarre que François dise ça. Il me suggère de simplement manifester clairement à Nicolas mon amour pour lui. J'ai l'impression que c'est ce que je fais tout le temps (je le regarde tout le temps comme s'il était une montagne de chocolat fondant), mais peut-être que je devrais faire un petit effort supplémentaire. Il est vrai que mon visage ne reflète pas toujours mon intérieur. Ma mère me dit souvent que j'ai l'air bête dans des moments où je me sens ultra de bonne humeur. Peut-être que c'est un phénomène généralisé. Peut-être que Nicolas aussi a de la difficulté à interpréter mes émotions s'il ne se fie qu'à mon visage qui ne semble pas présenter la bonne expression au moment opportun.

Peut-être que je pourrais fonder un groupe d'entraide aux gens qui, comme moi, ont des lacunes en habiletés sociales, dont le slogan pourrait être : « Ma face ne représente pas mon intérieur » (c'est ce qu'on dirait en commençant les réunions, main sur le cœur, en se levant de nos chaises en plastique, après avoir mangé un beigne).

François lance une blague très poche que je n'ose répéter pour ne pas avoir à m'en souvenir toute ma vie. Je lui réponds:

— En tout cas, merci pour les conseils, mais l'humour, ce n'est pas ta plus grande qualité.

François se tait et baisse les yeux.

Je me sens soudainement un peu mal de mon commentaire. Ça se voulait une blague, mais peut-être que l'humour n'est pas ma plus grande qualité à moi non plus.

23 h 01

François et ma mère sont sortis. Il fait noir. Je n'aime pas ça, être dans le sous-sol toute seule. Et comme je n'ai le droit d'inviter personne pendant leur absence à cause du party, je décide de monter au salon. J'apporte mon oreiller et une doudou et je me couche.

J'ai peur.

Il paraît qu'il y a un pyromane qui rôde. Si jamais je m'endors, que mon sommeil est trop profond, que le pyromane met le feu à ma maison et que je ne me réveille pas, je vais périr dans les flammes. C'est vrai, mon cerveau a l'habitude de n'accorder aucune crédibilité aux sonneries d'alarme. J'ai développé une, disons, immunité contre les alarmes. Le bruit fait partie de mon rêve et je peux continuer à dormir et à justifier mes retards par «je n'ai pas entendu l'alarme». Donc, si le pyromane met le feu à ma maison, je suis cuite, littéralement.

23 h 02

Incapable de dormir, j'appelle Nicolas pour lui parler de ma peur du pyromane maniaque.

Il tente de me rassurer et me souhaite bonne nuit après quelques minutes. À ce moment-ci, je serais tentée d'appeler Tommy, qui ne ferait pas que me rassurer, mais me changerait les idées en me faisant écouter des chansons et en me parlant d'autre chose. Mais je ne voudrais pas déplaire à Nicolas en faisant ça. Alors, je me retiens.

23 h 07

J'envoie un message texte à Kat qui me répond immédiatement qu'elle dort chez Emmerick, mais qu'ils viendront si j'insiste. Je la remercie suivi d'un clin d'œil, en précisant que ce ne sera pas nécessaire.

23 h 12

J'appelle ma grand-mère Laflamme. Je lui dis que j'ai absolument besoin de parler, que j'ai un peu peur toute seule dans ma grande maison. Elle dormait, mais me dit que j'ai bien fait de l'appeler et me demande comment je vais. Je lui confie que je ne sais pas ce que je veux faire comme carrière. Que je ne sais pas quoi faire par rapport à ce que Nicolas m'a demandé. Que je ne sais plus quoi faire par rapport à ma mère. Que je suis stressée, que je n'ai pas de but précis dans la vie et que peut-être que je sabote la fin de mon secondaire, parce qu'au fond j'ai peur de le terminer et d'errer dans la vie sans rien faire. Mais qu'en même temps, si je meurs ce soir à cause du pyromane, à quoi mon passage sur terre aura-t-il servi ? À absolument rien ! Pourquoi vit-on ? Pourquoi meurt-on ? Pourquoi ? Pourquoiiiiiiiiiiiii ?

Elle répond :

— La vie va t'envoyer des messages.

Moi : Argh. Je déteste ce genre de phrase toute faite. La vie n'envoie pas de messages ! La vie, ce n'est pas une personne dotée d'un cellulaire. La vie, c'est... C'est quoi au juste ?

Ce qui est étrange, c'est que ma grand-mère rit. Je ne comprends pas trop ce qu'elle a pu trouver d'humoristique dans ce que je déblatérais, mais toujours est-il qu'elle rit.

Conclusion : Lorsque l'humour est développé comme moyen d'autodéfense, il est impossible d'être prise au sérieux dans nos angoisses existentielles. Jamais. Sans exception.

Heure inconnue

J'entends des voix. Je me suis endormie. J'ouvre les yeux et aperçois François qui parle au téléphone à côté de moi, puis qui raccroche.

Moi : Qu'est-ce qui se passe ?

François : Ta grand-mère était toujours au téléphone. C'est correct, rendors-toi.

23 h 55

Je prends mon oreiller et ma doudou et je me dirige vers ma chambre. Je vois François qui se sert un verre d'eau dans la cuisine. J'approche de lui et lui dis :

— François, je voudrais juste m'excuser pour quelque chose que j'ai dit qui me hante et qui n'est vraiment pas gentil... Quand j'ai dit : « L'humour n'est pas ta plus grande qualité », ce n'était vraiment pas gentil et ça ne reflète pas ma pensée. Pas que je pense que l'humour est ta plus grande qualité. Tu as d'autres grandes qualités, *dont* l'humour, mettons. En tout cas, je ne voulais pas avoir l'air de dire du mal de toi.

François : C'est correct, Aurélie, j'ai vraiment dit pire à mes parents quand j'étais jeune. Pas que je veux dire que je suis ton parent, mais aux adultes, mettons, comme tu dis.

Si je pouvais révéler le fond de ma pensée à François, je voudrais lui dire à quel point je l'apprécie, même s'il a un humour d'un goût douteux. Mais je n'y arrive toujours pas.

Moi : Je te trouve ben correct dans le fond. C'est pas pire de vivre avec toi, t'es supportable.

François : Je le prends comme un grand compliment.

J'ai un élan spontané de me coller sur lui que je ne réprime pas. Il semble un peu surpris et je me dégage. J'ai les larmes aux yeux.

François : Ça va, Aurélie ?

Moi : C'est les allergies… ou les oignons.

François : T'as coupé des oignons il y a six heures.

Moi : Je suis peut-être allergique aux oignons et c'est là que ça se manifeste. Rétroactivement.

Lundi 5 novembre

Est-ce que Nicolas a toujours été comme ça et je ne le remarquais pas ? Ou fait-il un spécial pour me montrer à quel point il est poche depuis qu'il m'a avoué qu'il n'était pas capable de supporter la présence de Tommy dans ma vie ?

Aujourd'hui, il est allé manger à la table de l'équipe de hockey. Est-ce parce qu'il est insulté depuis que je lui ai coupé la parole pour parler de ma passion pour les pailles ?

Toute la fin de semaine, il a été trop occupé pour qu'on se voie. Et il ne répondait pas à mes messages textes aussi vite que d'habitude.

Bon, d'accord, je ne veux pas paranoïer, mais... Est-ce qu'il m'aime encore ? Est-ce que, dans le fond, il veut me montrer qu'il ne m'aime plus ? Est-ce parce que je ne me suis pas vraiment éloignée de Tommy ? Est-ce qu'il voudrait que Tommy ne participe plus à aucune de nos activités ? Je ne comprends pas. Et je ne sais pas quoi faire.

Je. Ne. Sais. Pas. Quoi. Faire.

Bon ! ! !

P.-S. : Méga-scoop : Truch sort avec Noémie. Depuis le party d'Halloween. (Je m'en fous un peu, mais disons que je me divertis comme je peux. Les potins, c'est très bon pour le moral.)

P.P.-S. : Truch et Noémie, ça ne durera pas deux semaines ! Pfff !

Note à moi-même : Tenter de ne pas projeter mon, disons, petit moment d'insécurité amoureuse sur des innocents.

Mardi 6 novembre

Après le cours d'éthique et culture, Hugo Giguère m'a demandé de rester, car il voulait me parler. Il a avoué être étonné par le compte rendu que j'ai fait de ma visite au Jardin botanique.

En fait, j'ai décidé d'y aller d'une fiction un peu absurde de la vision que j'avais eue au Jardin botanique. C'est donc l'histoire d'une fille qui se fait enlever par un dragon pendant que ses amis vivent un retour dans le temps des Han, avec plein d'anachronismes et de batailles épiques, et quelques lanternes, bien évidemment, puisqu'il s'agit du sujet.

J'ai répondu :

— Étonné... dans le bon sens ?

Monsieur Giguère : Oui, ton texte est très... divertissant.

Moi : Ah oui ?

Monsieur Giguère : Tu as intégré des éléments de l'histoire et des éléments modernes aux informations reçues à la visite des lanternes. Même si je sens que tu as un peu voulu me niaiser, j'aime que tu aies pris une initiative originale. C'est un bon texte.

Moi : Ah... ben... euh... faut essayer des affaires, des fois. Mais je ne voulais pas vous niaiser.

Monsieur Giguère : Je trouve ton thème intéressant aussi.

Moi : Quel thème ?

Monsieur Giguère : Celui de l'impression d'une perte de contrôle sur les éléments de notre vie.

Moi : Euh...

C'est un thème auquel je n'avais pas du tout réfléchi. Mais ce n'est pas fou.

Monsieur Giguère : Pour l'autre travail, celui où tu parlais de tes vies parallèles, je me suis questionné, mais j'ai finalement accepté que tu sortes un peu du cadre que j'avais imposé. Mais je ne peux pas laisser passer ça toute l'année, tu comprends ? Je ne donne pas un cours de création littéraire, mais d'éthique et culture. Et je considère cette fois-ci que tu étais hors sujet.

Moi : Je comprends. Désolée...

Monsieur Giguère : C'est correct. Je te propose un marché : fais-moi un véritable compte rendu de la visite à la Magie des lanternes comme je l'avais demandé, sans frivolités, et, de mon côté, je ne t'enlèverai pas de point pour le retard.

J'accepte et me dirige vers la porte, mais je me retourne pour lui demander :

— Malgré le fait que je ne respecte pas tout à fait les consignes, vous trouvez que c'étaient de bons textes ?

Monsieur Giguère : Oui.

Peut-être que j'ai de l'avenir en éthique et culture. Je n'avais jamais envisagé une carrière dans ce domaine, mais je crois que, même si je n'ai jamais voyagé, il y a là un signe du destin. Une compréhension mutuelle, avec Hugo Giguère, de gens de même catégorie, qui partagent une connexion intellectuelle et une ouverture à la différence.

Carrières envisageables grâce à mon aptitude en éthique et culture:

- Prof d'éthique et culture.
-
-

Hum... Pour l'instant, c'est assez limité. Mais disons que c'est quand même une avenue à explorer. Au moins, c'est réconfortant de savoir que j'ai assez d'aptitudes dans un cours pour penser que j'ai une possibilité d'avenir dans quelque chose.

Mercredi 7 novembre

C'est étonnant comme les vidéos montrant des chats sur YouTube peuvent gruger du temps. Mais c'est tellement drôle! Et ça me rappelle plein de choses que fait Sybil. Comme lorsqu'un rayon de soleil entre dans la maison et qu'elle essaie de l'attraper. Elle saute dessus, l'attaque et se fâche vraiment contre lui. Comme si ce faisceau lumineux était sur son territoire et qu'elle ne l'acceptait pas du tout. Ou lorsque je sors le carton de lait et qu'elle bondit très haut de derrière un meuble. Elle aime tellement boire du lait!

Le plus drôle, c'est lorsque je prends des olives et qu'elle se frotte contre le couvercle, comme si cette odeur l'enivrait complètement.

Moi, l'odeur qui m'enivre est celle de Nicolas. Chaque fois qu'il s'approche de moi pour me parler, je n'entends pas ce qu'il raconte, car j'ai juste envie de frotter mon nez dans son cou.

Revenons aux vidéos de chats. Car lorsque mon cerveau est libre de pensées, il bifurque automatiquement vers mes indécisions et c'est insupportable.

Ce que je trouve étrange ces temps-ci, c'est que plus je m'éloigne de Tommy, plus Nicolas s'éloigne de moi. C'est peut-être une phase d'adaptation. Ou est-ce seulement mon imagination?

Je caresse Sybil dans le cou et je lui demande:

— Qu'est-ce que tu ferais, toi, à ma place?

Sybil me regarde et fait « rouuuuh » et appuie son museau sur ma joue comme pour me donner un bisou, ce qui me fait sourire.

— Une chance que t'es là, au moins, toi.

Cette phrase me fait oublier les vidéos de chats, car ça me donne une idée. C'est la fête de Tommy demain, et j'ai envie de lui écrire un poème. Je veux lui exprimer l'importance qu'il a pour moi, et ce, même si, dans les prochaines semaines, il prendra moins de place dans ma vie.

Jeudi 8 novembre

Fête de Tommy

J'arrive aux cases, je le vois parler à une fille et je le colle par-derrière en lui souhaitant bonne fête!

La fille demande :
— Hé, c'est ta fête ?
Tommy (un peu gêné) : Euh... ouain.

8 h 55

Nous nous déplaçons vers ma case et, en marchant, Tommy me dit que si je lui saute toujours dans les bras, il ne se fera jamais de blonde. Je réplique alors :

— C'est vraiment pas à cause de moi que tu n'as pas de blonde. C'est parce que t'as trop l'air bête !

Tommy : Heille ! Je ne suis pas bête ! C'est ma face naturelle. Regarde, au repos.

Il me regarde en ne souriant pas.

Moi : Hé, moi aussi ma face au repos est bête, j'ai réalisé ça l'autre jour, regarde.

Je le regarde en ne souriant pas.

Tommy : Tu n'as pas l'air bête.

Moi : Ben toi non plus. On doit se comprendre dans notre univers de faces d'air bête pas bêtes.

Il rit.

Moi : Bonne fête, Tommy.

Je lui tends une enveloppe contenant mon poème et un certificat-cadeau iTunes pour qu'il puisse s'acheter un album qu'il aime en ligne.

Il ouvre la carte et commence à lire mon poème.

Poème
Toi et moi
Un jour, tu t'es présenté chez moi
Ce quartier était tout nouveau pour toi
Je ne t'ai jamais dit « embrasse-moi »

Pourtant, tu n'en as fait qu'à ta tête à toi
Tu as tenu par la suite à venir t'excuser à moi
Et j'ai réalisé que c'était rare quelqu'un comme toi
Tu es devenu important pour moi
Qui n'avais jamais pensé rencontrer un complice comme toi
Je sais que tu seras toujours là pour moi
Comme je serai toujours là pour toi
Ce poème sur toi et moi
Ne se terminera pas sans que je te dise ce que je pense de toi
Je suis chanceuse d'avoir un ami comme toi
Tu es maintenant une partie de moi

Bonne fête mon ami à moi
Je souhaite tout ce qu'il y a de meilleur pour toi

Laf
xx

9 h 02

Il termine de lire et lève les yeux vers moi. Je sens qu'il est ému. Il bredouille :

— Hon... Laf ! T'es hot ! Merci...

Moi : De rien. Je t'aime vraiment beaucoup.

Tommy : Moi aussi, t'sais.

On se serre dans nos bras. Et je me sens triste. Parce que si je veux être avec Nicolas, je ne pourrai plus avoir de moments comme ça avec mon ami. Tommy se dégage et me dit :

— T'es pas obligée d'être choisie dans des concours d'écriture pour écrire. En tout cas, moi, je n'ai jamais lu un aussi beau poème.

Moi : C'était juste une carte de bonne fête...

Tommy : C'est ma plus belle carte de bonne fête.

Je souris sans rien dire et je ramasse mes livres pour me rendre à mon cours de maths.

Samedi 10 novembre

Tommy veut fêter dans un vrai bar pour faire changement de son sous-sol (et je crois que ça ne lui tentait pas de refaire du ménage après celui qu'on a fait au party d'Halloween chez moi, héhé). Il m'annonce ça en entrant dans ma chambre (avec ses souliers) et en mettant de l'eau par terre, ce qui me fait capoter, car je viens tout juste de laver le plancher (ordre de ma mère) et j'avoue que ça ne me tente pas du tout de recommencer (au moins jusqu'à ma prochaine chicane avec ma mère). Je suis hésitante au début, mais il me dit que Kat et Emmerick sont d'accord et que si je veux vraiment me rebeller, ce n'est pas avec des vols de craies et des pailles que je vais y parvenir.

Il sort une carte d'identité de sa poche en m'expliquant :

— Regarde, j'ai la carte d'une fille de dix-huit ans. C'est sa carte d'assurance maladie. La photo est floue, alors ça peut très bien passer pour toi. Apprends-la par cœur, et je reviens te chercher ce soir. Aussi, n'oublie pas d'apprendre le signe astrologique de la date de fête de la fille. Quand ils doutent de quelqu'un, les portiers demandent toujours le signe astrologique.

13 h 16

J'ai invité Nicolas. Je me sentais mal, car c'est pour la fête de Tommy, mais je me suis dit que ne pas l'inviter était pire que l'inviter. Bref. J'essaie de composer avec la situation de mon mieux (tout en étant toujours mal à l'aise de chacun de mes gestes). Il a accepté. Peut-être qu'il voit mes efforts pour composer avec la situation et que c'est sa façon de me dire qu'il apprécie.

21 h

Kat et moi nous sommes habillées vraiment chic pour nous fondre parmi les filles majeures qui sortent dans ce genre de bar. Nous attendons en file pour entrer. J'ai la fausse carte d'identité dans ma poche arrière. Ce soir, je suis Maxim Lemay. Signe astrologique : Capricorne. Super ! Je sais tout par cœur. Tommy m'a conseillé de n'apporter que la carte, avec de l'argent. Pas de sac. Selon lui, ce sera plus plausible que je n'aie qu'une carte si je n'ai pas de sac. (Coudonc, je commence à croire qu'il était un bum dans son ancienne ville.)

21 h 12

Ce sera bientôt notre tour. Je vois le portier. Assez intimidant.

Tommy : T'es prête ?

Moi : T'à coup qu'il y a une descente de police et que je me fais pogner ? Ma mère va me tuer. De ses propres mains. Je vais subir des souffrances atroces.

Nicolas : Ben non, voyons !

Moi : Ça me stresse !

Tommy : Peut-être qu'il va penser qu'on a plus que dix-huit ans et qu'il ne va même pas nous demander nos cartes ! T'as juste à ne pas le regarder dans les yeux.

21 h 16

On s'approche du portier. Je ne le regarde pas dans les yeux. Je regarde par terre. Je fais semblant d'arranger ma ceinture de pantalon. Il nous arrête. (Merde.)

Portier : Vos cartes.

Moi : Euh, je n'ai pas apporté mon sac parce que, vous comprenez, je n'en avais aucun qui allait avec ce que je porte, mais j'ai apporté ma carte d'assurance maladie au cas où je me blesserais.

Tommy lève les yeux au ciel. Ben quoi ? J'essayais de trouver une explication plausible au fait que je n'aie pas de sac, et juste une carte.

Portier : C'est quoi ta date de naissance ?

Moi : Euh... le 2 janvier mil huit cent quatre-vingt... euh, franchement ! Mil huit cents... Hihihi, je me suis trompée de siècle ! Hahaha ! Je suis une voyageuse du futur ! Ouuuh !

Le portier regarde la photo. Me regarde. Regarde ma photo à nouveau. À ce moment, on dirait que mes jambes n'existent plus. Et que je voudrais effectivement avoir une machine à voyager dans le temps et revenir une demi-heure plus tôt, quand j'étais dans ma chambre et que je me préparais. Je choisirais à ce moment-là de n'être jamais venue ici.

Portier : OK, vous pouvez entrer.

Moi : Cancer. Euh... Capricorne !

Portier : Quoi ?

Nicolas profite du fait que le portier ne m'a pas entendue, me prend par le bras et m'entraîne à l'intérieur.

21 h 21

Nous sommes assis à une table et j'ai les jambes qui tremblent encore à cause de ce qui vient de se passer.

Kat : Franchement, Au ! T'étais donc ben stressée pour rien !

Moi : Tommy m'avait dit de bien me préparer !

Tout le monde rit.

Tommy : Pis, comment tu trouves ça, ta vraie rébellion ?

Moi : Ha. Ha. Très drôle.

21 h 49

D'autres personnes que Tommy a invitées viennent nous rejoindre. Il y a des filles de son cours de musique et certaines sont assez jolies. Kat n'arrête pas de le taquiner et de lui demander quand il se fera une blonde. Et il lui répond :

— Coudonc, es-tu rendue matante, Kat Demers ? J'ai l'impression d'entendre une de mes tantes me demander sans arrêt quand est-ce que j'aurai une blonde.

Kat est bouche bée, mais finit par se défendre :

— Meh ! Je ne suis pas matante ! Je m'intéresse à ta vie, gros poche !

22 h 35

Nous dansons sur une chanson que je ne connais pas. Pendant qu'il danse, Nicolas s'empare souvent de son téléphone dans sa poche pour recevoir et envoyer des textos. Par la suite, il me regarde et touche mes cheveux en dansant, et il s'approche quelques fois pour me faire des commentaires à l'oreille, mais même s'il crie pour me parler, la musique est tellement forte que je ne peux pas vraiment entendre.

Raphaël et Patin arrivent sur la piste de danse en marchant d'un pas rapide et décidé vers Nicolas. Puis, Nicolas s'approche de mon oreille pour me dire qu'il s'en va avec eux. Cette phrase, je l'ai entendue. Très clairement.

22 h 52

Nicolas me prend dans ses bras, m'embrasse et quitte le bar.

Je me sens soudainement envahie par un sentiment que je ne comprends pas trop et je suis incapable de continuer à danser. Je reste seulement plantée là, sur la piste de danse, à le regarder partir.

Kat arrive tout de suite près de moi et m'entraîne vers les toilettes en me demandant :

— Qu'est-ce que t'as ?

Moi : Nicolas est parti.

Kat : Ouain, pis ? On peut continuer à triper pareil. Tu le verras demain. Tu le vois tous les jours à l'école ! C'est pas comme moi avec Emmerick. Je ne le vois jamais pis...

Je la coupe pour lui dire qu'il veut que j'arrête de voir Tommy aussi souvent. Kat n'entend pas. Je répète, mais elle me dit qu'elle a entendu et qu'elle ne comprend pas.

Je lui relate la conversation qu'on a eue à la Magie des lanternes et elle n'en revient pas. Elle reste muette un bon moment avant de dire:

— Mais qu'est-ce qui s'est passé depuis ce temps-là?

Moi: Ben... on n'en a pas reparlé. Mais je sens qu'on est un peu plus distants. Quelque chose a changé. Je ne sais pas si c'est moi ou lui. Mais j'essaie de faire ce qu'il m'a demandé pis je n'ai pas appelé Tommy, l'autre jour, quand j'étais toute seule.

Kat: C'est vraiment pas cool.

Moi: Quoi?

Kat: Nicolas! Il baisse dans mon estime!

Moi: En fait... je le comprends un peu. Tommy m'a déjà embrassée et Nicolas a de la misère à s'enlever ça de la tête. Pis je suis toujours avec Tommy... Ça doit être énervant. J'essaie de le comprendre. S'il avait une amie à qui il parle tout le temps, ça me ferait sûrement quelque chose.

Kat: C'est sûr que ça te ferait quelque chose, mais tu vivrais avec. Regarde Truch et moi. On s'est revus, on est redevenus amis. Emmerick ne me gosse pas avec ça. Il me fait confiance.

Moi: Tu ne vois pas Truch aussi souvent que je vois Tommy.

Kat: Je vais à l'école avec lui, et Emmerick va dans une autre école. Il pourrait s'inquiéter.

Moi: Il devrait?

Kat: Ben non! C'est un ami, un ex. T'sais, le passé, c'est le passé.

Moi : J'pensais que ça te ferait plaisir que je m'éloigne de Tommy. Que tu le haïssais.

Kat : Ben non, je ne le hais pas ! Bon, je vais t'avouer quelque chose. Mais juge-moi pas, OK ?

Moi : OK.

Kat : Des fois, je suis un peu jalouse... T'sais... c'est vrai que Tommy pis toi, c'est spécial. Des fois, j'ai peur qu'il prenne ma place parce que vous êtes tellement... Depuis que vous vous connaissez, on dirait qu'il a pris ma place...

Moi : Hein ? ? ? ! ! ! Ben non ! ! ! !

Kat : Un peu...

Moi : Oh, je t'aime tellement ! Personne ne va prendre ta place ! ! ! !

Kat : Promis, hein ?

Moi : Juré ! ! ! ! ! ! !

On se serre dans nos bras, les larmes aux yeux. Puis, Kat se dégage et suggère :

— Texte-le pour voir.

Je texte Nicolas pour lui dire que je l'aime.

23 h 01

J'attends une réponse.

23 h 03

J'attends toujours.

23 h 07

J'attends encore.

23 h 08

Plus j'attends, plus j'ai mal à l'estomac.

Note à moi-même : Faire des recherches sur les effets des ondes du cellulaire sur le corps. Le cellulaire peut-il causer une indigestion ?

23 h 15

Je me rends au bar pour demander au barman si le jus d'orange est périmé, car je ne me sens pas très bien depuis que j'ai bu le cocktail qu'il m'a fait.

Il me regarde d'un air surpris et me répond d'un ton sarcastique qu'il est certain que non.

Moi : Est-ce que je pourrais voir la date de péremption ?

Kat s'approche de moi et me conseille de ne pas poursuivre cette discussion. Elle s'excuse pour moi au barman en lui disant que je suis sur un rush de sucre. J'essaie de me défendre en niant.

On s'éloigne, et Kat crie parce que la musique est forte :

— Il m'énerve, Nicolas ! Il te fait toujours sentir mal !

Moi : Mais non ! La plupart du temps, il me fait sentir bien. Amoureuse !

Kat : Franchement, t'as le droit d'avoir les amis que tu veux sans qu'il te fasse sentir mal !

Je reçois un message texte.

Moi : Oh ! Un message !

Je regarde et c'est écrit :

J'aurais aimé ça que tu viennes avec moi.

Je lève les yeux vers Kat.

Moi : Qu'est-ce qu'il veut dire ? Qu'il regrette de ne pas m'avoir invitée ou qu'il aurait voulu que je le suive sans qu'il me le demande ?

Kat : Heille ! C'est compliqué. Ça m'épuise !

Moi : Je ne comprends rien... Ça allait super bien...

Kat : Oh, non ! Là, tu ne vas pas pleurer ! On s'a-mu-se !

On retourne danser, mais je ne m'amuse pas.

Va falloir que je parle à Nicolas... Mais pour lui dire quoi ?

23 h 16

Je quitte Tommy en prétextant que je suis fatiguée. Il est déçu, mais Kat intervient et lui recommande de me laisser partir. Puis, je vais rejoindre Nicolas chez Raphaël.

23 h 35

J'ai rejoint Nicolas et nous marchons en direction de chez moi. J'ai un peu froid. Nicolas s'arrête et me prend dans ses bras pour me réchauffer.

Nous sommes présentement collés l'un contre l'autre, dans la rue.

Je respire son odeur. Je laisse courir mes doigts le long de son dos, agrippant parfois un bout de son t-shirt.

Et je profite de ce moment, avec un peu de tristesse au fond de mon cœur, avant d'avoir à lui avouer que j'ai l'impression que nous vivons sur deux planètes différentes depuis quelque temps.

Je me dégage et rassemble mon courage pour lui demander :

— Qu'est-ce qui se passe ces temps-ci ?

Lui : J'sais pas trop...

Moi : C'est à cause de Tommy ? Tu voudrais que je m'éloigne plus ? Tu sais, je ne l'appelle plus aussi souvent.

Il hausse les épaules.

Moi : Nicolas. Je t'aime. Vraiment beaucoup même. Quand je te vois, ça me fait chaud en dedans. Tout le temps. Ça n'a jamais arrêté. Même quand on n'était plus ensemble...

Lui : Moi aussi, je t'aime.

Je me pince les lèvres.

Moi : Je ne peux pas arrêter d'être amie avec Tommy. T'sais, si tu ne m'avais pas laissée, je ne me serais jamais autant rapprochée de Tommy. Mais là, tu m'as laissée, je me suis rapprochée de lui. On a vécu plein de choses ensemble. Et je veux être son amie encore. Mais je veux aussi être ta blonde.

Nicolas : Tu dis que c'est ma faute ?

Moi : Non, mais… battement d'ailes d'un papillon, etc., etc. On ne peut pas revenir sur le passé. Moi, je t'ai pardonné de m'avoir laissée, pis je te jure, Nicolas, après la mort de mon père, c'est la chose qui m'a fait le plus mal.

Nicolas : Tu me fais sentir *cheap*.

Moi : Ce n'est pas mon but... Je dis juste que je ne peux pas défaire le passé. Tommy est important pour moi. Pas comme toi. C'est différent. Toi, c'est de l'amour. Lui, c'est de l'amitié.

Nicolas : C'est plus que ça.

Moi : Une relation de deux ans, c'est tout. On peut se rendre là, toi pis moi, même encore plus loin, mais laisse-nous du temps.

Nicolas : Désolé...

Moi : Ben non, c'est pas grave, je comprends... Tu as bien fait de me le dire. Là, au moins, la bulle est pétée et on pourra se retrouver parce que ces temps-ci...

Nicolas : Non, je veux dire, désolé... je ne suis pas capable.

Moi : Pas capable de quoi ?

Nicolas me regarde, les larmes aux yeux, hausse les épaules, secoue la tête et part sans dire un mot.

23 h 47

Je reste plantée là, devant chez moi, regardant Nicolas s'éloigner sans se retourner, et je tremble sans savoir si c'est à cause du froid ou d'un choc nerveux.

Toujours tremblante, je texte Kat. Il faut que je la voie.

J'entends une voix en écho derrière moi. Je me retourne et je vois Jason Bérubé sur son vélo. Il s'arrête devant moi et me demande si ça va.

Moi : Oui, ça va super bien. *Top shape. Number one. Numero uno.* Avant de rencontrer Nicolas, j'avais un plan : ne pas sortir avec un gars. C'était simple ! Mais non ! Il est arrivé et ça m'a rendue toute... toute... nouille ! (Je mime une nouille molle en gigotant, ce qui, je le réalise en le faisant, doit avoir l'air complètement imbécile.) Ça ne fonctionne juste pas, mes affaires avec les gars.

Lui : Tu ne choisis peut-être pas les bons gars. Salut !

Et il part.

Pfff. Tous les gars m'énervent solide. Ark. Je rêve du jour où Google publiera un mode d'emploi détaillé de leur cerveau. Tiens, voilà peut-être ce que je pourrais faire de ma vie ! Travailler sur ce mode d'emploi. Hum... mauvaise idée. Quelle perte de temps ! Il n'y a rien à comprendre là-dedans !

23 h 59

Chez Kat.

J'ai apporté mon pyjama et un sac de couchage.

Je viens de lui raconter ce qui s'est passé avec Nicolas. Et je conclus en disant :

— Pis là, j'ai dit : « Pas capable de quoi ? » Et il est parti.

Kat : Il n'a rien répondu ?

Moi : Non, il a haussé les épaules avec un air triste pis il est parti.

Kat : Il est parti ?

Moi : Ouain.

Kat : L'as-tu suivi ?

Moi : Ben non, d'hah, je suis ici. Je n'ai pas encore de clone.

Kat : L'as-tu texté ?

Moi : Non.

Kat : Est-ce qu'il t'a envoyé un texto après ? Genre : « Scuse titilititi. »

Moi (vérifiant pour la trois cent millième fois sur mon cellulaire) : Non...

Kat : Ouain, ça sonne comme s'il t'avait laissée...

Moi : Franchement ! C'est lui qui m'a laissée la première fois ! C'était sa décision ! T'sais, faudrait qu'il assume qu'il m'a laissée pis qu'on a perdu deux ans. Et que j'ai vécu autre chose depuis !

Kat : Moi, ça fait longtemps que j'ai compris qu'il n'y a rien à comprendre aux gars.

Moi : Moi aussi ! ! !

Kat : Oh, une chance qu'on s'a ! ! ! Laisse ton sac de couchage pis viens ici.

Moi : Euh... non, j'ai besoin de mon espace de sommeil.

Kat : Laisse faire ton espace de sommeil. Ce soir, t'as besoin de ta *best*. Je vais t'en donner, de l'amour, moi !

On rit et je vais la rejoindre dans son lit.

Dimanche 11 novembre

Je crois que les voyages dans le temps existent. Des fois, j'écoute des chansons et ça me ramène des semaines ou des années en arrière. Entendre de la musique que j'écoutais avec Nicolas ou qui me fait penser à lui me laisse croire que je suis encore avec lui. On dirait que je peux me souvenir de tout : des odeurs, des lieux, des textures. Une chanson qu'on aimait à la fin de l'été me fait ressentir la chaleur, cette impression d'être en vacances et cette angoisse à l'idée de la rentrée. Une autre sur laquelle on a tripé en hiver, la première fois que nous sommes sortis ensemble, me ramène deux ans en arrière, à ce temps glacial où nous parlions dehors en bougeant nos pieds pour ne pas avoir froid et où nous essayions d'attraper la boucane que faisait notre haleine avec nos doigts gelés.

J'arrive à ressentir exactement la même émotion et les mêmes sensations qu'au moment de ma vie où une chanson était populaire.

Je ne sais pas trop pourquoi je me mets dans cet état présentement.

J'ai fait une liste de lecture intitulée « pour penser à toi » sur mon ordinateur et j'y ai mis toutes les chansons qui me font penser à Nicolas. Et à mon histoire avec lui. Comme ça, chaque fois que je voudrai me remémorer sa présence, je n'aurai qu'à écouter ces chansons.

Parce que c'est bel et bien fini.

Il est passé tout à l'heure pour me rendre mes affaires (des babioles sans importance oubliées chez lui), et nous en sommes arrivés à cette conclusion. Il m'a demandé si j'allais changer d'idée pour Tommy. J'ai dit non.

Et je ne reviendrai plus jamais là-dessus. J'ai pris une décision, et je vais l'assumer.

Nous sommes restés l'un devant l'autre sur mon divan, dans ma chambre, un bon moment avant de nous quitter. Nous étions collés l'un sur l'autre. Nous n'avons rien ajouté. Car nous savions tous les deux que l'autre allait rester sur ses positions. J'avais le cœur en miettes. Mais je n'ai pas pleuré. Et aucun oiseau ne pouvait passer par là pour me faire caca dessus, comme la première fois qu'il m'a laissée au parc, il y a presque deux ans. Cette fois-ci, j'ai conservé ma dignité. J'en ai profité pour respirer son cou, à son insu, plusieurs fois.

Nicolas n'est pas fait pour moi s'il n'accepte pas qui je suis et ce qui vient avec.

Et je ne suis pas faite pour lui non plus.

Et, à bien y réfléchir, s'il avait eu une meilleure amie fille, oui, ça m'aurait peut-être fait quelque chose au début, j'en aurais fait mon sujet de discussion avec Kat pendant des jours ou des semaines, mais je serais passée par-dessus. Parce que je m'adapte à tout.

Nicolas n'est maintenant pour moi qu'une liste de chansons.

J'ai l'impression que mon corps est affaibli par une onde de décharges électriques l'ayant traversé.

Mais j'ai pris une décision qui, selon moi, était inévitable (ou logique?). Et je l'assumerai jusqu'au bout.

Avant de faire ma liste de lecture, en fouillant dans mon ordi (à la recherche de photos de Nicolas et moi), je suis tombée sur des photos prises la dernière fois que nous sommes allés au chalet de François. Ma mère en a pris une de moi à mon insu, lorsque je faisais mes devoirs sur le quai. Et je me fais penser à la Petite Sirène. Pas celle de Disney. Celle du Danemark que j'ai vue dans la case d'Audrey. Sur ces photos, j'affiche moi aussi cet air triste, assise sur le quai, le dos voûté. Bon, j'avoue, mon air extérieur ne reflète pas toujours mon intérieur. Mais quand je navigue dans mes pensées, ou que je suis dans la lune, je ressemble à cette statue. La Petite Sirène, avec tout le grand cœur qu'elle pouvait avoir, a oublié tout ce qu'elle était pour plaire à son prince et elle a fini en écume de mer. Wow (ironique). Et l'autre, celle de Disney, a été obligée d'arrêter d'être elle-même (une sirène) pour être avec son prince. Alors, moi, la Petite Sirène, je ne l'aime plus. Ce n'est vraiment pas un modèle que je voudrais suivre. Et je ne voudrais pas non plus que le souvenir que je laisse de moi-même à l'humanité soit cet air triste sur un quai au bord du lac.

Maintenant, je voudrais plus être comme, disons, Mégatron, dans *Transformers*. Un robot vraiment solide, sans émotions, qui n'a peur de rien et qui détruit tout sur son passage.

Mégatron est ma nouvelle idole.

Bon, OK, il a peut-être un penchant un peu trop destructeur.

Je vais choisir un robot plus gentil mais invincible, comme Optimus Prime.

Mais c'est mon maximum possible d'icône robotique.

Avoir de la peine pour Nicolas, ou pour mon père, ou pour toute autre chose est un sentiment que je connais très bien. Trop bien. Et qui se termine ici.

Lundi 12 novembre

Meeeeeeeeeeeeeeerdeeeeeeeeeeeee ! Il n'y a plus de Lucky Charms ! Oh noooooooooon ! Et moi qui avais hâte de me lever juste pour manger ces céréales !

Bon. Passons à autre chose. Je ne suis pas du genre à obséder sur des événements choquants qui m'ont causé une peine terrible. Alors non, ça n'est vraiment pas mon genre.

7 h 04

OK, c'est peut-être un peu mon genre. En fait, c'*était*. Mais plus maintenant (depuis hier). Alors, il n'y a plus de céréales. Pas grave. Je vais me faire du gruau. C'est très bon, du gruau. Ce n'est pas comme des céréales multicolores avec des guimauves et un super bon goût. Tellement bon goût que tu termines le bol, mais là, il reste du lait, alors tu ajoutes des céréales et là, il manque de lait, alors tu ajoutes du lait et il reste du lait et tu rajoutes des céréales et ainsi de suite.

Mais ça remplit son rôle nutritif.

De toute façon, le problème, avec des céréales trop bonnes, c'est qu'au rythme où je les mange, je termine la boîte très rapidement et il faut en racheter. Donc, un moins bon déjeuner fait économiser de l'argent.

Note à moi-même : Ma nouvelle façon de régler les choses, avec recul et froideur, est tout à fait appropriée à ma nouvelle personnalité de robot qui réagit de façon pragmatique. À l'avenir, tenter d'utiliser cette même façon de faire pour tout.

Note à moi-même n° 2 : Faire part à ma mère de ma nouvelle maturité économique. Peut-être que cette bonne nouvelle la rendra moins enragée.

7 h 15

Mmm... C'est bon, du gruau. J'ai mis du miel dedans et un peu de cannelle. (Bon, j'avoue qu'en mangeant mon gruau, j'ai parfois imaginé que je mangeais des Lucky Charms, et pour certaines bouchées, j'arrivais presque à goûter les guimauves. Ça doit être ça, le pouvoir de l'esprit.)

9 h

Aux cases, avec Tommy, nous parlons d'un travail d'histoire lorsque Jason arrive près de nous. Je les présente l'un à l'autre, nous parlons un peu, et Jason termine en me disant qu'on se revoit plus tard en français. Puis, je me tourne vers Tommy et je lui dis :

— Est-ce qu'il me regardait ?

Tommy : Ben c'est sûr qu'il te regardait, il était en train de te parler.

Moi : Oui, mais est-ce qu'il me regardait de façon spéciale ?

Tommy : Pas remarqué. Pourquoi ?

Moi : Samedi, après que Nicolas et moi on s'est laissés...

Tommy : Nicolas et toi ? Attends... Laissés pour la soirée ou laissés *laissés* ?

Moi : Laissés *laissés.*

Tommy : Tu ne m'as pas appelé pour me le dire ?

Moi : Non, parce que, ben, disons que ça s'est fait vite.

Tommy : Pourquoi ?

Moi : Ben, t'sais comment c'est, genre : « C'est fini, blabla. »

Tommy : OK, qui êtes-vous et où avez-vous mis Laf ? Non, mais sérieux, pourquoi c'est fini ? Je ne comprends pas. Nicolas, c'était... ben c'était... *lui*. J'sais pas.

Moi : Oh, bof, t'sais, on est jeunes, hein ? Ces affaires-là, ça va, ça vient, c'est comme... on ne se marie pas à notre âge. Fallait pas penser que ça durerait toujours. C'est toi qui m'as appris ça, même.

Tommy : OK, si tu ne veux pas m'en parler, c'est de tes affaires.

Moi : Bon, en tout cas, toujours est-il que quand ça s'est terminé avec Nicolas, Jason est apparu et il m'a dit que je ne choisissais pas les bons gars, et je me demande s'il tripe sur moi.

Tommy : Tu tripes sur ce gars-là ?

Moi : Ben, c'est pas nécessairement que je tripe sur lui, mais... comment je pourrais dire ça ? Ben, t'sais, des fois, ça fait des années que tu manges des Lucky Charms, pis là, un matin, il n'y en a plus, et tu manges du gruau et tu te rends compte que c'est bon aussi, le gruau. Pas comme les Lucky Charms, c'est sûr, rien ne remplacera les Lucky Charms, mais le gruau, ça goûte bon pareil.

Tommy : Heille, t'es vraiment *weird* ce matin. Je pense que j'aime mieux arriver en avance à mon cours que de continuer de te parler.

10 h 40

Juste avant d'entrer dans mon cours de français, j'ai croisé Nicolas. Je lui ai fait un sourire. Penser que de le revoir m'aurait fait quelque chose aurait été mal mesurer ma transformation en robot insensible. J'ai souri et hoché la tête, il a fait la même chose et ça ne m'a rien fait.

12 h 01

Nous avons procédé à la séparation de nos gangs, Nicolas et moi, sur l'heure du dîner. Kat, Tommy, JF et moi avons conservé la table où on mangeait. Nicolas, Raph et Patin mangent à la table de l'équipe de hockey. J'ai demandé à mes amis qu'on n'en parle pas. Du moins, qu'on n'en parle plus. Tommy a proposé que Truch et Mattéo mangent avec nous, mais Kat préfère que nous restions seulement nous quatre.

13 h 25

Je viens d'inviter Jason au cinéma. Et il a dit oui.

J'AI TELLEMENT HÂTE ! JE CAPOTE ! JE NE SAIS PAS COMMENT JE VAIS FAIRE POUR VIVRE MA VIE EN ATTENDANT CE RENDEZ-VOUS !!!!!!!!!!

À faire en attendant :

1- Me trouver des activités.

2- Appeler de vieilles connaissances pour leur demander des nouvelles.

3- Me tourner les pouces (ça peut compter comme un exercice).

4- Prendre beaucoup de tisane pour arriver à dormir.

Note à moi-même : Ce commentaire ironique était une gracieuseté de ma nouvelle personnalité de robot.

Note à moi-même n° 2 : Faut bien que je me motive.

Note à moi-même n° 3 : Vive le gruau.

Mardi 13 novembre

Je fais vraiment pitié. Style Ingrid Bétancourt période prisonnière. (Je suis très cultivée maintenant grâce à mes cours d'histoire et je suis pleine de références internationales de ce genre.) Sauf que moi, c'est à cause d'un rhume. Et j'ai une meilleure mise en plis.

Ma mère ne voulait pas que j'aille à l'école lorsqu'elle m'a vue enrhumée comme ça ce matin. Elle n'a pas trop compris lorsque je lui ai dit, encore endormie et un peu fiévreuse :

— Il n'y a rien (tousse, tousse) à l'épreuve (tousse, tousse) d'Optimus Prime (tousse, tousse).

J'insistais pour aller à l'école, mais elle n'arrêtait pas de me dire qu'elle ne comprenait pas mon obstination à vouloir y aller et que ce n'était pas mon genre. (Je ne l'ai pas mise à jour sur mes nouvelles résolutions d'être à l'épreuve de tout, alors c'est normal qu'elle n'ait pas compris, mais je n'avais pas assez de force pour lui en parler.) Je suis restée à la maison, faute d'arguments.

10 h

Ma mise en plis est vraiment pas pire pour quelqu'un qui a de si gros cernes, qui a le nez qui coule et qui crache de la morve verte.

Je suis présentement devant mon miroir, emmitouflée dans une doudou, à me demander comment mes cheveux ont fait pour se placer comme ça alors que je suis si mal en point. Il faudrait toujours que j'aie ce look capillaire.

Aussi, j'ai une plus belle voix. Assez sensuelle. Plus douce, un peu éraillée.

10 h 15

Bon, j'ai le rhume et, dans les circonstances, il faudrait que je me repose, mais c'est vraiment plate de se reposer. J'ai une théorie : si je fais comme si je ne m'étais pas aperçue que je suis affaiblie par un rhume, mon corps va se tanner et guérir. J'appelle ça « la guérison par le déni ».

J'ai cherché des vidéos de chansons que j'aime sur YouTube, celles avec les paroles en sous-titres, et je chante devant l'ordi. Je suis vraiment une bonne chanteuse quand j'ai le rhume, c'est fou. À en juger par mes performances, je pourrais faire une carrière internationale.

Note à moi-même : Lorsque mon système immunitaire est affaibli par le rhume, je suis une version rock star de moi-même. Tenter d'approfondir cette découverte et voir s'il peut y avoir une corrélation de type biochimique ou quelque chose du genre afin de savoir si avoir le rhume est un prérequis pour être une rock star.

Note à moi-même n° 2 : Tenter de voir si c'est possible d'avoir le rhume de façon permanente pour avantages capillaires *et* vocaux.

11 h

Je suis vraiment fatiguée. Je vais aller me coucher un petit peu. C'est dur, la vie de rock star.

Dans mon lit, pendant que je gémis (car j'ai réellement l'impression que ça me fait du bien), je pense à ma carrière internationale de chanteuse. Je pourrais arrêter tout de suite de chercher une carrière, car celle-ci me convient parfaitement. Le seul léger problème est qu'il faudrait que j'aie toujours le rhume, mais bon, détail. Pourvu que je puisse me reposer un peu entre mes performances, tout serait correct. Je ferais seulement de courtes prestations. Ce serait ma petite particularité. Après trois chansons, je sombrerais dans un coma profond. Bon, ç'aurait l'avantage de créer un phénomène de rareté qui ferait que plus de gens viendraient voir mes spectacles. Le lundi soir, je ferais trois chansons, le mardi, trois autres, et ainsi de suite. Ce serait du jamais vu, en plus. Et comme ce ne serait pas répétitif, je ne me tannerais pas de mes chansons. Vraiment, je trouve mon cerveau très fonctionnel en période de rhume et j'ai un sens inouï du marketing, même si je me mouche tellement fort que j'ai du mal à entendre mes propres pensées.

14 h 05

Je me réveille et je suis un peu mêlée. J'entends des voix. J'aperçois ma mère, portant un masque chirurgical (sûrement pour se protéger de mes bactéries, ce que je trouve quasi-exagéré), assise près de mon lit, qui tient le téléphone et dit à son interlocuteur :

— Ben non, je vais être correcte. Inquiète-toi pas.

J'ouvre tranquillement les yeux et lui demande (avec ma voix toujours éraillée de rock star) :

— Qu'est-ce que tu fais là ?

Ma mère : Oh, ma choupinette d'amour... Est-ce que je t'ai réveillée ? Scuse-moi... Es-tu correcte, ma cocotte ?

Moi : Ben oui. J'aurais vraiment pu aller à l'école. Je me suis juste endormie parce que je n'avais rien d'autre à faire. Pis qu'est-ce qu'on s'est dit pour « choupinette », « cocotte » pis ces affaires-là ?

Ma mère : Tu ne pourras pas m'en empêcher ! Ce n'est pas ma faute, quand je te vois, j'ai juste le goût de te dire des petits mots d'amour.

Dans ma tête, je me dis que ça n'est sûrement pas arrivé souvent ces temps-ci, mais je m'abstiens.

Elle me touche le front, me caresse les cheveux et me dit :

— Oh ! Aurélie, je suis tellement désolée... C'est vrai que je ne suis pas du monde ces temps-ci. Mais ça va passer... J'ai juste... des petites affaires à régler, dans ma tête.

Moi : OK... T'es bizarre avec ton masque.

Je ferme un peu les yeux.

Ma mère : Es-tu correcte ?

Moi (toujours les yeux fermés) : Oui.

Ma mère : Tu vas être forte, hein ? Tu...

Moi : Coudonc, t'es ben intense. J'ai juste un rhume, là !

Ma mère : Oui, mais tu sais, avec toutes les choses qu'on entend sur la grippe et tout... je suis inquiète.

Moi : J'ai cherché les symptômes sur Internet et ce n'est pas ça que j'ai.

Ma mère : L'autre jour, il y a un petit gars en super bonne santé qui... Oh mon Dieu... Je ne pourrais pas le supporter.

Elle a les larmes aux yeux.

Moi : Maman, capote pas, là ! T'es donc ben sensible... T'es *cute*. Mais je te jure, je suis correcte. T'as juste à aller dans l'historique de navigation de l'ordi pis tu vas voir que j'ai juste des symptômes de rhume pas grave. Écoute ma voix quand je chante (je lui chante un petit bout d'une chanson des Vulgaires Machins). Tu ne trouves pas que ça sonne vraiment bien, style rock star ?

Ma mère essuie ses larmes et rit.

Ma mère : Je suis tellement désolée pour tout ce que je t'ai dit l'autre jour. Je n'en pensais pas la moitié. Maudit qu'on n'a pas d'allure des fois quand on se chicane, ça n'a pas de bon sens. On dirait qu'on se tient pour acquises. Comme si on était invincibles. C'était pas si grave que ça, le party, il n'est rien arrivé et t'as fait tout le ménage. Je n'aurais pas dû te chicaner autant. Mais ne recommence pas trop souvent, OK ? Ce n'est pas parce que je te dis ça que je te permets d'en faire n'importe quand. Je voudrais seulement que tu m'en parles avant, c'est tout ce que je te demande. OK ?

Moi : Ben... OK. Mais je te jure que ce n'était vraiment pas un plan diabolique.

Ma mère : Je le sais, ma pitoune. On n'en parle plus. Je suis juste... incontrôlable ces temps-ci.

Moi (ironique) : Oh, je n'avais pas remarqué.

Ma mère rit et ajoute :

— T'es sûre que tu te sens bien ? Je vais aller te chercher de la soupe. As-tu dîné ? C'est important de garder des forces. Et... on pourrait se parler un peu, en mangeant.

Moi : Oh, oui, de la soupe, s'il te plaît.

Note à moi-même : Attraper le rhume est trèèèès pratique pour la résolution de conflits.

14 h 45

Ma mère revient avec un plateau, un bol de soupe au poulet et un sandwich au jambon.

Elle me dit :

— Hé, j'ai regardé l'historique, comme tu m'as dit, et j'ai lu sur un site que la grippe était un message que t'envoyait ton corps pour t'indiquer que tu es confuse. Intéressant, hein ? Es-tu confuse ?

Moi : Je ne crois pas à ça, ces affaires-là. Ce n'est pas scientifique. Je ne suis pas confuse DU TOUT. Au contraire. Même que je sais parfaitement où je m'en vais et que je suis forte comme un robot.

Je suis interrompue par une quinte de toux.

Ma mère : Tu vois ? Tu tousses quand tu dis que tu sais où tu t'en vas. C'est un message de ton corps.

15 h 01

En mangeant ma soupe et mon sandwich, sans grand appétit, j'avoue à ma mère (sûrement à cause d'un manque d'inhibition causé par les médicaments contre le rhume) que c'est terminé avec Nicolas. Elle me prend dans ses bras en disant :

— Oh... Pauvre minoune.

Moi : OK, là, surdose de petits mots. C'est correct si tu m'en dis un petit peu, mais faut pas abuser non plus. Il voulait que j'arrête d'être amie avec Tommy.

Ma mère : Hein ? Mais pourquoi ?

Moi : Il était comme un peu jaloux. J'sais pas. Je n'ai pas trop compris son affaire. Ben, oui, j'ai compris un peu. Mais non, pas vraiment.

Je suis une fois de plus interrompue par une quinte de toux.

Ma mère : Ah ha ! Confusion !

Je pose mon plateau sur ma table de chevet et je me couche en lui disant que je suis un peu fatiguée.

(À vrai dire, elle m'épuise avec ses théories de confusion.)

Ma mère : Mais... Tommy ? Tu ne vas pas arrêter d'être son amie, hein ?

Moi : Non. Sauf que... j'ai l'impression d'avoir choisi un ami que j'aime d'un amour, disons, d'amitié, au lieu du gars que j'aime d'un amour amoureux. Pis je trouve ça dur. Mais je me suis promis de ne pas me faire de la peine avec ça. C'est Nicolas qui est nono et qui a perdu quelque chose. Moi, j'ai juste perdu un gars qui n'acceptait pas que j'aie les amis que je veux. Ben... il ne me l'a jamais dit clairement comme ça, mais c'est ça que je comprenais. En tout cas, je ne comprenais pas, mais de toute façon, c'est du passé. Depuis deux jours.

Ma mère a les larmes aux yeux et me dit :

— Mon Dieu, ma fille, t'es tellement belle !

Moi : Je le sais, c'est ma mise en plis de rhume, moi aussi je trouve ça hot.

Ma mère : Non, c'est toi, tu es une belle personne. Je suis vraiment fière de toi.

Je sais que ça devrait être un moment magique, mais elle me fait rire avec son masque chirurgical, alors je suis incapable de me sentir touchée par son élan émotif.

Moi : Maman, t'sais, j'ai lu sur la ménopause pis ça se pourrait que tu aies une ménopause précoce. C'est rare, mais ça arrive.

Ma mère : En fait, euh, c'est pas tout à fait ça, c'est que... je voulais te dire...

François arrive dans ma chambre avec un bouquet de ballons, un toutou et un sac de pharmacie en s'écriant :

— Pis, comment ça va, la grande malade ?

Moi : Vous exagérez, franchement ! J'ai juste un rhume !

François : France, tu ne devrais peut-être pas trop t'approcher, si elle est contagieuse...

Ma mère : Je sais ce que je fais. Je n'ai jamais attrapé les rhumes de ma fille et je m'en suis toujours occupée !

Elle pointe son masque.

François : Oui, mais...

Ma mère : Laisse-moi gérer ça, s'il te plaît.

Ah ! C'est là que ça sort, que François est total diabolique ! Il ne pourra pas me convaincre du contraire, même avec un bouquet de ballons et un toutou laid ! Ah ! Je le savais ! Bien sûr, je me suis récemment laissée attendrir, mais c'est dans des cas extrêmes (ici, mon rhume) que la vraie personnalité des gens ressort. Ma mère a l'air de le réaliser elle aussi en ce moment, car elle le regarde avec des yeux vraiment menaçants. Ils vont peut-être se séparer. Et on va sûrement redéménager.

Peut-être que les gens qui ont acheté notre ancienne maison nous la revendront, et tout redeviendra comme avant.

Oh, ce serait vraiment trop cool!

Je me sens toute soulagée à cette perspective.

Je leur dis que je voudrais me reposer un peu en regardant des films de filles. Ma mère me demande si elle peut les regarder avec moi et je dis oui. Je me sens victorieuse par rapport à François. Il pensait nous avoir avec sa gentillesse. Mais les Charbonneau/Laflamme ne sont pas des nouilles avec les hommes. Oh non. On est fortes. On ne se laisse pas avoir si facilement.

En tout cas, ma mère, version ménopause précoce, est cool malgré son comportement parfois insaisissable.

Mercredi 14 novembre

À en juger par ce que tout le monde dit, il ne me reste plus grand temps à vivre. À cause de la grippe (diagnostic confirmé hier soir par un médecin de la clinique où François m'a emmenée de force). Il paraît que la grippe a emporté des gens comme moi. Peut-être pas comme moi, dans le sens « même personnalité », mais dans le sens « même groupe d'âge ». D'après l'inquiétude que je peux lire sur le visage de tous ceux qui m'entourent, j'ai l'impression d'avoir une maladie incurable.

C'est inquiétant.

Je crois que ça me fait peur. Mourir, je veux dire. Parfois, j'y pense. Je suis tellement maladroite. Je pourrais débouler les escaliers, me frapper la tête et mourir des suites d'une fracture du crâne.

Ou encore marcher, être dans la lune, ne pas remarquer que des gens travaillent dans une bouche d'égout et tomber dedans.

Ou encore sortir de la douche, laisser plein d'eau sur le plancher (ma mère trouve toujours que je fais trop de traces d'eau en sortant de la douche), me sécher les cheveux, piler dans une flaque et m'électrocuter.

Ou encore avaler tout rond un morceau de chocolat et m'étouffer.

Je suis peut-être mieux de faire un testament.

À : Héritiers
De : Aurélie Laflamme

Chers héritiers,

Je lègue à...

13 h 51

Vraiment trop ennuyant, de faire un testament ! C'est comme faire du ménage, mais sur papier. Ouach ! Mes proches se sépareront mes biens comme ils veulent ! Peu m'importe qui partira avec ma collection d'autocollants datant de mon primaire, mes vieilles photos, mes vêtements ou ma télé. Je ne serai plus là pour voir qui a pris quoi ! Si j'étais millionnaire, j'essaierais de faire un partage équitable, mais je ne crois pas que mes 101,56 $ en banque créeront une grande chicane parmi mes héritiers.

13 h 53

Par contre, avant de mourir, j'ai des choses à accomplir (et je ne parle pas de tâches ménagères imposées par ma mère ou de devoirs à remettre pour l'école).

13 h 54

À : J.K. Rowling
De : Aurélie Laflamme
Objet : Offre de services

Bonjour madame Rowling,

Auparavant, je n'aurais pas osé vous écrire, mais comme mes jours sont peut-être comptés, j'ose cette fois-ci vous faire cette proposition saugrenue.

J'aimerais vous rencontrer pour éventuellement collaborer avec vous dans un de vos projets. J'adore ce que vous écrivez et j'écris moi aussi (pour le plaisir), alors je serais toute désignée pour vous servir de stagiaire.

Avez-vous des disponibilités la semaine prochaine (sauf mercredi, j'ai un examen) ? Je pourrais aller en Écosse et nous pourrions dîner ensemble, mais je pourrais aussi vous rencontrer à votre bureau (je ne sais pas si j'utilise le mot « bureau » à bon escient. Est-ce qu'une écrivaine travaille dans un « bureau » ?), bref, à l'endroit où vous travaillez, peu importe comment vous l'appelez (pour ma part, si j'étais écrivaine et que j'avais à nommer le lieu où je travaille, je l'appellerais

« Sylvie », question de le personnaliser, mais également parce que je n'aime pas dire « bureau », c'est un peu trop conventionnel, surtout pour un métier non traditionnel comme celui d'écrivain, mais c'est un choix bien personnel).

Bien à vous,

Aurélie Laflamme

xx

P.-S. : Je pourrais également vous offrir mes conseils pour améliorer votre site Internet un peu plate. Ça me ferait plaisir.

14 h 13

À : Robert Pattinson
De : Aurélie Laflamme
Objet : Votre destinée

Cher Robert,

Je ne vous aurais jamais écrit cette lettre si ce n'était que ma vie est en danger à cause de la grippe.

J'ai su par le *Miss Magazine* que vos amours sont assez tumultueuses. Vous semblez avoir du mal à vous brancher sur l'une ou l'autre de vos prétendantes. De Kristen Stewart à Emilie De Ravin en passant par Nina Schubert. Ouf ! Ça ne semble pas être très stable, tout ça.

Peut-être n'avez-vous tout simplement pas rencontré la bonne personne.

Comme je suis célibataire depuis peu, je serais toute désignée pour être celle qui partage votre vie. Je connais bien votre carrière et je serais capable de vivre avec le fait que vous n'aimez pas prendre votre douche (comme le rapportent certains de vos collègues dans les magazines à potins). Il m'arrive aussi de ne pas prendre la mienne. Bon, ça arrive très rarement. Genre, quand je suis en camping et qu'il ne reste plus d'eau. Mais tout ça pour dire que je comprends comment ce genre de chose peut arriver. Évidemment, je préfère sortir avec des gars qui sentent bon. Mon ex, par exemple, sentait toujours très bon. Je ne vous raconte pas ça parce que je suis accrochée au passé. Non, non ! Au contraire, je pense qu'il est très sage de fréquenter des gens très différents. C'est pourquoi il serait très sage de passer d'un gars qui sent très bon à un gars à l'hygiène douteuse comme vous.

Dans cet ordre d'idées, j'aimerais vous inviter à m'accompagner à mon bal de finissants, qui aura lieu à la fin juin.

Merci de me considérer comme blonde potentielle et de me revenir sous peu. Je ne voudrais surtout pas vous mettre de pression, mais il se peut que, si je ne reçois pas de réponse positive de vous dans les deux semaines, je me fasse un autre chum. Dans ce cas, vous aurez manqué votre chance. Ce n'est pas que je suis pressée de me caser, mais mes jours sont peut-être comptés à cause d'une grippe et je veux profiter de la vie au maximum avant mon passage dans l'au-delà.

Bien à vous,

Aurélie Laflamme

XXOXXOXXX

14 h 56

À : *Miss Magazine*
De : Aurélie Laflamme
Objet : Contradiction dans votre magazine

Cher *Miss Magazine*,

Dans le *Miss Magazine* de septembre, un article nous explique comment réaliser la nouvelle coiffure à la mode, mais, cinq pages plus loin, il y a un article qui explique qu'il ne faut pas miser sur notre look, que si on se sent bien dans notre peau, tout le monde se fichera bien de nos vêtements ou de notre coiffure.

Il me semble que vos numéros manquent de plus en plus d'unité et de cohésion. Vos articles se contredisent souvent (cet exemple en est la preuve).

C'est avec plaisir que je vous offre mes services à titre de consultante, car, étant abonnée à votre magazine depuis plusieurs années, je suis devenue experte dans ce domaine (*Miss Magazine*).

Aussi, je ne voudrais pas me vanter, mais en tant que future blonde d'une vedette très connue (sans le nommer, disons simplement que son nom commence par R et qu'il finit par obertpattinson), je pourrais vous faire part de certains *scoops*, sans toutefois dévoiler tous les détails, par souci de préserver notre vie privée.

Ayant un horaire chargé en raison de mes études secondaires, je ne pourrais malheureusement vous offrir plus d'une journée par semaine, mais ce serait amplement suffisant pour observer les incongruités de vos numéros, car ça me prend environ dix minutes pour les noter lorsque je feuillette le magazine à la maison.

J'attends de vos nouvelles dans les plus brefs délais, car j'ai de très fortes chances de mourir des complications de la grippe.

Votre dévouée,

Aurélie Laflamme

15 h 01

À : Aurélie Laflamme
De : Postmaster
Objet : Notification de l'état de remise

Ce rapport fait référence à un message envoyé avec les champs d'en-tête suivants :

From : Aurélie Laflamme

To : JKRowling@meilleureauteuredumonde.com

Subject : Offre de services

Le message ne peut pas être remis aux destinataires suivants :

Adresse du destinataire : JKRowling@meilleureauteuredumonde.com

Reason : Illegal host/domain name found

Action : Failed

Status : 5.4.4 (Illegal host/domain name found)

15 h 02

À : Aurélie Laflamme
De : Postmaster
Objet : Notification de l'état de remise

Ce rapport fait référence à un message envoyé avec les champs d'en-tête suivants :

From : Aurélie Laflamme

To : robertpattinson@plusbeaugarsdumonde.com

Subject : Votre destinée

Le message ne peut pas être remis aux destinataires suivants :

Adresse du destinataire : robertpattinson@plusbeaugarsdumonde.com

Reason : Illegal host/domain name found

Action : Failed

Status : 5.4.4 (Illegal host/domain name found)

15 h 15

À : Postmaster
De : Aurélie Laflamme
Objet : Re : Notification de l'état de remise

Cher « Maître des postes »,

Bien sûr, j'habite dans un pays bilingue. Je suis toutes les semaines des cours d'anglais et, bien que ce ne soit pas ma matière forte, je comprends assez l'anglais pour avoir déduit que vos messages automatiques m'indiquaient que mes messages ne se sont pas rendus à destination.

Je suis tout de même assez outrée de voir que vous n'avez pas de version française complète de vos messages automatiques. Après vérification, je peux affirmer que, dans nos préférences, nous avons choisi la langue française comme langue de correspondance avec vous. Puisque nous payons nos factures chaque mois sans délai (enfin, je crois, car ce n'est pas moi qui m'en occupe), nous aimerions que cette « préférence » soit respectée. Nous sommes dans un pays bilingue, il n'y a pas qu'aux francophones à s'adapter à cette réalité.

Merci de votre compréhension,

Aurélie Laflamme

15 h 16

Les médicaments contre la grippe sont plus forts que je pensais et je suis retournée me coucher, pensant qu'avec des médicaments si puissants je devais être sur la voie de la guérison.

P.-S.: C'est vraiment épuisant avoir la grippe.

Aveu : Je m'ennuie presque de l'école. (?!)

Jeudi 15 novembre

Je crois aux vertus de la zoothérapie. J'ai l'impression que ma grippe ne durera pas longtemps, car j'ai un chat, et il est prouvé hors de tout doute que côtoyer des animaux contribue à une bonne santé. Bon, peut-être pas « hors de tout doute ». Mais certaines études prouvent que les propriétaires d'animaux ont une meilleure santé. Bon, OK, je n'ai rien trouvé de *précis* ni de *scientifique* à ce sujet et j'étais beaucoup trop fatiguée pour approfondir mes recherches. Mais, sur les sites que j'ai consultés, certaines personnes disent avoir vu leur état de santé s'améliorer grandement au contact d'un animal de compagnie. Je vais donc coller Sybil, lui parler, l'observer, bref, profiter de tous les bienfaits de la zoothérapie.

9 h 17

Ma zoothérapie mange mes lacets.

9 h 20

Ma zoothérapie court après des proies imaginaires et saute comme une torpille en l'air. (Ça fait peut-être partie du traitement ?)

Constat : Les chats ne savent pas manipuler un thermomètre et confondent occasionnellement cet objet avec un jouet. Et ils n'ont pas l'esprit d'initiative quand vient le temps de rendre des services tels qu'apporter de l'eau à leur maître déshydraté.

Conclusion : La zoothérapie n'est pas vraiment une méthode *efficace* contre la grippe.

Lundi 19 novembre

On se rend compte qu'on a vieilli lorsqu'on dit des choses normalement dites par nos grands-parents, comme: « On n'a plus les étés qu'on avait », ou encore: « Y fait noir comme chez le diable », ou encore, dans mon cas: « La grippe était forte c't'année. »

Mon retour en classe, aujourd'hui, après une absence d'une semaine, a été assez difficile. J'aimerais que la machine à voyager dans le temps soit inventée le plus vite possible. Comme ça, je pourrais aller dans le futur copier mes devoirs. Ça m'économiserait beaucoup de temps et d'énergie.

J'ai passé une semaine au lit. Ma mère et François se sont occupés de moi. Ma mère n'a pas parlé de déménagement. J'imagine que l'alerte causée par mon état de santé (on parle toujours ici de la grippe) a créé un rapprochement entre eux et qu'ils ont remis leur séparation à plus tard.

Tommy est venu me voir tous les jours après l'école. Il se tenait de l'autre bord de la fenêtre et on se parlait à l'aide de nos téléphones cellulaires. Il est vraiment drôle. Il apportait mes devoirs, qu'il laissait sur le bord de la porte pour ne pas attraper mes germes. Ma mère était tellement contente qu'il fasse ça qu'elle lui a proposé... de l'argent ! Les mères sont vraiment bizarres, des fois. Tommy a vraiment ri quand elle lui a tendu vingt dollars. Il a refusé poliment. Je lui ai dit qu'il aurait dû accepter et m'acheter du chocolat avec l'argent. Et, le lendemain, il m'a apporté du chocolat. Je n'ai trouvé aucun site qui confirme que le chocolat guérit la grippe, mais le lendemain j'allais déjà mieux, alors je pense désormais que le chocolat est bon contre la grippe et je l'ai annoncé sur un forum santé.

De son côté, Kat m'écrivait des messages textes tous les jours et m'appelait après l'école. Comme elle a des cours avec Nicolas, elle m'écrivait parfois des choses sur lui, du type « espionnage ». Mais je lui ai demandé d'arrêter. Je ne veux plus entendre parler de lui.

Si la grippe est la confusion du corps, je ne suis plus confuse du tout. En fait, dans tout processus pour devenir un robot, il y a une transformation. Et je crois que la mienne a passé par la grippe. Maintenant, je suis une autre fille. Une fille-robot. Bip-bip. Je suis maintenant parée contre toute émotion.

P.-S. : J'ai revu Jason et il m'a demandé si j'avais seulement attrapé la grippe pour ne pas avoir à aller au cinéma avec lui. Ça m'a fait rire, mais je n'ai pas proposé de reporter notre sortie à plus tard. J'ai tout de suite répondu que je n'étais pas encore tout à fait rétablie.

En le disant, je me suis demandé si je parlais bel et bien de ma grippe. Hum... (Cet aveu catégorie « secret d'État » s'autodétruira dans une seconde !!!!!)

Mardi 20 novembre

Coudonc ! Qu'est-ce que j'ai manqué pendant mon absence ? On dirait que le monde est complètement transformé. Bon, par « le monde », je veux surtout dire « Kat » et, par « transformé », je veux surtout dire qu'elle a l'air étrange. Et par « étrange », je veux surtout dire que je l'ai surprise avec Truch en train d'avoir une conversation qui avait l'air complètement top-secrète, car lorsque je suis arrivée près d'eux (dans le coin de la case 0777, car j'allais me chercher un jus de pomme dans la machine distributrice), ils ont arrêté de parler et ont affiché un air coupable. Et par « air coupable », je veux dire « yeux-de-poissons-qui-te-fixent-comme-s'ils-n'avaient-jamais-appris-à-cligner ».

Truch dit :

— Oh, faut pas trop l'approcher, t'à coup qu'elle est encore contagieuse.

Je regarde Kat en roulant des yeux pour montrer mon dégoût envers son ex. Elle répond par un rire niais.

Théorie : Je suis morte et je suis en enfer.

À l'agenda : Tenter de conserver mon attitude robot et ne pas me laisser affecter par des choses sans réelle gravité (au cas où je serais toujours vivante).

Jeudi 22 novembre

À effacer du calendrier. (Je ne sais pas si, à force de dire ça, il restera des jours qui valent la peine que je me les remémore dans ma vie, ou seulement des jours qu'il vaut mieux oublier.)

S'il ne s'agissait pas d'une extrême humiliation à plusieurs niveaux de honte, je ne la raconterais même pas.

J'ai présentement l'estomac complètement à l'envers.

Tout a commencé alors qu'aujourd'hui j'avais besoin de tampons. Je commençais mes règles (en tout cas, pas important). Kat m'a dépannée pendant la journée, mais un tampon, ce n'était pas assez (mais bon, blabla, comme je dis, pas important). Tout ça pour dire qu'après l'école, Kat et moi sommes allées à la pharmacie. Tommy et Jean-Félix ont décidé de nous suivre en nous demandant pourquoi nous allions à la pharmacie. Je n'avais pas du tout envie de partager mon intimité avec eux (raison : ce sont des gars et je n'avais pas le goût qu'ils me taquinent avec ça), alors j'ai prétexté que je devais ABSOLUMENT m'acheter un œuf de Noël en chocolat (ils sont géants et Julyanne en a acheté un hier, alors c'est la première chose qui m'est venue en tête). Les gars ont protesté, me posant des questions du genre : « Est-ce vraiment nécessaire ? », ou en me donnant des conseils, comme : « Si c'est pour ton dessert, vas-y après le souper. » Kat s'est fâchée et leur a dit d'aller nous attendre chez Tommy s'ils ne voulaient pas suivre notre plan, mais ils ont insisté pour venir avec nous, promettant qu'ils ne diraient plus rien.

À la pharmacie, la porte automatique ne s'est pas ouverte à mon arrivée, ce qui a fait rire Tommy qui m'a taquinée :

— Hahahaha ! Tu n'es même pas détectée par les cellules photosensibles.

J'ai regardé Kat en lui lançant un regard qui signifiait : « Comment on va faire pour se débarrasser d'eux ? »

Kat m'a proposé d'aller chercher mes tampons pendant qu'elle allait distraire les gars. Elle m'a dit de sortir mon cellulaire et qu'elle m'avertirait de leur position dans la pharmacie par message texte.

Je me suis promenée dans les allées à la recherche de tampons et je les ai trouvés. Je recevais des textos de Kat, et je lui ai indiqué la rangée où j'étais pour qu'elle éloigne les gars le plus possible. J'ai choisi ma sorte et je me suis dirigée vers le comptoir pour payer, mais, réalisant que j'avais oublié mon œuf en chocolat géant, le fameux prétexte de ma visite ici, j'ai quitté la file pour aller en chercher un. J'ai vu Kat au loin, mais lui ai fait signe de s'éloigner, et je l'ai vue se retourner vers Tommy et Jean-Félix pour les conduire plus loin.

J'ai payé et je me suis dirigée vers la sortie, me disant que j'allais en profiter, pendant que j'attendais tout le monde dehors, pour cacher mes tampons dans mon sac d'école. Mais alors que je passais les portes, celles-là même qui avaient été incapables de détecter ma présence quelques minutes plus tôt, le système d'alarme s'est déclenché et ça s'est mis à sonner dans mes oreilles. Je me suis arrêtée, morte de honte d'avoir autant d'attention sur moi. J'ai entendu une dame âgée s'exclamer : « Ah, les jeunes », comme si, vu que je suis jeune, c'était normal que je fasse sonner les systèmes d'alarme. Elle devait penser que j'avais commis un délit grave, alors que je suis total innocente (innocente dans le sens de non coupable, bien sûr).

Un agent de sécurité à l'air vraiment menaçant s'est approché de moi et m'a demandé de vider le contenu de mon sac devant lui.

Au même moment, j'ai senti la porte s'ouvrir et un coup de vent ébouriffer mes cheveux. Je me suis retournée et, à travers quelques mèches de cheveux qui tombaient sur mon visage, j'ai aperçu Nicolas, suivi de Raphaël et Patin.

C'est à cet instant que mon estomac s'est noué.

16 h 43

J'enlève mes cheveux de mon visage.

L'agent de sécurité est toujours à côté de moi, fouillant mon sac.

Nicolas me regarde et me sourit faiblement. Mais vraiment faiblement. En fait, à bien y réfléchir, c'est soit un sourire, soit une tentative pour enlever quelque chose entre ses dents, mouvement qui provoque un rictus. Difficile à dire. Après tout, un mouvement d'un côté de la bouche vers le haut n'est pas forcément un sourire. La bouche peut faire toute une série de mouvements n'ayant aucun rapport avec le sourire. Mais comme je n'ai pas de connaissances approfondies en anatomie buccale, je ne peux pas donner d'exemples.

À l'agenda (tâche que j'ai malheureusement toujours remise à plus tard) : Chercher le nombre de mouvements, à part un sourire, que peut faire une bouche.

À l'agenda n° 2 : Tenter d'éliminer ma propension à la procrastination.

16 h 44

Nicolas passe tout près de moi. Le premier réflexe de mon cœur serait de se serrer, et le premier réflexe de mon souffle serait de s'arrêter, mais je me souviens soudainement de ma robotisation et je décide de contrôler ces restes de sentiments humains indésirables. Je réponds à son faible rictus par un faible rictus, tout en essayant de conserver une contenance pendant que l'agent de sécurité fouille mes poches.

Puis, Kat, Tommy et Jean-Félix arrivent et me voient avec l'agent de sécurité. Ils me font des signes d'incompréhension auxquels je réponds par un haussement d'épaules. Je regarde au loin et je vois Nicolas, Raphaël et Patin saluer mes amis.

Voyant que je n'ai rien volé, l'agent de sécurité me laisse partir en m'avertissant qu'il m'aura à l'œil. (Si seulement il savait que je me sens encore coupable pour les quelques craies que j'ai volées en début d'année, tsss !)

Une fois dehors, Tommy dit :

— Si tu n'avais pas assez d'argent pour payer ton œuf, t'avais juste à nous le dire!

Moi: Ha. Ha. Ha. Très. Drôle.

21 h 54

En faisant des recherches sur les mouvements, autres qu'un sourire, que peut faire une bouche, sans succès (je crois que c'est une information tenue secrète par la NASA ou le FBI ou la CIA ou un truc du genre comportant plusieurs lettres majuscules), je ressens un élan de colère et j'écris un courriel.

À: Nicolas Dubuc
De: Aurélie Laflamme
Objet: Sans objet

Salut,

Je...

Tu...

Tout ça pour dire que...

Je voulais te dire que...

En tout cas, c'est ça...

Je te le dis bien carré...

Je te trouve semi-con!

Mon cœur, tu ne l'as plus!

À+

Note à moi-même: Ce courriel est comme de l'art moderne, car les deux dernières lignes se terminent de la même façon mais disent des choses différentes. Limite digne d'un musée.

22 h 01

Évidemment, je n'ai pas envoyé ce courriel très peu éloquent. Mais ça m'a fait du bien de l'insulter, disons, « cosmiquement ». Une vraie libération.

P.-S. : En plus de marquer cette date comme « jour où j'ai vécu une humiliation extrême pour cause de tampons et de cellules photosensibles », je marque cette date comme celle de ma démission complète du monde de la rébellion. Trop d'émotions fortes inutiles, surtout pour un robot, et ce, même quand on est non coupable.

P.P.-S. : À la pharmacie, j'ai acheté des craies, question de réparer mon erreur karmique, au cas où tout ce qui m'arrive y serait lié.

Vendredi 23 novembre

Oh mon Dieu ! Je ne sais pas si c'est mon cerveau qui m'envoie des messages, du genre pour me récompenser d'avoir insulté « cosmiquement » Nicolas, mais j'ai rêvé à Jason. Un rêve assez sexy où il m'embrassait. Ouf, j'en suis encore toute retournée.

En personne, il n'est pas tout à fait mon genre, mais là, à cause de mon rêve, il m'apparaît aussi excitant que... qu'un gars non identifié que je trouverais sexy, disons. Je suis présentement dans mon cours de français et je n'arrête pas de le regarder amoureusement.

10 h 59

Oups, merde. Il m'a vue. J'ai fait semblant qu'il y avait une mouche au-dessus de moi en faisant des simagrées avec mes mains pour avoir l'air d'avoir regardé dans le vide pour une bonne raison. Mais là, le prof m'a vue gigoter et il m'a demandé si j'étais correcte. Il a semblé sceptique lorsque j'ai mentionné ma chasse aux mouches, mais il est rapidement passé à autre chose, ce qui m'a soulagée.

11 h 59

Après le cours, je suis allée voir Jason pour lui dire que, finalement, je me sentais mieux et que, si ça lui tentait, on pourrait aller voir un film ce soir. Il a dit oui. Je dois avouer que ça ne m'a pas procuré la plus grande excitation du monde, mais que je suis quand même contente.

Après avoir réglé le sujet « film », j'ai attendu que Jason parte (comme il ne partait pas, nous sommes restés l'un devant l'autre à nous regarder ; c'était un peu gênant). Et quand il a fini par me dire « bye » après cet interminable moment, j'ai mis subtilement les craies dans le tiroir de mon prof. Fiou. Une bonne chose de faite !

19 h 03

Devant le guichet, au cinéma, Jason et moi tentons de choisir notre film.

Je lui propose une comédie et il suggère plutôt un film dont je n'ai jamais entendu parler, en suédois, sous-titré en français. En fait, je crois que lui et moi n'avons pas vraiment les mêmes goûts, disons, artistiques. Ce soir, je voudrais un divertissement; de son côté, il voudrait voir une œuvre d'art.

Moi: Je n'aime pas trop les choses sombres.

Lui: Pourquoi?

Moi: Je ne sais pas, ça m'affecte, ça me déprime.

Lui: Pourquoi? Ça n'a pas rapport avec toi.

Moi: J'sais pas... Ça fait surgir des émotions que ça ne me tente pas de vivre.

Lui: Comme quoi?

Je hausse les épaules et dis:

— Bon, c'est pas grave. On n'est pas obligés de voir une comédie. Il y a un entre-deux qui te tenterait?

Lui: OK, tu ne veux vraiment pas les vivre, ces émotions-là, pour abandonner si rapidement.

Moi: C'est ça.

Lui: Moi aussi, j'ai vécu de grosses émotions dans ma vie. Mais ça ne me dérange pas de voir des choses sombres. On dirait que ça me libère.

Moi: Ah. Chacun sa façon.

Il me regarde, joue avec son portefeuille qu'il a sorti de sa poche et me confie:

— Ma mère est morte.

Je lève les yeux vers lui et dis:

— Ah... Moi aussi. Ben pas ma mère, mon père.

Lui: Pis t'aimes mieux en rire?

Moi: Ben... non... Mais juste pas être en contact avec des choses trop tristes. Pour ne pas me remettre dans l'ambiance de ces émotions-là. Ben... des fois, j'écris des poèmes. Une fois, j'ai écrit un poème sur mon père et je l'ai lu en public et j'ai pleuré. Alors, j'essaie d'éviter. Surtout ces temps-ci. T'avais quel âge quand... ?

Lui : Quatre ans.

Moi : Comment... ton père a réagi ?

Lui : Il a beaucoup bu.

Moi : De l'alcool ?

Lui : Non, du jus de raisin. Ben oui, de l'alcool ! Pis il s'en est sorti, il a rencontré une autre femme, plus jeune que lui, et il a eu trois autres enfants. Tout le monde me déteste. Toi ?

Moi : J'avais neuf ans... Ma mère a rencontré un homme il y a un petit peu plus d'un an. Et on a déménagé.

Lui : C'est le début de la fin.

Moi : Ben non ! Tu vois tout en noir !

Mon cœur se serre dans ma poitrine et j'ai soudainement du mal à respirer.

Lui : Ça va ?

Moi : Tu vois... je n'aime pas ça, parler de ces choses-là, ça me fait sentir mal.

Il ne dit rien. Et on continue de se lancer des idées de films. Évidemment, il trouve que tout ce que je veux voir est trop « fi-fille ». Il propose qu'on laisse tomber le film et qu'on marche.

19 h 32

On marche.

Il fait assez chaud pour un soir de novembre.

Jason me raconte qu'il aimerait réaliser des films plus tard. Il me dit qu'il a déjà commencé à en tourner, rien dont il soit super fier encore, mais il tripe. Il me demande :

— C'est quoi ton film préféré ?

Je réfléchis.

Lui : Pas *Twilight*, j'espère ?

Moi : Bon, je sais, les gars, vous n'aimez pas *Twilight*, on le sait !

Lui : OK, j'ai un aveu à faire. J'aime ça un peu, *Twilight*. Même que... quand j'ai vu le deuxième, je fantasmais de devenir un loup-garou.

Je ris. Je n'arrive tout de même pas à répondre à la question. Exemple : j'ai déjà aimé *La Petite Sirène*. Mais plus maintenant. Alors, quel est mon film préféré ?

Voyant que je n'arrive pas à répondre, il me pose plein d'autres questions du genre « C'est quoi ta couleur préférée ? » ou « C'est qui ton prof préféré à l'école ? ». Je réalise que je dois vraiment me creuser la tête pour répondre. Et que je réponds souvent quelque chose de mon passé. Par exemple, pour ma couleur, avant c'était rose, mais maintenant, je ne sais plus. Et mon prof préféré, l'an dernier, c'était Sonia, ma prof de français, mais cette année, en ai-je un ? Diane, peut-être, la prof d'art dramatique. Tentative de réponse :

— On dirait que c'est avec du recul que je suis capable de dire ces choses-là. Sur le coup, je ne sais pas trop. J'aimerais ça être comme toi et savoir ce que je veux faire dans la vie et quelles sont exactement mes passions. Mais...

En fait, son questionnaire tout simple me donne l'impression de passer un examen. Et je suis en train de le couler, car je ne connais pas les réponses. Je ne sais plus trop qui je suis, ce que j'aime, ce que je veux faire.

Moi (qui continue) : Merde, ça me déprime, ton questionnaire, parce que... je ne sais pas.

(En prenant une voix dramatique :) Qui suis-je ? Où vais-je ? Que deviens-jeeeee ?

Il rit.

Lui : As-tu déjà fait des affaires vraiment *wild* ?

Moi : Euhm... T'es sûr que tu veux être cinéaste et pas enquêteur de police ?

Lui : OK, j'ai ma réponse.

Moi : OK, j'ai volé des craies au prof de français.

Jason : C'est ça, ton affaire *wild* ? T'as volé une craie ?

Moi : PLUSIEURS craies ! Mais je les ai remises. Aujourd'hui, d'ailleurs.

Il rit pendant mille ans (OK, trois minutes).

Moi : Ben un vol, c'est un vol. Toi, qu'est-ce que t'as fait ?

Jason : Je ne peux pas te le dire, tu vas me trouver trop con.

Moi : Ben non, allez !

Jason : J'sais pas... Des graffitis, des fois. Écrire mon nom sur un mur en pissant...

Moi : Aaaaaaaaark, c'est donc ben con ! Un mur extérieur, j'espère ?

Jason : Ben oui, extérieur, nouille !

Moi : Oh ouach ! Vraiment cave.

Jason : Je te l'avais dit ! OK, j'arrête de t'en dire, madame J'ai-volé-une-craie-pis-c'est-un-délit-grave.

Moi : Non, mais si je deviens bandit à cause de ça, tu vas te sentir mal d'avoir minimisé mon vol.

Jason : OK, on change de sujet. C'était quand, ton premier french ?

Moi : À quatorze ans.

Jason : Quatorze ?

Moi : Euh, non, douze, scuse !

Jason : Douze ou quatorze ?

Moi : Quatorze...

Jason : T'étais donc ben en retard !

Moi : Ç'a juste pas adonné... avant. J'allais dans une école de filles...

Je n'ai peut-être pas une grande expérience en gars. Ni même en french, puisque j'ai commencé en retard. Mais je sais très bien que sa question n'était pas anodine. Et, comme je l'avais deviné, il s'arrête de marcher pour me regarder. Me fait un compliment. Et se penche pour m'embrasser. Mais un peu avant que sa bouche ne vienne se coller sur la mienne, je penche un peu la tête vers le sol (timidité) et je réalise que la fermeture éclair de mes jeans est ouverte ! (Quand je marchais, j'essayais d'adopter une attitude nonchalante mais sexy, avec mains dans les poches ; ç'a dû forcer la fermeture éclair, ce qui expliquerait pourquoi certains passants me regardaient avec ce grand sourire.) Alors, je m'écrie (en la refermant) :

— Wouaaaaaaah ! ! ! ! ! ! ! ! ! !

Jason : OK, c'est la première fois que je fais cet effet-là à une fille...

Moi : Ma fermeture éclair était ouverte ! Au secouuuuuuuurs !

Même des écureuils se sont sauvés.

Il prend le col de mon manteau et me tire vers lui pour m'embrasser.

Étrangement, je ne ressens pas ce que j'avais ressenti dans mon rêve sexy le mettant en vedette. J'arrête de l'embrasser en prétextant avoir encore le nez bouché et j'ajoute à la blague que je risque de mourir étouffée, car je ne suis pas capable de respirer par mon nez.

Il rit et on continue à marcher jusqu'à un café et on va manger un dessert.

Samedi 24 novembre

— C'est normal que tu n'aies rien ressenti, me dit Tommy alors que je lui raconte ma soirée, au téléphone.

Moi : Oui, mais dans mon rêve, je le trouvais vraiment hot ! Toute la journée d'hier, je ne pensais qu'à lui et tout.

Tommy : Tu pourrais rêver que t'embrasses une pieuvre et tu n'irais pas nécessairement regarder des photos de pieuvres toute la journée le lendemain en soupirant de désir pour elles. Un rêve, c'est un rêve.

Moi : Il est quand même cool, Jason... Pourquoi je n'ai pas de papillons ?

Tommy : Dur d'avoir des papillons quand le roi des libellules rôde dans les parages.

Moi : Une libellule, ça ne rôde pas.

Tommy : Ben là, t'as compris !

Moi : Ben oui, mais la force d'une métaphore, c'est la précision. Sinon, ç'a juste pas rapport.

Tommy : Faut que je te laisse, je m'en vais travailler.

10 h 13

En raccrochant, je prends mon agenda scolaire et je raye le nom de Nicolas partout où je l'avais écrit. (En fait, je voulais réellement faire un devoir d'histoire, mais cette tâche m'a semblé soudainement prioritaire étant donné l'effet supposément dévastateur des « libellules » sur ma conscience.)

11 h 22

Si je me dépêche, je pourrai peut-être aller rejoindre Kat et JF au centre commercial pour dîner avec eux.

Je vais à la cuisine et je vois un mot de ma mère qui me dit :

« Partie faire des commissions, à tantôt. Maman xx »

Bon. Et François ne semble pas être à la maison non plus, il doit être parti s'entraîner.

Je m'habille en vitesse, j'envoie un message texte à Kat pour lui dire que je m'en viens et je quitte la maison.

11 h 54

J'arrive à la boutique où travaillent Kat et JF. Kat est en train de proposer son aide à une dame qui la repousse hyper impoliment. Kat me regarde en levant les yeux au ciel.

Moi : Je ne sais pas comment tu fais pour rester gentille avec elles.

Kat : Je les insulte dans ma tête. Je m'en fous un peu. L'important, c'est que je ramasse mon argent pour ma robe de bal.

Moi : Ouain...

Kat : Oh, scuse. Tu vas te trouver une job...

Moi : J'sais pas... Bon, on va dîner ?

Kat : OK. (Se tournant vers JF en parlant plus fort à cause de la musique :) Hé, JF, viens-tu avec nous ?

Je vois JF suivre le rythme de la musique en parlant à un autre vendeur.

JF : Hé, salut, Au ! Non, allez-y, je n'ai pas faim, je vais prendre ma pause plus tard.

12 h 01

En marchant, Kat me dit :

— Hé, c'est pas ta mère, là-bas, dans la boutique ?

Moi : Non.

Kat : Ben oui, c'est ta mère ! T'es aveugle ou quoi ?

Moi : Qu'est-ce qu'elle fait là ?

Kat : C'est vraiment une boutique de madame. Me semble que c'est pas le style de ta mère.

Moi : Mais t'sais, elle vieillit, elle est genre en préménopause. Attends-moi, je vais aller lui dire allô.

J'entre dans la boutique et j'entends ma mère demander à la vendeuse :

— J'aimerais essayer ça, s'il vous plaît.

Vendeuse : C'est pour quand ?

Ma mère : Pour tout de suite.

Vendeuse : Non, je veux dire, le bébé...

Ma mère : Ah...

J'arrive près d'elles et je dis :

— Quel bébé ?

Ma mère : Ah, euh, voici ma fille.

Vendeuse : Bonjour.

Je reçois un message texte de Kat qui est toujours à l'extérieur du magasin :

> C'est une boutique de vêtements de maternité. Ta mère est enceinte ou quoi ?

Je regarde ma mère. Je regarde la vendeuse. Je regarde mon texto. Je regarde autour. Je regarde ma mère. Elle me regarde. Je cherche une réponse dans ses yeux. Et je ne comprends pas.

Je ne comprends pas.

Note à moi-même (version robot) : Je crois que l'application « bébé » est un peu lourde pour mon système d'exploitation. Donc, ça lui prend un temps de réaction. La roulette du curseur tourne toujours. La réaction arrivera plus tard, quand le système aura fait les mises à jour nécessaires pour accueillir la nouvelle application.

Décembre

Nul si découvert

Samedi 1er décembre

J'aimerais ça, être une poule pas de tête (ça doit être vraiment relaxant).

Je voudrais prendre des vacances de ma tête et arrêter de penser. Je me demande s'il existe des agences de voyages qui t'ouvrent le crâne, prennent ton cerveau et le mettent dans un bocal. Pour, disons, une semaine. Et tant qu'à faire, si je faisais affaire avec une telle agence, je prendrais le forfait « cerveau et cœur ». Mettez-les en dehors de moi le temps que mon corps se fasse du fun, pendant que mon cerveau et mon cœur se reposent.

Parfois, on dirait que je suis tannée d'avoir de la peine pour mon père. J'aimerais ça être capable d'y penser normalement. Mais je n'y arrive pas. Chaque fois que ma pensée va vers lui, ou que quelque chose me rappelle la vie que je n'aurai jamais avec lui, on dirait qu'un gouffre s'ouvre en moi et fait renaître plein d'émotions. Je voudrais seulement me reposer de mes émotions. Juste un petit peu. Arrêter de ressentir cette boule constante dans mon cœur, que je trouve parfois lourde à porter. Comme si mes émotions étaient un boulet que je devais toujours traîner. Comme si mon cœur avait une malformation, un défaut de fabrication. J'ai d'ailleurs l'impression que, côté cœur, j'ai eu le citron de la chaîne de montage ! Et je suis prise avec cet organe incontrôlable trop lourd pour moi. Idem pour mon cerveau. Et puis, tiens, tout mon corps ! Dans le fond, le citron de la chaîne de montage, c'est moi. Au complet.

14 h 49

Ma grand-mère Laflamme se berce et je suis allongée sur le divan, emmitouflée dans une couverture qui sent bon.

Je suis chez elle.

Comme chaque fois que j'ai besoin de prendre congé de ma mère. De ma vie. Comme chaque fois que j'ai besoin de parler à quelqu'un sans avoir peur que ça crée une explosion nucléaire. Comme chaque fois que j'ai besoin d'être déprimée sans avoir peur que mes émotions affectent quelqu'un. Et comme on avait congé jusqu'à mercredi, j'ai décidé de venir ici.

Je repasse en boucle les événements dans ma tête. Moi dans le magasin, face à ma mère et à une vendeuse inconnue, et Kat vingt pieds plus loin qui a tout compris avant moi. L'impression qu'intérieurement j'allais me transformer en Incroyable Hulk, mais qu'au-dehors je donnais l'impression de garder mon calme (le seul avantage d'avoir un visage qui ne reflète pas son intérieur). Et le visage de ma mère, rempli de culpabilité.

Elle m'a demandé si on pouvait aller manger ensemble, offre que je n'étais pas en mesure de refuser, étant donné mon incompréhension totale de la situation. Kat a compris.

Entre deux bouchées de salade, ma mère m'a annoncé qu'elle était enceinte. Elle l'a appris le jour où nous sommes allées magasiner ensemble pour sa fête. Elle avait du retard dans ses règles et elle est allée s'acheter un test de grossesse. Qu'elle a fait avant d'aller se coucher. C'était une surprise. (D'ailleurs, ma mère ne dit pas « accident », mais « surprise », car elle trouve que c'est plus positif.)

Ce que j'ai appris sur ma mère depuis le début de ma vie :

1) Elle aime beaucoup faire le ménage. (Rectification : elle aime beaucoup que tout soit propre et fait souvent faire son ménage par moi tout en repassant derrière, car elle trouve que je ne le fais pas comme il faut.)

2) Elle crie à travers toute la maison pour m'appeler, mais elle refuse que je lui réponde de la même façon.

3) C'EST LA PLUS GRANDE MENTEUSE DE L'UNIVERS ENTIER.

Je ne sais pas si c'est le fait que ma mère est enceinte qui me fâche ou si c'est le fait qu'elle ne me l'a pas dit. Je lui ai demandé si elle savait qu'elle était enceinte quand elle m'a fait tout un sermon sur la sincérité, la gravité de lui cacher des choses et de ne pas lui faire confiance. Elle m'a répondu qu'elle le savait. Mais qu'elle ne voulait pas m'en parler. Tant que ce n'était pas certain. Au début, elle n'était pas tout à fait sûre de ce qu'elle allait faire avec cette nouvelle qui l'a complètement bouleversée.

Elle a eu beau m'expliquer qu'elle attendait le bon moment pour me le dire, je n'arrive pas à passer par-dessus le fait que je me sens trahie par elle. Elle a beaucoup pleuré. Elle m'a dit qu'elle avait eu tort, qu'elle aurait dû m'en parler dès le début. Elle m'a avoué avoir eu l'impression que je vivais tellement d'émotions qu'elle ne voulait pas en rajouter. Qu'elle ne savait pas comment m'annoncer la nouvelle. Qu'elle attendait le bon moment. Et comme son médecin lui a dit qu'à cause de son âge sa grossesse était à risque, elle voulait attendre que le bébé soit vraiment accroché avant de m'en parler. Que ça n'aurait servi à rien de me faire vivre plein d'émotions si elle avait perdu le bébé. Je lui ai alors répliqué que, si elle avait perdu le bébé, elle aurait eu de la peine et que je n'aurais même pas su pourquoi. Bref, quoi qu'elle dise, je ne comprenais pas ses raisons et j'étais seulement plus en colère contre elle. Parfois, même, une violence que je n'imaginais même pas possible montait en moi. C'est pour ça que, de retour à la maison, je suis tout de suite allée dans ma chambre frapper sur des coussins. Et c'est pour ça qu'elle m'a laissée venir ici. Avant que je parte, elle répétait qu'elle avait fait une erreur en ne se confiant pas à moi immédiatement, qu'elle était désolée et qu'elle n'était pas parfaite.

J'ai expliqué à ma grand-mère à quel point j'essayais d'être forte. Par rapport à ma mère, par rapport à Nicolas, par rapport à TOUT. Je passe par-dessus tout. Je ne pleure jamais (ou presque, il ne faudrait pas que j'exagère non plus). J'essaie toujours de voir le positif, le bon côté des choses. Mais je n'y arrive plus. Je n'y arrive plus...

Je vais la rejoindre et je m'assois par terre en déposant ma tête sur ses genoux.

Toujours en se berçant, ma grand-mère me caresse les cheveux et me dit :

— Pleure, ma belle. Tu as toujours été très forte. Quand ton père est décédé, personne n'en revenait de te voir si grande et fière devant son cercueil. Pas une larme. La tête haute. Tu n'étais probablement pas prête à faire face à tes sentiments. Et c'est maintenant que tu découvres ou redécouvres des sentiments qui, auparavant, te faisaient peur. Aujourd'hui, tu as acquis assez de maturité pour faire face à ces émotions, à cette grande sensibilité qui fait de toi la belle grande fille extraordinaire que tu es. Être fort, ce n'est pas ne rien ressentir comme les robots, comme tu dis, c'est être capable de ressentir des choses et y faire face. Alors, l'important n'est pas d'arrêter de penser ni d'arrêter de ressentir ce que tu ressens. L'important est d'apprendre à apprivoiser tes émotions et d'accepter que cette sensibilité est une force pour la femme que tu es en train de devenir. Ta mère t'aime, mais peut-être qu'elle ne voit pas encore que tu es une femme et plus une petite fille. Elle ne savait pas comment tu allais réagir et elle a attendu d'être solide dans cette aventure avant de t'en parler. Vous avez toutes les deux un apprivoisement à faire. Et vous allez trouver le moyen d'ajuster tout ça. J'ai énormément confiance en toi et je suis certaine que tu feras les choix de vie qui s'imposent pour ton bonheur.

Je ne comprends pas trop ce que dit ma grand-mère, mais sa voix m'apaise. Elle me caresse toujours les cheveux. Et je pleure.

De tristesse.

Mais aussi de colère.

Beaucoup de colère.

Contre ma mère.

Elle a rencontré François. On a déménagé. Et maintenant, elle est enceinte. Et elle n'a même pas jugé bon de m'en parler.

Je suis en colère et je n'arrive pas à passer par-dessus ce sentiment.

J'ai l'impression d'être de trop dans sa vie.

Et je suis en colère contre moi.

De penser ça.

Parce que rationnellement, je sais que ce n'est pas vrai.

Je voudrais être contente pour elle.

Mais je n'y arrive pas.

Parce que je n'arrête pas de penser à ceci:

Ma famille:
Ma mère: France Charbonneau
Mon beau-père: François Blais
Futur frère ou sœur: Bébé Charbonneau-Blais.
Moi: Aurélie Laflamme.

Cherchez l'erreur.

Dimanche 2 décembre

Ce qu'aurait été ma vie si mon père était encore en vie:

Si mon père était encore en vie, je serais une fille assez normale. Le jour où on a appris la mort de mon père ne serait jamais survenu. Ce jour-là, je serais revenue de l'école et il aurait été là. Il aurait probablement cuisiné du macaroni au fromage avec des saucisses dedans. Ma mère serait arrivée, elle aurait dit que ce n'était pas super bon pour la santé et aurait fait chauffer rapido presto des brocolis comme accompagnement. Et le lendemain, on aurait poursuivi la routine, le train-train quotidien. On se serait levés, on aurait déjeuné et la vie aurait continué comme avant. Nous aurions été heureux, sans savoir pourquoi nous sommes heureux. Sans connaître la tragédie que nous aurions évitée. J'aurais eu des conflits avec mon père. Il n'aurait pas aimé les gars que je fréquente. Comme le père de Kat qui s'inquiète de penser que sa fille « fait des choooooses » lorsqu'elle se retrouve seule avec Emmerick. Il m'aurait appris à conduire. Il m'aurait crié après quand je n'aurais pas eu un bon bulletin. J'aurais claqué la porte. Ma mère aurait été souvent de mon bord et lui aurait suggéré d'être moins dur avec moi. Ma mère aurait sûrement été moins portée sur le ménage. Oui, un peu, comme toutes les mères normales, mais ça ne serait pas devenu une obsession. Et quand elle aurait exagéré, comme pour les affaires de party ou pour m'empêcher de sortir, mon père lui aurait demandé à son tour d'être moins dure avec moi. Ils auraient eu chacun leur champ d'expertise parental. J'aurais rapidement su que la première personne à qui je dois montrer mon bulletin est ma mère et que la première personne à qui je dois demander une permission de sortie est mon père.

J'aurais peut-être fait du sport avec mon père. Du ski. Et ça m'aurait vite ennuyée, et j'aurais préféré me retrouver avec mes amis plutôt que d'aller skier avec lui. Il m'aurait reproché de me perdre de vue, de ne plus être la même avec lui. Il aurait voulu retrouver « sa petite fille » et j'aurais dû lui expliquer que je n'étais plus une petite fille et qu'il devait l'accepter. Il aurait été fier de me voir grandir, mais nostalgique de notre relation d'avant.

Je n'aurais pas passé tout mon temps avec lui, car je n'aurais pas su que, s'il n'avait pas été là, il m'aurait manqué.

Je n'aurais pas été obsédée par le fait de ne pas avoir de croyances pour me rassurer sur l'incompréhension face à la perte d'un être cher. Car je ne l'aurais jamais perdu.

J'aurais eu une vie normale.

Mercredi 5 décembre

Ce sera une petite semaine de trois jours grâce aux deux journées pédagogiques que nous venons d'avoir. Tout le monde semble content de cette semaine écourtée. À chaque personne qui me demande ce que j'ai fait, je réponds que j'ai visité ma grand-mère. Je ne réponds pas que j'étais cachée. Incapable de parler à qui que ce soit. Mon cellulaire fermé. Sonnée par une nouvelle encore inconcevable dans mon esprit.

Pour l'instant, seuls Tommy, Kat et Jean-Félix sont au courant. Je leur ai annoncé la nouvelle avant de partir, évidemment. Ils me prennent avec des pincettes et me parlent doucement comme si j'étais atteinte d'une maladie grave. Tommy essaie parfois de détendre l'atmosphère avec une blague, à laquelle je ne ris pas, alors je sens maintenant qu'il s'abstient.

Pour ce qui est de Jason, on se voit à l'école et parfois, on « chatte » le soir, mais mon cœur ne s'emballe pas. Je suis vidée, émotivement. Je ne reconnais plus les émotions que je vis. Je suis incapable de différencier l'amour de la tristesse, de l'excitation et du stress. Tout est mélangé. Et tout m'étourdit.

J'avais promis de me consacrer à mes études, c'est ce que je ferai.

Midi

Je change l'organisation de mes choses dans mon casier.

Besoin d'un nouveau défi, peut-être. Besoin d'être seule, sûrement.

Je place mes vêtements sur les crochets (au lieu de par terre), mon sac de sport sur un crochet aussi, parce que mes bottes salissent tout à cause de la neige. J'ai d'ailleurs placé un vieux papier journal trouvé à la cafétéria sur le plancher pour absorber la sloche. J'ai fait tous ces gestes mécaniquement. Sans trop réfléchir.

Je classe maintenant mes livres par ordre de grandeur.

Et je mange ici. Assise par terre, adossée à ma case, prétextant à mes amis un devoir à faire.

Pendant que j'avale une bouchée de sandwich sans grand appétit, je crois apercevoir Kat et Truch qui parlent ensemble au loin. Mais ça ne me fait rien. Je regarde ailleurs. Qu'ils fassent ce qu'ils veulent. Que tout le monde fasse ce qu'il veut.

Je suis incapable de parler à qui que ce soit.

Je voudrais être invisible.

Je deviens comme ma mère quand mon père est mort.

Un zombie.

Vendredi 7 décembre

Cours de français.

Monsieur Brière : J'ai une grande nouvelle à vous apprendre ! Le texte d'Audrey a été choisi pour la finale provinciale du concours. Je suis vraiment, vraiment heureux, car c'est la première fois dans ma carrière qu'un de mes élèves se rend jusque-là.

Toute la classe applaudit Audrey qui semble être agréablement surprise par la nouvelle.

Monsieur Brière (qui continue) : Oh, quand j'ai lu le texte, ma petite voix intérieure me disait : « Louis, ce texte-là a des chances. » Elle avait bien raison !

Je me demande bien pourquoi sa voix intérieure prend la peine de le nommer. Elle parle à plusieurs personnes ?

Note à moi-même : Louis Brière est un bon prof de français, mais sa voix intérieure est épaisse.

Note à moi-même n° 2 : Je crois que je déteste Audrey. Je la déteste, déteste, DÉTESTE. Elle a tout dans la vie. Les voyages, une beauté parfaite, un corps parfait, des parents parfaits, TOUT.

Note à moi-même n° 3 : Ça n'a pas de sens ! Audrey a vraiment un bon karma, elle ! Elle doit avoir été Jésus ou un truc du genre dans une autre vie.

Note à moi-même n° 4 : Si je veux être comme Audrey, je ne devrais pas parler contre Audrey (même si c'est juste dans ma tête).

Note à moi-même n° 5 : Je ne veux pas être comme Audrey, donc j'ai le droit de me dire en moi-même qu'elle m'énerve solide avec sa quasi-perfection.

12 h 01

Après le cours, animée par je ne sais pas quoi (l'énergie du désespoir et/ou cette impression que je n'ai plus rien à perdre peut-être), je décide d'aller confronter monsieur Brière, comme me l'a conseillé François. Je vais lui demander ce qu'il n'aime pas de mes textes et pourquoi il n'a pas soumis celui que j'avais écrit au concours. Après tout, Hugo Giguère aime mes textes, pourquoi pas lui?

Monsieur Brière efface ce qu'il a écrit au tableau pendant le cours. Ce prof m'intimide vraiment. Je ne sais pas pourquoi. Même quand il efface son tableau, il est intimidant. Je prends mon courage à deux mains, je lui demande poliment si je peux lui poser une question et il dit oui, sans même se retourner ni arrêter d'effacer le tableau. J'éprouve soudain un dégoût tellement fort envers lui que je suis obligée d'avaler un genre de reflux de vomi avant de commencer à parler (OK, j'avoue, j'exagère).

Moi: Je me demandais seulement pourquoi mon texte n'avait pas été retenu... pour le concours. Comment je pourrais m'améliorer, genre?

Il commence à parler avant de se retourner:

— J'ai l'impression que, dans tes textes, tu n'oses pas aller là où tu pourrais aller.

Et c'est là qu'il se retourne vers moi avant de continuer:

— Le texte pour le concours, je ne l'ai pas aimé, car je n'aime pas les histoires « ce n'était qu'un rêve » où on apprend ce que le personnage aurait pu être, au lieu de découvrir ce qu'il est. Ça m'ennuie profondément. Je m'attends à plus de quelqu'un qui semble avoir du talent.

Il me semble qu'un autre reflux de vomi est sur le point de remonter.

Il continue:

— Par exemple, dans ta lettre d'amour, il y avait beaucoup d'amour, mais on ne plongeait pas dans le cœur de cet amour. Je serais curieux de lire un texte de toi qui va vraiment puiser dans de profondes émotions.

Moi : Mais si tout le monde écrivait pareil, ce serait plate. Non ?

Monsieur Brière : Je ne veux pas nécessairement que tout le monde écrive de la même façon. Je vous demande seulement d'aller plus loin que la surface.

Moi : Vous n'êtes peut-être pas un adepte d'humour. Moi, je trouve que la littérature en manque. On a chacun notre opinion. Peut-être que les juges du concours l'auraient aimé, mon texte.

Monsieur Brière : Dans ce cas-là, j'aurais pu envoyer tous les textes de la classe. J'ai fait mon choix.

Il se retourne et continue d'effacer en me disant :

— Autre chose ?

J'ai l'impulsion de lui parler de l'émotion profonde de dégoût qu'il m'inspire, mais je me retiens.

— Non, merci...

Parce que, parfois, comme en ce moment, retenir son émotion profonde est juste INTELLIGENT !

Note à moi-même (récapitulation) : J'abandonne le but secret d'atteindre un stade de perfection absolue si le seul bénéfice est de plaire à un prof débile dont la voix intérieure est limite schizophrène.

Samedi 8 décembre

Objectif du jour: Sauver la planète.

C'est pourquoi j'ai décidé de rester couchée. (Ça pollue moins.)

Cette nuit, j'ai rêvé que j'avais reçu une bouteille de parfum en cadeau et que je l'avais donnée à un itinérant. Ensuite, il voulait me voler mon sac que j'essayais de garder en le tenant très fort. Je tentais de crier au secours, mais je n'y arrivais pas. Et je me suis réveillée.

Même mon cerveau ne prend plus la peine de m'envoyer des rêves codés. Bon, oui, mais je dois être plus connectée avec mon cerveau, car je comprends ses codes. C'est probablement ce qu'Hugo Giguère tentait de me faire réaliser, mais avec des mots plus clairs que les images de mon cerveau: que j'ai l'impression que la vie se passe en dehors de moi. Et que je n'ai plus d'emprise sur quoi que ce soit.

Je respire, je fais ce que j'ai à faire, je parle aux autres comme si rien n'avait changé, mais je ne suis pas moi-même. Je regarde les choses se passer comme si tout était un mauvais film. J'ai l'impression de ne pas exister. D'être inutile dans le monde.

Je me sens comme un rebut de la société. À la guerre, je serais la première sacrifiée. Dans un film de zombies, je serais le premier personnage mangé.

À quoi je sers? Je n'ai pas de passion. Pas de but. Pas de père. Et une mère qui veut me remplacer parce qu'elle a carrément raté son coup avec moi. C'est pour ça qu'elle me dit souvent qu'elle voudrait que je sois un bébé. Elle voudrait recommencer. Peut-être même que, quand elle me regarde, elle voit trop mon père. Elle voudrait m'effacer.

Alors, je m'efface moi-même. Je me fais invisible dans la maison. Je fais les tâches qu'elle me demande pour qu'elle n'ait pas de reproches à me faire, mais également pour éviter de lui parler. Pour qu'elle n'ait pas à me dire à quel point je la déçois tout le temps parce que je ne fais pas les choses comme elle le voudrait. Et pour qu'elle n'ait pas à me dire, jamais, qu'elle fera les choses différemment avec son nouveau bébé. Pour qu'il soit mieux que moi. Plus réussi. Plus accompli. Plus achevé. Moins brouillon. Moins « en surface », comme ce que pense mon prof de moi. Je déteste ce bébé. Je le déteste du plus profond de mon cœur. Je le déteste parce que son père est François. Et qu'il est en vie. Je le déteste parce qu'il sera mieux que moi. Je le déteste parce que ma mère l'aimera plus que moi. Et que depuis qu'il est apparu, même à l'état de zygote, je n'existe plus.

Je. N'existe. Plus.

Dimanche 9 décembre

Je suis dans ma chambre et je regarde *Alias*, une vieille série télé d'espionnage, avec plein de mystère et de secrets et tout. Hier, je me cherchais quelque chose à faire et je suis allée fouiller dans la bibliothèque de ma mère. Pendant sa période « zombie », elle ne faisait que ça, regarder des séries télé. Alors, nous en avons au moins une trentaine. En plus, j'ai pensé que c'était bon pour pratiquer mon anglais, alors c'est comme étudier, dans le fond.

Je tripe sur l'espionne, Sydney Bristow, et son interprète Jennifer Garner. Je l'aimais déjà depuis le film *13 Going On 30.* Et depuis hier, seule la présence de Jennifer Garner dans ma télé me fait sentir en bonne compagnie. Je regarde *Alias*, les bonus d'*Alias*, et je me suis même retapé *13 Going On 30.* J'aimerais ça, moi aussi, comme dans ce film, pouvoir aller faire un petit tour dans mon futur pour voir quelle erreur je devrais éviter.

16 h 45

Tommy, Kat et JF apparaissent devant moi, me retirent la manette des mains et ferment la télé.

Kat : Au, il faut qu'on te parle. Ça fait deux semaines qu'on ne te voit plus et que... tu n'es plus tout à fait toi-même.

Elle voit le coffret d'*Alias*, s'en empare et me le montre en demandant :

— C'est quoi, ça ?

Moi : *Alias.*

Kat : Je t'en ai parlé il y a trois milliards d'années et ça ne t'intéressait pas !

Moi : C'est bon. Ç'a un peu vieilli. Mais c'est bon.

Kat (en se tournant vers les gars) : Quand j'écoutais ça, j'avais le goût de me teindre les cheveux en rouge. Hahahaha !

Elle me regarde et s'écrie :

— Quoi, tu y as pensé ?

Moi : C'était juste une idée de même.

JF : On comprend que t'aies de la peine, mais viens avec nous au lieu de te morfondre ici. On s'ennuie de toi.

Tommy : Pis c'est les examens bientôt, tu ne peux pas rater ton année pour ça.

Moi : Bof... Je ne me morfonds pas. *Alias* répond à mes besoins. Dans *Alias*, la fille a une vraie mission. C'est clair, ce qu'elle a à faire. Elle doit sauver le monde de la folie du méchant Sloane ! Et dans *13 Going On 30...*

Kat : Elle se rend compte qu'il ne faut pas qu'elle saute des bouts importants de sa vie et qu'elle doit vivre pleinement chaque instant si elle ne veut pas manquer l'essentiel.

Tommy : C'est quoi, ce film-là ? Ç'a donc ben l'air poche !

Kat : Heille, on ne t'a pas demandé ton avis !

Moi : J'espère que vous allez être encore là dans mon avenir.

Kat : On va être là, franchement !

Moi : Tommy dit qu'après le secondaire on ne se verra plus.

Kat regarde Tommy et lui dit :

— Pourquoi tu lui as dit ça, toi ?

Tommy : Ben là, je ne savais pas, j'ai dit ça de même. Ça fait longtemps de ça.

Kat : Débarque de ton divan et viens avec nous au parc ! Il neige pis c'est cool !

Moi : Mais c'est parce que j'avais prévu regarder *Alias* toute la journée. C'est inquiétant, ce qui arrive à Sydney...

JF s'empare de mon DVD de *13 Going On 30*.

JF : Sors du divan ou je casse le DVD.

Kat : Tu ne peux pas faire ça ! Tu l'aimes, toi aussi, ce film-là.

Tommy : T'aimes ce film-là, *man* ?

JF : Il a des qualités... artistiques.

Kat : Attends, JF, brise pas son film.

JF me regarde dans les yeux, une goutte de sueur apparaît sur le front de Kat tandis que j'éclate de rire.

Moi : On dirait une scène d'*Alias* !

On rit tous les quatre. Je lance :

— Je suis la pire personne de l'univers parce que je suis fâchée que ma mère soit enceinte. C'est ça.

JF dépose le DVD. Et lance :

— J'ai frenché pour la première fois avec un gars la semaine passée.

Nous sommes tous surpris par sa révélation et nous le regardons.

Kat : Pis ?

JF : C'était comme... pâteux. Je suis gai, mais je n'aime pas frencher des gars. Ça va bien, ma vie, hein ?

Tommy : Oh, ouach, pas de détails s'il te plaît.

Kat : T'es juste mal tombé. Il va y en avoir d'autres. Moi aussi, je suis déjà tombée sur des pâteux.

Moi : Bon, je suis déprimée *et* j'ai mal au cœur maintenant. *Come on* !

Kat: J'ai arrêté mes cours d'équitation pour passer du temps avec Emmerick et travailler pour ramasser de l'argent pour ma robe de bal.

Je la regarde. Elle me regarde. Elle ajoute (avant même que je dise quoi que ce soit):

Kat: J'ai essayé! Je te jure! Mais je n'étais pas capable de tout faire.

Moi: Mais c'était ta passion!

Kat: Je pense que ça ne l'est plus.

Moi: Ben voyons! Comment tu peux arrêter d'avoir une passion comme ça, du jour au lendemain?

Kat: J'ai vécu de beaux moments avec l'équitation, mais là, j'ai un travail, un chum, l'école... Je n'y arrivais pas. Fallait que je fasse des choix. J'en ai parlé à Truch qui vit lui aussi une relation à distance...

Je commence à rire. Kat me demande ce que j'ai. Je réponds:

— Je pensais que tu trompais Emmerick avec Truch.

Kat s'étouffe et dit:

— Pourquoi je tromperais mon chum avec... Truch??!!!

Moi: C'est ça que je me demandais. J'sais pas, on dirait que je vous vois souvent comploter.

Kat: On se parle de nos relations à distance… On se donne des conseils.

Moi: Pis moi?

Kat: Ben, t'étais malade, pis après je n'osais pas trop t'avouer que j'avais arrêté l'équitation pis... ben, il est devenu mon confident sur ce sujet-là.

Moi (tout de même déçue, pas que Kat ne soit pas avec Truch, mais qu'elle ait abandonné l'équitation) : Hu-hum.

Je respire. Je force un sourire et j'ajoute :

— Je comprends.

Kat : C'est vrai ?

Moi : C'est moins pire que d'être fâchée contre ta mère pour un phénomène naturel.

En fait, je l'envie d'être capable de faire des choix si facilement, de façon instinctive, alors que je suis si souvent perdue.

Kat : Il n'y a rien de définitif. Je peux reprendre un jour si ça me tente. J'avais envie de vivre autre chose. T'en fais pas, c'est pas parce que je suis molle par rapport à Emmerick. C'est aussi la job à la boutique, j'aime ça. On rit, avec JF.

JF : C'est vrai qu'on rit.

Après un moment de silence, tout le monde se retourne vers Tommy qui dit :

— Quoi ?

Kat : Ben... à ton tour !

Tommy : C'est quoi, une thérapie de groupe ? Je n'ai rien à déclarer. Vous savez tout sur moi.

Kat : J'sais pas, une fille sur qui tu tripes ? Visiter des sites pornos en cachette ? Quelque chose ?

Moi : Laissez-le tranquille.

Tommy : OK. Avec l'argent que je gagne à mon travail, j'ai plus le goût de m'acheter un *scooter* qu'une guitare.

Moi : Mais... jouer de la guitare, c'est ta passion.

Tommy : Je le sais, je me sens mal, mais j'ai vraiment plus le goût de me promener en scooter. On dirait que la guitare est devenue un passe-temps plus qu'une passion.

Kat : Bon, maintenant qu'on sait qu'on est tous des personnes horribles, on s'en va au parc.

Moi : Ça me prendrait une mission pour sortir d'ici. Comme dans *Alias*. Sans ça, on dirait que je n'ai pas de but et que ça ne me sert à rien de faire quelque chose.

Kat : Notre mission c'est... euh... Interpol 780 ! C'est d'avoir du fun ensemble tous les quatre, pis de se tenir. Pis, sans toi, c'est impossible parce qu'on est juste trois. Fait que, s'il te plaît, habille-toi pis viens au parc avec nous. Tu regarderas la télé après. Mais en attendant, nous, on est tes vrais amis pis on aimerait ça que tu fasses des choses avec nous.

Tommy : Interpol 780 ? Où t'es allée chercher ça ? HAHAHAHAHAHAHAHAHAHA !

Moi : HAHAHAHAHAHAHAHAHAHAHA-HAHAHA ! Avec un gros sermon cucul !

Kat : Heille ! ! ! ! ! ! ! !

JF éclate de rire aussi.

Kat : Ouain, c'est vrai, j'étais comme partie dans mon monologue, moi là ! HAHAHAHA-HAHAHAHAHAHA !

Moi : HAHAHAHAHAHA ! Ah ! Ça fait du bien de rire... Si ça faisait partie d'Interpol 780, c'est une mission accomplie !

18 h 37

J'ai appelé ma mère pour lui dire que je soupais avec mes amis et nous sommes allés dans un *fast-food*. Je me sens encore toute chamboulée, mais il me semble que ça me fait du bien d'être avec eux. Jennifer Garner, elle a l'air vraiment gentille, mais elle ne battra jamais mes amis. Bon, c'est sûr que, côté kickboxing, Kat, JF et Tommy sont peut-être moins bien entraînés. Mais dans un restaurant de *fast-food*, en ce moment, cette aptitude leur serait inutile de toute façon.

Lundi 10 décembre

À : Aurélie Laflamme
De : Miss Magazine
Objet : Demande d'entretien

Chère Aurélie Laflamme,

Votre courriel a bien fait rigoler notre équipe. Nous aimerions vous rencontrer pour une entrevue dans l'éventualité d'un stage à notre magazine au mois de février ou mars. Seriez-vous disponible ce jeudi à 16 heures ? Si votre horaire de conjointe de monsieur Pattinson vous le permet, bien entendu ! ;)

Janik Tremblay

Rédactrice en chef, *Miss Magazine*

17 h 34

Euh. OK. Je n'en reviens juste pas. Moi ? Aurélie Laflamme ? Une entrevue pour le *Miss Magazine* ? Moi ? Moi ? ? ? ? Moi. Moi ! ! ! ! ! ! ! ! Non, c'est impossible.

18 h 01

Ça fait au moins un million de fois que je relis le courriel. Au début, j'ai cru à une blague, mais j'ai vérifié dans le magazine, et Janik Tremblay est bel et bien le nom de la rédactrice en chef. Il me semble que c'est impossible. Ça ne se peut pas. Je relis le courriel que j'avais envoyé. Ça n'a pas de sens à quel point mes médicaments étaient forts.

Il est vrai que, pour J.K. et Robert, j'avais carrément inventé des adresses selon un système tout à fait logique pour une fille à l'esprit altéré par des médicaments contre la grippe.

Pour le *Miss*, c'était plus inconscient, j'avais la vraie adresse puisqu'elle est enregistrée dans mon carnet d'adresses virtuel, vu que j'ai souvent eu envie de leur écrire sans avoir le courage de le faire. Par timidité, je me retenais d'envoyer mon message.

Peut-être que si je n'avais pas inventé les adresses courriel de J.K. et Robert, ils m'auraient répondu aussi? WOUAHHHHHHH!!!!!!!!!

Ce que serait ma vie si Robert Pattinson m'avait répondu:

Tout aurait commencé par un échange coquin. Il m'aurait répondu ceci (il aurait bien entendu parlé un français impeccable):

« Salut, Jolie Fille!

Je sais que tu es jolie, car je t'ai googlée et j'ai vu quelques photos de toi (wow!). (Note: Évidemment, dans cette fantaisie, il y a plusieurs photos de moi sur Google.)

Je te remercie de ton invitation pour ton bal. Mais je ne serai pas au pays à cette date-là. Je serai en vacances sur le bord de la mer ! Ça m'aurait fait grand plaisir d'y être.

Bon, je suis un peu déçu de ne pouvoir t'accompagner, mais tu te serais peut-être sentie un peu éclipsée par moi.

;-)

Mais on aurait fait un couple d'enfer ! ! ! »

Ce à quoi j'aurais répondu :

« Un peu déçue que tu ne m'aies pas invitée à t'accompagner sur le bord de la mer, mais je comprends que tu te sentes un peu éclipsé par moi en bikini. (Note : Dans cette fantaisie, je n'ai aucune timidité en bikini.)

;)

Bon voyage !

xx »

Ce à quoi il aurait répondu :

« En effet, je suis convaincu d'être moins belle que toi en bikini ;)

Mais pour ce qui est de s'accompagner, tu ne t'en sortiras pas comme ça ! !

C'est la première d'un film dans lequel je sévis, dans quelques semaines.

Pas de pression, juste une invitation... »

J'aurais bien évidemment accepté son invitation ! Je me serais rendue à Hollywood et j'aurais traversé le tapis rouge au bras de... Robert Pattinson ! ! ! ! ! ! ! ! ! ! ! ! ! ! ! ! Nous nous serions embrassés pour la première fois au party suivant la projection et je ne serais pas revenue au Québec. Nous aurions déménagé rapidement dans un manoir en France. Nous aurions eu deux enfants, une fille (Lily-Rose) et un garçon (Jack). Et Robert aurait commencé à faire des films familiaux pour que nos enfants puissent regarder le travail de leur père. (Bon, d'accord, je mélange *un peu* avec Johnny Depp et Vanessa Paradis, mais c'est parce que je n'ai aucune idée de ce qu'est la vie de star.)

Mardi 11 décembre

Recevoir une lettre du *Miss* m'a donné un regain d'énergie. Et grâce à mes amis, je me suis un peu reprise en main. Pas le choix. Ils ont raison. Les examens s'en viennent et je ne peux me permettre de tout rater à cause d'un événement qui arrive à tous les êtres humains sur la terre, soit la reproduction de l'espèce. C'est quelque chose de tellement banal. Toutes les cellules du monde se reproduisent. Il n'y a vraiment rien là. Je ne raterai quand même pas mon année pour ça !

8 h 57

Je prends mes livres de l'avant-midi dans ma case. En prenant soin de ne pas trop regarder vers la case 0777, où je pourrais apercevoir Nicolas. Pas que ça me dérangerait, car je suis vraiment au-dessus de ça, mais je ne voudrais pas que Nicolas me voie regarder par là et pense que je ne suis pas au-dessus de ça. En tout cas, je me comprends.

9 h 01

Jason arrive près de moi et me dit :

— Hé !

(Très éloquent.)

Moi : Salut.

(Sans conviction.)

Lui : Ce serait cool qu'on fasse quelque chose ensemble bientôt. C'était cool l'autre jour.

(Timidité.)

Moi : Ouais...

(Impression d'indépendance.)

Lui : Vendredi ?

(Convaincant.)

Moi : OK.

(Convaincue.)

Lui : *Nice.*

(Re-timidité.)

Moi : Cool.

(Ne. Pas. Regarder. Vers. La. Case. 0777.)

Dans le fond, les papillons, c'est peut-être surévalué. C'est ça qui m'a fait tout rater avec Nicolas. J'avais des papillons, j'étais toujours bizarre en sa présence, je ne me sentais pas moi-même et j'ai tout raté. Oui, avec Jason, je pourrais vivre un amour, disons, simple. Lui et moi, on se comprend, on a vécu des choses semblables, on a quelques cours ensemble, donc on peut se comprendre dans nos travaux. Franchement, je ne vois que des avantages.

Mercredi 12 décembre

Merde ! ! ! ! ! Tout le monde va se rendre compte que j'ai zéro talent en épilation de sourcils.

C'est la photo de finissants aujourd'hui et j'ai décidé de m'épiler les sourcils pour l'occasion, mais j'ai réellement raté mon coup. J'utilisais une technique logique, selon moi, d'alterner d'un sourcil à l'autre. Je voyais qu'un était plus petit, ensuite j'essayais d'ajuster l'autre et ainsi de suite, jusqu'à ce qu'il ne me reste qu'une mince ligne de sourcil pour chacun, inégale de surcroît.

Argh.

7 h 57

Ma mère entre dans la salle de bain et pousse un soupir d'horreur, comme si elle venait de voir un monstre ou quelque chose comme ça.

Ma mère : Oh mon Dieu, mais qu'est-ce qui est arrivé ?

Je regarde autour de moi, pensant que j'ai peut-être laissé traîner quelque chose, mais c'est bien moi qu'elle regarde, plus précisément mes sourcils.

Moi : Ça paraît tant que ça ?

8 h 15

Pendant qu'elle me maquille, je regarde ma mère qui ne cache plus trop le ventre qu'elle commence à avoir (vraiment rien, ce n'est pas étonnant que je ne m'en sois pas rendu compte, elle a un ventre de la même grosseur que lorsqu'elle mange trop dans un buffet chinois, disons), et je me souviens de ma photo de maternelle.

Octobre, il y a onze ans

Ma mère avait oublié que c'était la photo, elle était pressée d'aller au travail et elle ne m'avait pas, disons, choisi les plus beaux vêtements. Si bien que je suis arrivée à l'école en pantalons bruns (honnêtement, je ne me souviens plus de la couleur de mes pantalons dans la vraie vie et on ne les voit pas sur la photo, mais, dans mon souvenir, ils sont bruns, pour faire plus « laid ») et une chemise tellement horrible, genre bariolée avec un nœud papillon (si bien que lorsqu'on regarde la photo, on a l'impression d'être en plein délire psychédélique). Pour la coiffure, j'avais des lulus, dont l'une avait un élastique vert et l'autre rose avec une coccinelle en plastique dessus. Ma mère n'en avait pas trouvé deux pareils et, faute de temps, elle avait pris les deux premiers qu'elle avait trouvés. En plus, il me manquait une dent. Sur la photo, devant un décor de sous-bois, je suis donc là, avec mon accoutrement étrange et un sourire bien franc, comme si je n'avais pas du tout conscience que toute ma vie j'aurais l'air absolument hideuse sur ma photo de maternelle.

Ma mère s'en était tellement voulu lorsqu'elle avait appris que c'était le jour de la photo de classe ! Et quand on avait reçu la photo, elle s'était mise à rire aux larmes en se traitant de tous les noms. À cette époque, je ne pouvais comprendre l'absurdité de cette situation. Je trouvais seulement ma mère un peu bizarre. Peut-être que j'ai également pensé qu'elle me prenait pour un clown ou un truc du genre.

C'est étrange, car même si mon père était encore en vie à cette époque, je n'ai aucun souvenir de lui dans cette anecdote. Pourtant, il a dû voir la photo ou émettre un commentaire. Il aurait pu lui aussi penser au fait que c'était la journée de la photo ou me faire lui-même des lulus. Il était peut-être... en voyage ? Peut-être que ma mémoire est en train de sublimer complètement mon père de mon esprit, comme c'est arrivé à ma mère. Et peut-être qu'un jour, il sera complètement effacé de nos vies. Pour toujours. Comme s'il n'avait jamais existé. Comme si on l'avait imaginé.

Ce qu'aurait été ma vie si j'avais eu une photo de maternelle réussie :

J'aurais eu la même vie, avec une plus belle photo de maternelle.

Ou peut-être que si je n'avais pas eu l'impression d'être un clown aux yeux de ma mère, j'aurais beaucoup moins le sens de l'humour aujourd'hui. Car j'aurais une belle photo de moi dans un décor de sous-bois, avec une belle tenue de fille de maternelle et mes dents encore dans ma bouche. Je serais peut-être devenue une personne plate (pas que les gens qui ont une photo de maternelle réussie deviennent plates, c'est seulement sur moi que ç'aurait eu cet effet). Donc, si ma mère ne s'était pas esclaffée pendant trois heures en voyant ma photo scolaire, je n'aurais peut-être pas, dans ce cas, développé ce sens de l'autodérision (comment faire autrement lorsque vous voyez votre mère éclater de rire seulement à vous regarder ?) et je réagirais de façon sérieuse à tout ce qui m'arrive. J'aurais alors écrit des textes très profonds dans mes cours de français. Pourtant, cette matière n'aurait pas été ma préférée, même si j'y aurais excellé. J'aurais plutôt eu la passion des mathématiques, qui requièrent un esprit logique et pragmatique. J'aurais choisi une carrière me permettant de laisser libre cours à cette passion pour les choses concrètes. J'aurais peut-être eu un meilleur rendement scolaire. J'aurais utilisé l'expression « rendement scolaire ». J'aurais peut-être eu l'ambition de devenir comptable, statisticienne ou encore planificatrice financière. J'aurais peut-être même eu la possibilité de devenir millionnaire en travaillant à Wall Street, New York, parmi tous les gros canons de la finance. Peut-être même que j'aurais développé des aptitudes inégalées pour les échecs et que je serais devenue championne mondiale. À mon âge, je serais sûrement même déjà riche !

Retour à aujourd'hui, 8 h 17

Pendant que ma mère continue de me maquiller, je lui demande:

— M'man, penses-tu que, quand mon frère ou ma sœur va avoir sa photo de maternelle, tu vas te reprendre?

Ma mère: Quoi?

Moi: Ben, genre, réparer ta gaffe?

Ma mère: Quelle gaffe?

Respirons. Ce n'est pas le moment de lui remettre son Alzheimer sur le nez.

Moi: T'sais, ma photo ratée parce que tu ne te souvenais plus que c'était la photo. En maternelle!

Ma mère: Ah oui!

Elle éclate encore de rire en y repensant et ajoute:

— Ça n'a pas de bon sens, je suis vraiment une mère indigne!

Moi: Penses-tu que tu vas te reprendre avec mon frère ou ma sœur?

Ma mère: Hum... peut-être. Je suis plus vieille, j'ai plus d'expérience.

Je le savais. Je sais tout. Ça doit être à cause de mon côté robotique. Rien n'est un secret pour moi, car tout est programmé dans mon système. Je reste silencieuse.

— Arrête de bouger, là, pis ferme les yeux. (Elle passe doucement le pinceau sur mes yeux.) Mais bon, au moins je me reprends aujourd'hui en te faisant un beau maquillage. Je pensais me faire pardonner pour le mariage de l'automne dernier, mais c'est vrai qu'il faut que je me reprenne pour la photo de maternelle aussi. Tiens, qu'est-ce que t'en penses?

Je me tourne, me regarde dans le miroir.

— Ouain, pas pire.

Ma mère : Je m'excuse encore pour le mariage. J'étais tellement... je ne sais pas... *full* hormones, comme vous diriez, les jeunes.

Moi : On ne dirait pas ça.

Ma mère : Ah, OK, je ne voulais pas t'insulter.

Moi : Tu ne m'insultes pas, mais c'est juste qu'on ne dirait pas ça. Ben pas moi, en tout cas.

Ma mère : Bon. Ben je m'excuse parce que je n'étais pas… tout à fait moi-même. Et j'étais stressée. Un bébé... T'sais ? C'était un peu gros à prendre comme nouvelle.

Moi : Ouain...

Ma mère : Mais toi...

Moi : Hé, maman, merci pour le maquillage, mais là, faut vraiment que je parte parce que je vais être en retard à l'école !

Je sais que ma mère veut en parler. Elle essaie de le faire depuis qu'elle me l'a annoncé et je prétexte toujours du travail ou un rendez-vous parce que je ne veux pas en parler. Je préfère pour l'instant penser que ma mère a un ventre de mets chinois plutôt qu'un ventre de femme enceinte. Je ne peux pas faire autrement. Je ne peux pas aller plus vite que mes sentiments. En temps et lieu, je lui dirai que je lui souhaite de réussir à faire mieux qu'avec moi. Mais que même si elle m'a un peu ratée « par inexpérience », je reste quand même une personne, disons, attachante par moments, et je vais alors lui souligner mon sens de l'humour ultraraffiné que j'ai développé au cours des années, surtout grâce à la photo de maternelle ratée.

Je ne suis pas prête non plus à plonger dans la nouvelle vie de ma mère et à effacer tous mes souvenirs de mon ancienne vie, qui commencent déjà à disparaître.

8 h 25

Juste un avertissement : Je suis maquillée. Très maquillée. Avec fond de teint et poudre et tout. La photo n'est que cet après-midi. Je devrai donc être maquillée comme ça toute la journée. Je déteste être maquillée. Je me sens déguisée. J'ai l'impression d'avoir une couche grasse sur tout mon visage, c'est très inconfortable. J'ai demandé à ma mère si elle pouvait maquiller seulement mes yeux, plus précisément ma ligne de sourcils, mais elle trouvait que j'avais beaucoup de rougeurs (et, non dit, car elle est polie : quelques boutons) et pensait qu'il était préférable que j'aie du fond de teint pour être belle sur ma photo. Et paraît-il que c'est impossible de se faire deux maquillages dans une journée, car si, admettons, je maquille mes yeux sans fond de teint et que j'ajoute du fond de teint partout ailleurs après le dîner, il y aura une trop grande différence entre le maquillage de mes yeux et celui du reste de mon visage et, avec les nouvelles technologies (ça, c'est ma mère qui le dit), on ne peut plus prendre le risque de faire des faux pas dans le rayon du maquillage.

Bon, c'est vraiment une affaire de filles, mais c'est quand même important de le mentionner.

Je texte Tommy :

Ris pas de moi aujourd'hui à l'école. Je suis maquillée.

Tommy, 8 h 26 :

Ouain pis ?

Moi, 8 h 26 et 30 secondes :

Tu es averti.

Tommy, 8 h 27 :

Est-ce que je suis supposé remarquer ce genre d'affaires-là ? T'es-tu trompée de numéro ? Tu voulais peut-être le dire à Kat ?

Moi, 8 h 34 :

Je voulais t'avertir pour que tu ne me fasses pas de mauvaises blagues parce que je suis gênée.

Je ne voudrais pas que tu penses que je vais toujours me maquiller comme ça et/ou que tu sois déçu dans l'éventualité où tu me reverrais sans maquillage parce que je n'ai pas toujours ce teint de pêche.

Tommy, 8 h 37 :

Laf, les textos, c'est pas fait pour écrire des romans. On s'en fout de ton maquillage.

Note à moi-même (selon une critique faite par un ami, preuve, donc, que j'ai de l'autocritique et que, bien qu'étant imparfaite, je peux m'améliorer en tant que personne) : Tenter d'améliorer mon utilisation de la technologie. Statut : Moyennement urgent.

12 h 45

Clic-clic-clic.

Photo de moi avec un diplôme roulé et un mortier.

Clic-clic-clic.

Photo de moi avec un diplôme roulé sans mortier.

Clic-clic-clic.

Photo de moi avec une rose tenue d'une façon pas du tout naturelle.

Clic-clic-clic.

Photo de moi sans rose, sans diplôme et sans mortier.

Clic-clic-clic.

Jeudi 13 décembre

Je suis tellement stressée !!!! C'est mon entrevue au *Miss Magazine* aujourd'hui. Comment vais-je faire pour passer une journée normale à l'école ?

François, qui est un boss, m'a révélé les questions qu'il poserait à de jeunes employés, du genre : « Où te vois-tu dans dix ans ? » et « Quels sont tes qualités et tes défauts?», en ajoutant que l'important n'est pas tant les réponses que ma façon de discuter avec eux, pour voir si je m'intégrerais bien à l'équipe.

12 h 28

Réunion au sommet avec mes amis pour parler de mon entrevue pour le *Miss*. J'ai du mal à manger et on dirait que tout mon corps est rempli d'électricité statique. Je roule compulsivement des petits bouts de serviette.

Kat: Tu vas être super!

Tommy: L'important, c'est de te trouver une qualité qui ne fait pas trop narcissique et un défaut qui est acceptable. Dis-leur, genre: «Je suis voleuse, mais au moins j'ai l'honnêteté de l'avouer.»

Kat: T'es ben niaiseux!

Moi: Hahahaha! Vraiment bonne, Tommy!

Tommy: Non, dis-leur: «Je prends de la drogue. Non, c'est une blague. Voilà mon pire défaut, je fais toujours des blagues.»

Moi: Hahahahaha! T'es nono.

Kat: Arrêtez, vous savez comment elle est, ça va lui rester en tête et elle va déparler.

JF: L'important, c'est de dire que t'as l'esprit ouvert. Un magazine, c'est dans le milieu artistique, et le milieu artistique aime les gens qui sont ouverts d'esprit. Par exemple, il y a peut-être des gais dans l'équipe de rédaction et ils ne veulent pas de quelqu'un qui aurait un préjugé par rapport à ça.

Moi: Ah oui, bon point, ça.

Kat: Dis-leur qu'avec ta meilleure amie, Kat Demers, moi, tu lis toujours les magazines.

Dis-leur qu'on a même participé au concours des *best*.

Moi : Mais qu'on n'a pas gagné.

Kat : Ouain, c'étaient des filles même pas rapport qui ont gagné, je suis sûre qu'elles ne sont même plus amies.

JF : C'était quoi, le prix ?

Kat : Une journée de magasinage et un abonnement pour un an au magazine ! ! ! ! ! !

Tommy : Heille, vous avez *vraiment* manqué quelque chose.

Moi : Oh *my God* ! Je suis tellement stressée, on dirait que je reçois des décharges électriques partout dans mon corps.

JF : Parlant d'électricité, regardez ce que j'ai découvert.

Il sort une pièce de dix sous de sa poche, la colle sur un côté de son front et dit :

— Un ami m'a montré ça. Paraît qu'on a un bout du front, sur le côté en haut, qui est aimanté ou je ne sais pas trop. Et ça fait coller les sous.

Tommy : Hein ?

JF : Essaie.

Tommy colle la pièce sur le côté de son front et ça fonctionne. Nous sommes tous épatés.

Kat essaie à son tour. Nous poussons tous des cris d'étonnement et j'essaie à mon tour, impressionnée par cette découverte tout à fait inusitée. Puis, en me collant moi aussi un dix sous sur le front, je suggère :

— Peut-être qu'en entrevue je pourrais me coller de l'argent dans le front en leur disant que ça fait partie de mes aptitudes spéciales.

JF : Hahaha ! Pas *game* !

12 h 46

Je regarde dans mon sac et je vois que j'ai assez d'argent pour acheter un petit gâteau au chocolat. Trop stressée pour pouvoir me retenir. Je laisse mes amis continuer de s'extasier sur le phénomène du dix sous et je me dirige vers le comptoir de la cafétéria. Je choisis mon petit gâteau, je le paie et je retourne vers notre table.

En marchant, je suis tentée de prendre une bouchée, mais en voulant mordre dedans, le capuchon (qui contient le crémage) tombe par terre.

OH NOOOOOOON!!!!!!!!!!!!!!!! C'est le meilleur morceau! Le morceau avec le crémage! Non, non, non!!!!!!!!!!!!

12 h 47

Je me penche. Je regarde autour de moi. Personne ne semble me regarder. Le gâteau est évidemment tombé du côté du crémage. Si j'enlève juste le bout du crémage qui a touché au plancher, je peux récupérer mon gâteau sans avoir l'air de manger quelque chose de malpropre. J'enlève le bout sale comme si de rien n'était.

12 h 48

Je m'exécute telle une ninja.

12 h 49

Je me relève en me préparant à prendre une nouvelle bouchée et je vois Nicolas devant moi.

Mon corps fige, la bouche ouverte devant mon gâteau.

Nicolas: Je peux t'en acheter un autre si tu veux.

Moi (froide): Non. C'est euh... très bon pour... les anticorps.

Je prends ma bouchée. Devant lui. Pour ne pas avoir l'air décontenancée.

J'ai du mal à l'avaler. Car, comme chaque fois que je suis devant Nicolas, je suis tout à l'envers. Comme si mes veines ne savaient plus où envoyer mon sang et que mon système nerveux était tout déréglé.

Nicolas : Quoi de neuf ?

Moi : J'ai une entrevue pour le *Miss Magazine*. Tantôt.

Nicolas : Ah, cool ! J'espère que ça va marcher.

Moi : Ouais... Je n'ai pas trop d'attentes.

(Juste un million !)

Il reste là et j'ajoute :

— Pis toi ?

Nicolas : Le hockey, les cours. Rien de spécial.

Pendant qu'il parle, la pièce de dix sous que, semble-t-il, j'ai toujours sur le front tombe sur mon gâteau.

Nicolas reste silencieux. Et moi, j'éclate de rire en disant (avec, sans doute, une voix de hyène hystérique) :

— Hahahahahaha ! J'avais encore mon dix sous dans le front ! Hahahahahaha ! Tu savais qu'on a un bout du front aimanté ?

Nicolas : Non...

Moi : T'essaieras ça. OK, ben... bye.

Nicolas : Bye...

Quinze secondes de conversation. Après quoi nous sommes partis chacun de notre côté. J'aurais voulu lui demander s'il a une nouvelle blonde. J'aurais voulu lui demander s'il s'ennuie de moi autant que je m'évertue à ne pas m'ennuyer de lui. J'aurais voulu lui demander s'il a envie de m'embrasser comme j'ai envie de l'embrasser. J'aurais voulu lui dire à quel point je suis fâchée contre lui. J'aurais voulu le rouer de coups. J'aurais voulu qu'il me prenne dans ses bras. J'aurais voulu sentir son odeur... Mais en quinze secondes, quinze secondes durant lesquelles j'ai tout de même trouvé le moyen de me ridiculiser, c'était impossible.

12 h 52

Constat : Devant Nicolas, j'aurai TOUJOURS l'air inadéquate.

Après notre conversation (était-ce vraiment une conversation ou une source de déception déguisée en conversation banale de quinze secondes ?), je suis allée reprendre mes esprits aux toilettes et j'ai replacé la pièce sur mon front pour voir si, avant de tomber, elle était visible ou cachée par mes cheveux.

Si elle était visible, je suis un peu fâchée qu'il ne me l'ait pas souligné. Ça ne se peut pas qu'il ne me l'ait pas fait remarquer par désir de se venger du fait que j'ai décidé de rester amie avec Tommy. Non. Nicolas n'est pas machiavélique à ce point. Il n'a sûrement rien remarqué. Ou il n'a pas eu le temps de me le dire. Ou il n'a pas osé.

Dans n'importe quel cas, j'aurais préféré ne pas avoir un dix sous sur le front pendant tout le temps que je lui parlais.

Argh.

Point positif : Au moins, le dix sous ne sera pas sur mon front pendant mon entrevue puisqu'il est tombé, à un moment inopportun j'en conviens, mais juste à temps !

15 h 30

Je termine normalement les cours à 16 h 20. Mais ma mère a accepté de me signer une permission de quitter plus tôt pour mon entrevue au *Miss Magazine*. Elle a précisé que c'était une exception. Que si je devais manquer des cours pour mon stage, elle ne me le permettrait pas. C'est que je n'ai pas osé faire une contreproposition d'heure pour ne pas avoir l'air d'une fille compliquée.

15 h 40

Je suis dans l'autobus en direction du *Miss Magazine*.

15 h 41

Je suis vraiment nerveuse.

15 h 42

Nerveuse X 1000.

15 h 44

Je vais carrément exploser.

15 h 45

PANNE DE MÉTRO ! ! ! ! !

OH NON ! ! ! ! ! ! ! ! ! ! !

Aurais-je des pouvoirs paranormaux qui font exploser les systèmes électriques ? Il me semble que ça arrive souvent que les trucs électriques deviennent défectueux en ma présence. Ça pourrait avoir un rapport avec la partie magnétique de mon front (?) !

16 h 02

Heure de mon arrivée au *Miss Magazine*, très essoufflée et avec transpiration abondante.

(J'essaie de renifler mon aisselle en douce pour m'assurer de ma bonne odeur corporelle.)

Avec un débit ultrarapide, j'explique à la réceptionniste mon retard causé par une panne de métro. Elle me laisse terminer et appelle Janik Tremblay.

Une lumière au plafond s'éteint momentanément et se rallume.

Je suis certaine que c'est ma faute, mais je m'abstiens de le mentionner, croyant qu'être à l'origine de phénomènes paranormaux n'est probablement pas une aptitude recherchée par les grands magazines féminins.

16 h 15

Bureau de Janik Tremblay. On y trouve plein d'exemplaires du *Miss Magazine*, les pages du prochain numéro (wow, je vois ça en primeur !) plein de produits de beauté dans des paquets-cadeaux non déballés. En fait, son bureau est complètement bordélique (plus que ma chambre, c'est tout dire !).

Elle m'invite à m'asseoir à une table ronde située en biais avec son bureau. Et m'informe que nous attendons son assistant à la rédaction, Richard Pelletier, et une coordonnatrice, Anne-Marie Hétu.

Ils arrivent quelques secondes plus tard en parlant de quelque chose que je ne comprends pas et prennent place à la table.

16 h 32

Ils m'ont posé toutes sortes de questions sur mon intérêt pour le *Miss Magazine*, mes chroniques préférées, sur ce que je voulais faire dans la vie (j'ai répondu que je n'étais pas encore fixée à ce sujet, ce qu'ils ont immédiatement noté). À ma plus grande qualité, j'ai répondu : « La curiosité, la soif d'apprendre plusieurs choses, surtout les potins du *Miss Magazine.* » (Ils ont ri, bon point pour moi, mais j'ai regretté de ne pas avoir parlé de mon ouverture d'esprit comme me l'a conseillé JF.) À la question sur mon plus grand défaut, j'ai répondu, suivi d'un clin d'œil : « Mon impulsivité qui me pousse à écrire des courriels un peu bizarres » (faisant référence au courriel que je leur ai envoyé, ce qui les a fait rire aussi, bon point encore).

J'ai un peu figé lorsqu'ils ont par la suite demandé :

— Où te vois-tu dans dix ans ?

Et que, ne sachant trop quoi répondre, étant encore nerveuse, j'ai répondu :

— Qui peut vraiment savoir ça ? Il y a dix ans, personne ne pouvait savoir où en serait rendue la technologie, ni que les médias sociaux prendraient un tel essor sur Internet. Aujourd'hui, il y a des gens qui ont des emplois qui n'existaient pas il y a quelques années à peine. Qui sait ? Peut-être qu'un jour, on travaillera même sur la Lune ! J'aime ça, ne pas avoir un plan trop bien défini parce que ça me permet d'avoir... des surprises.

Vive ma mère qui me met les mots en bouche, même si je n'y crois pas totalement.

Janik : Eh bien, ça fait un peu le tour de nos questions. Le stage consiste à répondre au courrier des lecteurs. Nous avons des réponses types, comme le contenu du prochain magazine. Si un lecteur pose des questions sur des chanteurs et chanteuses, peut-être que tu devrais faire des recherches sur leur site Internet ou des trucs du genre. Ensuite, tu nous aiderais lors des sessions de photo. Tu aiderais la styliste à placer les vêtements et tu t'occuperais de la nourriture. J'aurais aussi besoin que tu viennes m'aider à faire du classement dans mon bureau. Et tu pourrais prendre les produits que tu veux, je ne sais plus quoi en faire. Ça te tente ?

Moi : Euh... oui.

(Mets-en !!!!!!!!!!!! Mais je contiens mon enthousiasme pour ne pas avoir l'air trop groupie.)

Janik : Nous allons confirmer ça ensemble et te contacter demain pour te donner des nouvelles.

Moi : OK.

Janik : As-tu des questions ou des commentaires ?

Je. Veux. Cette. Job.

Moi : Euhm... oui. En fait, j'aimerais vraiment dire que je suis très ouverte d'esprit. Et j'aime beaucoup les gais. J'ai un ami qui est gai et quand il me l'a annoncé, ça ne m'a pas dérangée une seconde. Je trouvais ça vraiment normal.

Janik, Richard et Anne-Marie me regardent, médusés.

Visiblement mal à l'aise, Janik me demande :

— Est-ce que... tu veux nous aviser de ton homosexualité ? Si c'est le cas, nous sommes ouverts d'esprit nous aussi, tu n'auras pas de problèmes ici.

Moi : Non, non ! Je ne suis pas gaie. J'ai un chum. En fait, je n'ai plus de chum. Mais j'ai *eu* un chum. Pas que ça se soit terminé parce que j'étais gaie, mais, bon, c'est juste que, ça ne me dérange pas. Je voulais vous le dire. Comme un atout que j'ai pour le domaine artistique. Pas « l'homosexualité » comme telle, mais mon ouverture d'esprit.

Janik : OK... Eh bien... on va noter ça.

Oh non !!! Tout allait bien ! Pourquoi a-t-il fallu que ma bouche se mette à prononcer des mots que mon cerveau n'était même pas capable de contrôler ????

16 h 46

Malgré ce, disons, petit écart dans mon entrevue, je crois que ça s'est somme toute bien passé.

Note à moi-même : Ne parler de cet événement à personne.

18 h 30

Au souper, avec ma mère, je lui ai confié que quelque chose qu'elle m'avait déjà dit (se laisser surprendre par la vie) m'avait aidée en entrevue. Ç'a eu l'air de lui faire plaisir. Et c'est une très bonne diversion à la conversation que j'évite d'avoir avec elle.

Je suis pleine de ressources.

P.-S. : Et je vais avoir un stage au *Miss Magazine* !!!!!!!!!!!!!!!!!!!!!!!!

P.P.-S. : WOUAHHHHHHHH !!!!!!!!!!!!!!!!!

Vendredi 14 décembre

Jason est un gars super cool.

Nous sommes allés au cinéma et, après dix minutes, je trouvais le film vraiment plate. En fait, je n'avais pas la tête à ça. Parce que je n'ai pas eu de nouvelles du *Miss Magazine*. De toute la journée. Toute. La. Journée. Je n'ai pas dû faire bonne impression... Ça me stresse. Ça m'obsède. Et je n'arrête pas de penser à ça. J'aimerais vraiment obtenir ce stage. Peut-être que ça m'éclairerait beaucoup sur mon avenir. Je compte énormément là-dessus. J'ai proposé à Jason qu'on se fasse rembourser. Il n'a pas voulu. Et, pendant que j'insistais, le système d'alarme du cinéma s'est déclenché. Je l'ai entraîné vers le guichet pour obtenir un remboursement et, après avoir obtenu notre argent, le gérant du cinéma a averti tout le monde que ce n'était qu'une fausse alerte.

J'ai dit à Jason que, récemment, je faisais disjoncter les systèmes électriques. Il a ri. Je l'ai assuré de ma bonne foi. Mais il s'est montré très sceptique. Il a dit:

— OK, essaie, là.

Je lui ai expliqué que j'intervenais dans les systèmes électriques sans m'en rendre compte.

Lui : Aaaaah. Sans t'en rendre compte. C'est sûr.

D'accord, ce n'est pas une science exacte. Mais ce sont simplement de drôles de coïncidences.

21 h 06

Bon. Une chose menant à une autre, je me suis retrouvée chez Jason. Dans sa chambre. Il a dit qu'il fermait les lumières pour éviter que je fasse disjoncter son système électrique (hihi, il est drôle). Mais je ne sais pas trop ce qui s'est passé (et ça n'a aucun rapport avec le système électrique), il a commencé à m'embrasser et j'étais incapable de supporter sa bouche contre la mienne. Alors, j'ai reculé et j'ai commencé à balbutier « Je... J'ai... » tout en faisant toutes sortes de gestes. Il a allumé et m'a demandé ce que j'avais. Je continuais à faire « Je... J'ai... » tout en battant l'air de façon incontrôlable avec mes mains. Il a dit :

— Je comprends.

Qu'est-ce qu'il comprend ?

Hypothèses : Soit les pouvoirs télépathiques que j'ai toujours cru avoir sont bien réels, soit je suis une surdouée du mime (tellement surdouée que je ne sais même pas moi-même ce que j'ai mimé).

Samedi 15 décembre

Pas de nouvelles de Jason.

Pas de nouvelles du *Miss Magazine*.

Je prépare un gâteau au chocolat en mangeant la pâte compulsivement.

J'entends sonner. Ma mère et François sont chez mes grands-parents Charbonneau (ils étaient déçus que je ne vienne pas, mais c'est impossible à cause des examens, il faut que j'étudie). Alors, je ne réponds pas. Ça doit être des vendeurs itinérants et je n'ai pas la force de composer avec ça aujourd'hui. Je ne bouge pas et je continue de manger ma pâte à gâteau.

J'entends la porte s'ouvrir et des pas qui s'approchent.

Je m'empare de la cuillère en bois comme arme potentielle (très menaçant, j'en conviens).

C'est Tommy. Il s'arrête en me voyant, la cuillère de bois dans les airs.

Moi : Ah, salut.

Il ne dit rien et me regarde seulement avec un drôle d'air.

Moi : Quoi ?

Tommy : Rien. Ça va ?

Je le regarde à mon tour tout en prenant une autre bouchée de mélange à gâteau. Je lui en offre, mais il décline.

Moi : J'avais peur, c'est nono.

Il rit et me propose de m'aider à réviser mes maths. Il est assis à la table de la cuisine pendant que je continue à mélanger (manger) la pâte à gâteau.

Tommy : OK, une motomarine quitte le quai et franchit 2 kilomètres en direction nord. Elle parcourt ensuite 1,4 kilomètre vers le sud-est, et s'arrête près d'un énorme piton rocheux. Quelle est la norme du vecteur représentant le déplacement de la motomarine depuis le quai jusqu'au piton rocheux ?

Je prends une bouchée de ma pâte à gâteau et, la bouche pleine, je réponds à Tommy :

— Premièrement, c'est quoi un « piton » rocheux ? Deuxièmement, qui, dans la vie, dit « motomarine » ? Et troisièmement, dans la vraie vie, si tu es sur une « motomarine », tu t'en fous de connaître ton vecteur de déplacement, t'as juste du fun.

Tommy : Oui, mais si tu réponds ça dans ton examen, tu vas couler.

Moi : Ben je pense quand même que ce serait la réponse la plus réaliste.

Tommy ferme son livre en riant et me suggère :

— Étudie pareil, Laf. Les maths, c'est pas ton fort.

Moi : Je ne me demande pas pourquoi quand on me demande de calculer le vecteur de déplacement d'une motomarine, quelque chose qui ne me servira à rien dans la vie !

Tommy : Promets.

Moi : OK, je promets sur l'âme de ma pâte à gâteau que je vais étudier et trouver une utilité à connaître mes vecteurs de déplacement dans toutes les sphères de ma vie.

Il ferme son livre.

Tommy : Pis, Jason ?

Moi : J'sais pas...

Tommy : T'as l'air de l'aimer encore, Nicolas. Je ne comprends pas pourquoi ça s'est terminé. Ni pourquoi tu ne veux pas m'en parler.

Moi : On n'était... pas faits pour être ensemble. C'est tout.

Tommy se lève, s'approche de moi et dit :

— Je sais que t'es triste ces temps-ci à cause de ta mère. Mais... des fois, j'ai l'impression que t'es fâchée contre moi. Je ne sais pas, quelque chose a changé, on dirait. Entre toi pis moi. Est-ce que je capote pour rien?

Je le regarde et je ne peux m'empêcher de penser que les deux fois où j'ai perdu Nicolas, c'est par sa faute. Normalement, je serais capable de passer par-dessus ce fait, mais ces temps-ci, je ne suis plus moi-même. Ma carapace est percée. Tout me bouleverse. Il ne saura jamais que, parfois, j'aimerais mieux qu'il n'ait jamais déménagé dans mon quartier. Il ne saura jamais non plus que, maintenant qu'il est dans ma vie, je ne pourrais plus me passer de lui parce qu'il est mon meilleur ami et sûrement une des personnes les plus importantes pour moi. Mais que cette affection que j'ai pour lui est présentement enfouie profondément sous une rancœur vraiment intense et involontaire qui me ronge. Et que tout ce que j'ai envie de faire, c'est me cacher chez moi et manger du chocolat.

Je réponds:

— Ben non, c'est vraiment, j'sais pas... ma mère, le stress des examens, tout ça...

Tommy: OK.

Il s'approche un peu plus de moi et dit:

— T'as du chocolat partout.

Je m'essuie un bout de joue.

Tommy rit.

Moi: Ben quoi?

Tommy: T'en as vraiment partout. Même dans tes cheveux.

Je regarde une couette de mes cheveux qui a visiblement trempé dans la préparation.

Moi (en riant à mon tour) : Oh, ouaaaach ! Bon, où est-ce que j'en ai d'autre ?

Tommy : Dans le front, sur le menton, sur le nez, la joue, le bord de ton sourcil. Ç'a l'air bon, ton gâteau, en tout cas.

Moi (en m'essuyant) : Ouain...

Tommy (se pointant la joue) : T'en as encore ici.

Moi : Ici ?

Tommy : Non, l'autre bord.

Moi : Ben là, tu me pointes miroir ou sens opposé ?

Tommy : J'sais pas, miroir ?

Moi : Il faudrait se le dire, quand on se pointe les saletés ou les gogosses entre les dents, si on est miroir ou sens opposé.

Il s'approche et me pointe avec son doigt. Je m'essuie.

Tommy : Tu passes toujours à côté. Attends.

Il s'approche encore plus et passe son doigt sur ma joue.

Le visage de Tommy est très près du mien. Je peux sentir l'air qui sort de son nez. Ça sent bon. Ça ne sent pas comme Nicolas. Ça sent moins sucré. Moins l'assouplissant. Plus discret. Mais bon pareil.

Ce qu'aurait été ma vie si je n'avais jamais rencontré Nicolas n° 2 :

Si je n'étais jamais allée à l'arcade le jour où j'ai croisé Nicolas pour la première fois, je ne l'aurais pas rencontré. Je ne serais pas allée dans les mêmes partys que lui, et je n'aurais pas tripé sur lui. Je n'aurais tout simplement pas su qu'il existait. Et on ne se serait jamais embrassés. Je me serais plainte de n'avoir embrassé personne, et lorsque j'aurais rencontré Tommy, je l'aurais sûrement trouvé ultrabeau. J'aurais voulu que ce soit lui qui m'embrasse pour la première fois. Et notre premier baiser, devant les fenêtres de MusiquePlus, aurait été long et langoureux, et il ne se serait pas terminé par un coup de sacoche. Et nous aurions attendu ensemble de voir s'il allait être diffusé. Et nous l'aurions enregistré. Et conservé toute notre vie en souvenir. Nous ne serions jamais devenus amis. Nous serions tombés amoureux. Je me demande si nous aurions été ce genre de jeune couple qui se rencontre vers la moitié du secondaire et qui sort ensemble super longtemps, genre deux ans, jusqu'au bal et même après, jusqu'à on ne sait pas quand, vu qu'on est tellement bien assortis. Oui, si je n'avais pas rencontré Nicolas, Tommy aurait probablement été mon premier amour.

15 h 13

On dirait que le temps s'est arrêté. J'ai l'impression de me retrouver dans une bulle où je me sens bien. Aimantée vers lui. J'ai soudainement envie que Tommy me prenne dans ses bras et qu'il... m'embrasse.

Je ferme les yeux.

Tommy : Qu'est-ce que tu fais ?

Que Tommy m'embrasse ?????? QUOI ??? NON !!!!!! Mais qu'est-ce que je dis là ? Qu'est-ce que ? Tommy ? OU-ACH !

Moi : Euh... je ne sais pas trop, je pense que je suis fatiguée, je dors debout, héhé. (Je force un bâillement.) Je pense que tu devrais t'en aller.

Tommy : Tu ne veux pas qu'on écoute un film ?

Moi : Non. Trop d'étude à rattraper, là, avec les vecteurs de déplacement de motomarines et tout. Je... euh... très dans le jus. Ouain.

Oh. Mon. Dieu. Qu'est-ce qui m'arrive??????? Mais non, je n'ai pas envie que Tommy m'embrasse. Franchement ! Ce que je vis, c'est totalement explicable scientifiquement. Biologiquement, en fait. Ç'a rapport avec l'hypophyse ou un truc du genre. Ce sont des hormones qui s'emballent. Attribuable à l'adolescence. Oui, oui, c'est ça. C'est sûr. Je suis bouleversée à cause de Nicolas. Et de ma mère. Je suis semi-dépressive ! Et ça me fait tout mélanger (pas juste le gâteau, je veux dire dans ma tête). Et comme je suis très près de Tommy, mon cerveau (inadéquat, enclin à la démence) a peut-être confondu ma décision de rester amie avec Tommy avec un sentiment ou une attirance quelconque, alors que ce n'est pas ce qui a motivé mon choix. Ce qui a motivé mon choix est que Nicolas est très égoïste de m'avoir demandé ça. Et mes amis sont trop importants pour moi pour que j'en rejette un à cause d'un gros jaloux.

Tommy (à côté de la porte) : Bon, ben, bye, d'abord.

Moi : Ouain, c'est ça, bye.

Tommy : T'es sûre que t'es correcte ?

Moi : Super.

Je referme la porte. Un peu troublée, je me dirige vers ma préparation à gâteau que je mange compulsivement.

Le chocolat n'est qu'un dessert. Le chocolat n'est qu'un dessert. Le chocolat n'est qu'un dessert. Le chocolat n'est qu'un dessert. Le chocolat n'est qu'un dessert. Le chocolat n'est qu'un dessert. Le chocolat n'est qu'un dessert. Le chocolat n'est qu'un dessert. Le chocolat n'est qu'un dessert. Le chocolat n'est qu'un dessert. Le chocolat n'est qu'un dessert. Le chocolat n'est qu'un dessert. Le chocolat n'est qu'un dessert. Le chocolat n'est qu'un dessert. Le chocolat n'est qu'un dessert. Le chocolat n'est qu'un dessert. Le chocolat n'est qu'un dessert. Le chocolat n'est qu'un dessert. Le chocolat n'est qu'un dessert. (X 1000)

Dimanche 16 décembre

La semaine d'examens commence demain : étudeétudeétudeétudeétudeétudeétudeétude étudeétudeétudeétudeétudeétudeétudeétude étudeétudeétudeétudeétudeétudeétudeétude étudeétudeétudeétudeétudeétudeétudeétude étudeétudeétudeétudeétudeétudeétudeétude étudeétudeétudeétudeétudeétudeétude.

Lundi 17 décembre

Maintenant, je sais comment les robots se sentent (même si, techniquement, ils ne sentent rien), car les robots ne dorment jamais. Comme moi cette nuit.

C'est la première journée d'examens et je dois être très concentrée.

16 h 01

Je suis sortie de l'examen de français avant la fin. Satisfaite. J'avais terminé. Révisé. Revu. Corrigé.

Je suis allée à la bibliothèque pour lire mes courriels. Je n'en avais aucun.

Bon, j'en avais. Mais des pas importants. Pas du *Miss Magazine*.

Je suis vraiment déçue.

Ça n'a pas fonctionné.

Sinon, ils m'auraient écrit, car ils avaient dit: « On te donne des nouvelles demain. »

Au moment où je referme ma boîte de courriels, on me tape sur l'épaule, ce qui me fait sursauter.

Jason.

Il me demande s'il peut me parler.

16 h 12

Je suis devant lui et je l'écoute.

Lui: Je trouve que t'es une fille super. Mais... je sais que t'as encore ton ex dans la tête et...

Moi: Mais non!

Lui: Tommy m'a dit ça.

Moi: Hein? Tommy? Pourquoi? Quand? Comment ça?

Lui: Ce n'est pas important, mais... je voulais juste te dire que je comprends.

Moi: Mais non! J'aimerais ça qu'on apprenne à se connaître encore. Ça peut être relax.

Lui : J'ai parlé à Tommy tantôt pis il m'a dit ça, et je sais qu'il a raison.

La colère monte en moi. Comment Tommy a pu me trahir comme ça ?

Moi : Ce n'est pas vrai. J'ai appris que ma mère était enceinte et ça m'a complètement déboussolée. J'ai de la misère à penser à autre chose. Je suis un peu déprimée. Mais pas à cause de mon ex. T'es un gars cool pis j'aimerais ça te connaître... plus, disons.

Lui : Tommy a raison. Mais c'est correct. On va se revoir dans nos cours.

Moi : J'espère que t'es cool parce qu'on va rester amis. Euh... je veux dire, j'espère qu'on va rester amis parce que t'es cool.

Il rit.

Moi : Désolée, je déparle quand je suis nerveuse...

Lui : Je n'aime pas ça, être ami avec des filles qui m'intéressent. Mais si tu changes d'idée à un moment donné... (Il hausse les épaules et s'en va.) On se revoit dans nos cours !

16 h 13

J'attends Tommy devant son casier, je suis en furie. Si c'était possible, je lancerais des éclairs avec mes yeux.

16 h 16

Il arrive.

16 h 25

Heure de la fin de mon amitié avec Tommy.

En gros :

Je lui ai dit que je ne voulais plus rien savoir de lui.

En détail:

Il est arrivé à sa case. M'a saluée. Je lui ai demandé:

— As-tu dit à Jason que je n'avais pas oublié mon ex?

Tommy: Euh... pas vraiment dans ces mots-là.

Moi: Qu'est-ce que tu lui as dit?

Tommy: Je ne m'en rappelle plus vraiment.

Moi (avec les dents serrées): Ce serait le fun que tu t'en souviennes.

Tommy: Il ne t'intéresse même pas, ce gars-là, qu'est-ce que ça peut faire?

Moi: Pis si ça me tentait d'essayer une nouvelle affaire? D'aller voir ailleurs? Tu t'en fous de ça, toi, hein? Tu veux juste éloigner tous les gars de ma vie, c'est ça?

Tommy: Ben voyons, qu'est-ce que tu dis là?

Moi: Qu'est-ce? Que? Tu? Lui? As? Dit?

Tommy (qui soupire): Il me posait des questions sur toi. J'sais pas... Je lui ai dit que tu vivais des affaires. Pis ça se peut que, à travers tout ça, j'aie glissé qu'il y avait ton ex. Rien de grave.

Moi: Ben non. Rien de grave. Juste tous mes secrets!

Tommy: Je n'ai pas donné de détails! J'ai juste répondu à sa question!

Moi: Tu ne pouvais pas être plus vague?

Tommy: J'ai été vague. Me semble. Écoute, ça ne me tente pas qu'on fasse une scène en public. Est-ce qu'on peut s'en reparler ce soir?

Moi: On ne s'en reparlera pas. Je ne veux plus jamais te parler! Depuis que t'es arrivé ici, t'as juste gâché ma vie, Tommy Durocher ! Tant mieux que tu sois plus mon voisin, ça va être moins dur de t'éviter !

Je m'en vais et il me rappelle :

— Laf !

Moi : J'haïs ça que tu m'appelles de même ! J'ai toujours haï ça ! C'est con ! Laisse-moi tranquille !

Ce qu'aurait été ma vie si je n'avais jamais rencontré Tommy n° 2 :

Je serais sortie avec Nicolas plus longtemps, car personne ne m'aurait embrassée devant les fenêtres de MusiquePlus, donc je n'aurais pas eu besoin de cacher cet épisode à Nicolas, il n'aurait pas vu ça à la télé et il ne m'aurait pas laissée au moment où un oiseau a décidé de me faire caca sur la tête. Tout ça aurait été très bien. Je n'aurais pas su ce que c'est que d'avoir le cœur brisé par l'amour. En tout cas, pas à ce moment-là. Ma vie (amoureuse) aurait été parfaite en tous points pour toujours. J'aurais même été tellement experte dans ce domaine que je serais devenue une référence, style quelqu'un qui répond au courrier du cœur et qui donne des conseils aux autres.

Mardi 18 décembre

Pas le temps de penser à ma vie.
Examens.

Je dois me concentrer sur les vecteurs de déplacement des motomarines et autres notions qui me serviront grandement dans la vie. (Ceci est bien sûr ironique.)

Plus que deux jours d'école avant les vacances de Noël. J'aurais grandement besoin de vacances. Je dois garder le focus. Mais je rêve d'eau (océan), d'arbres (palmiers), d'oiseaux (pélicans), de vent (brise) et d'une chanson pop (reggae).

Pour l'instant, je regarde ma lampe de bureau en écoutant n'importe quelle musique, en faisant pit ! pit ! moi-même, en respirant un sent-bon à l'odeur de sapin tout en jetant un œil de temps en temps sur la page d'accueil du canal Évasion. On fait comme on peut dans le sous-sol de sa maison, en ville.

P.-S. : Toujours aucune nouvelle du *Miss Magazine.*

Mercredi 19 décembre

Examens.

Toujours pas de nouvelles du *Miss Magazine.*

Je réserve à Tommy un traitement glacial à l'école. Il essaie de me parler, mais je refuse.

Au dîner, je mange seule avec Kat, et JF mange avec lui.

Kat essaie de me raisonner. Elle comprend un peu ce que je lui explique, mais pas assez à mon goût. Elle défend Tommy, ce qui n'est pas son genre. Je lui ai demandé d'être solidaire avec moi. Et j'ai demandé qu'on change de sujet. Elle a arrêté de prendre son parti.

12 h 45

En allant chercher des trucs à ma case, j'entends des bruits à l'autre bout de la rangée, près de la case 0777. Pendant un moment, je me sens faiblir, me rappelant tous les moments où Nicolas et moi nous sommes embrassés dans ce racoin.

Ma curiosité me pousse à aller voir qui est là.

Est-ce Nicolas avec une autre fille? Si tel est le cas, serais-je capable de supporter cette vision? Ou est-ce que ça me laisserait complètement indifférente?

Il faut que je voie.

Il le faut.

J'approche et je vois Audrey en train d'embrasser quelqu'un.

Oh non!

Audrey!!!

Nicolas embrasse Audrey????!!!!

Il faut que je sache.

Je m'avance et j'arrive tout près d'eux.

Je découvre Audrey avec... Truch.

Je les regarde un à un.

Ils arrêtent de s'embrasser et Truch me demande, avec un sourire en coin:

— On peut faire quelque chose pour toi?

Moi: Tu ne sors pas avec Noémie?

Truch: Est-ce que c'est de tes affaires?

Moi (me retournant vers Audrey) : Me semblait que ça t'énervait, les gens qui frenchent près de ta case ? !

Audrey (avec un rire tellement niais) : Ben... hihihi... sauf quand c'est moi... hihihi... c'est ma case... hihihi !

Tarte.

Et ils continuent de s'embrasser comme si je n'étais pas là et je vois que Truch me fait un signe complice de m'en aller.

Euh... ? Désolée, je vais m'en aller parce que ça me tente et non parce que Truch me fait un signe. Je ne serai jamais la complice de ce gars que je déteste du plus profond du fond de mon fond !

Ce qu'aurait été la vie de Kat si elle avait continué de sortir avec Truch :

Si Kat avait continué de sortir avec Truch, on se serait tranquillement éloignées l'une de l'autre. Je ne l'aurais évidemment pas abandonnée parce qu'elle serait sortie avec un gros moron. Non, non. Loin de moi cette idée. C'est plutôt que nous aurions été tellement incompatibles, lui et moi, qu'il aurait fallu qu'elle divise son horaire pour que lui et moi nous croisions le moins possible. Je me serais retenue de faire des commentaires sur son chum, car je n'aurais pas voulu lui faire de la peine ni mettre en péril notre amitié. Alors, lorsqu'elle m'aurait parlé de lui, j'aurais fait de l'écoute active en ajoutant des sons comme « hum-hum » ou encore « ah, OK » ou tous les autres « cool, *nice*, pas pire ». Mais j'aurais toujours eu une pointe de déception en sentant qu'elle changeait simplement pour lui plaire (ce qu'elle faisait lorsqu'elle était avec lui). Elle n'aurait jamais suivi de cours d'équitation. Et, un jour, elle serait allée en faire avec sa famille et serait tombée. Elle se serait cassé quelque chose, peut-être une côte. Elle aurait dû manquer une semaine d'école. Et là, j'aurais surpris Truch en train d'embrasser Audrey. Et je n'aurais pas su quoi faire. Le dire à Kat? Le lui cacher? Lui faire de la peine pour son bien? Ou ne pas lui dire pour la protéger d'une grande tristesse? Mon honneur et ma loyauté m'auraient incitée à choisir la vérité. Je lui aurais tout avoué. Truch aurait bien évidemment été très fâché contre moi. Mais Kat, bien qu'elle eût refusé de me parler pendant quelques jours sous prétexte que je n'avais jamais aimé Truch etc., etc., m'aurait remerciée de le lui avoir dit. Elle aurait laissé Truch. Celui-ci m'en aurait voulu. Mais je m'en serais foutu. Enfin débarrassée de ce gars qui n'aurait jamais rendu mon amie heureuse, avec qui elle n'aurait jamais pu être totalement elle-même. Et Truch aurait explosé quelques jours plus tard dans un accident nucléaire. (Ben quoi? C'est ma vie parallèle, j'ai le droit d'imaginer que Truch explose si ça me fait plaisir!!!)

16 h 22

J'arrive devant une pharmacie et je me dirige vers l'entrée spontanément. Marcher dans les allées me calmera. Je pourrais peut-être même m'acheter des petites boules en chocolat de Noël. Ou quelque chose comme ça.

Au moment de mon arrivée devant la porte, elle ne s'ouvre pas.

Je tape du pied sur le détecteur de mouvement. La porte ne s'ouvre toujours pas.

ARRRRRRRRRRGHHHHHHHHH !

Tout m'écœure !!!!!!!!!!!!!!

Ma mère ...

Tommy...

Ma meilleure amie qui me cache des choses et se confie à un nul plutôt qu'à moi !

Pis le *Miss Magazine*, qu'ils le gardent, leur stage !

Je piétine le détecteur de mouvement. La porte ne s'ouvre toujours pas.

Je saute à pieds joints devant la porte en grognant :

— J'existe !!!!!! J'existe !!!!!!!!!!!!!

16 h 23

Un agent de sécurité m'ouvre la porte et dit :

— La bonne vieille méthode quand ça ne marche plus, c'est de pousser.

Moi (tentant de conserver ma dignité en passant devant lui la tête haute) : Vous devriez faire réparer ça.

Vendredi 21 décembre

Je suis en congé.

Il y a eu du verglas (poche). Et hier, de la belle grosse neige (yé). Une vraie belle première neige le fun ! Avec de gros flocons, ambiance hyper romantique et tout. Bon, je n'ai pas profité de l'ambiance romantique parce que je n'ai pas de chum, mais... c'était romantique pareil. Genre film.

Cette année, on fête Noël chez nous. Ma mère a décidé d'inviter tout le monde ici. Au début, François n'était pas tout à fait d'accord avec cette idée, car il trouvait que ça allait la fatiguer, mais elle a insisté. Elle avait envie de faire ça ici. Je lui ai dit que je l'aiderais et François a finalement été d'accord. Mais il a tenu à ce qu'on ne reçoive que le minimum de personnes. Bref, on attend ma grand-mère Laflamme, mes grands-parents Charbonneau, ma tante Loulou, son mari et mon cousin William, et les parents de François. Son frère et sa sœur sont occupés dans d'autres partys.

J'ai un aveu à faire.

Cette année, Noël, ça ne me tente pas.

Je crois que je suis rendue anti-Noël!

Raisons:

1) Ça revient trop vite d'année en année, on n'a pas le temps de s'en ennuyer.

2) Ça coûte cher, avec les cadeaux qu'on doit faire à tout le monde. Et je n'ai aucune croyance religieuse pour justifier mes dépenses.

3) Quand on fait du magasinage de Noël, tout le monde est fru et bête, et les commis ne sont pas très portés à nous aider, car ils vendent leur marchandise de toute façon.

4) Et je ne l'ai jamais dit, je ne m'en étais même pas vraiment rendu compte mais... j'haïs la dinde! La *&?% $#@! dinde avec la *&?% $@! sauce brune! J'haïs ça! Pis les patates pilées avec

des mottons, c'est dégueulasse ! Et je déteste la tarte au sucre ! Et celle avec des pacanes dedans, c'est encore pire ! En plus, à Noël, si tu dis : « J'ai pus faim » parce que la vraie raison est que tu te rends compte que la tarte est pleine de pacanes et que, de toute façon, ça ne te tente pas de dégueuler ton souper de Noël pendant trois jours et il est temps que tu arrêtes les mélanges dinde-jambon-sucre-patates-etc., le monde te regarde avec un air déçu qui veut dire : « J'ai travaillé pendant deux semaines pour faire ce souper de Noël, pis elle ne veut même pas goûter à ma tarte. » ÇA ÉCŒURE !

5) Les gâteaux aux fruits. Rapport ? ? ? ? ? ? ? ? On en reçoit toujours un en cadeau. Et ma mère m'oblige toujours à y goûter. Et ça goûte dégueu. Ça ne devrait juste pas exister. Un gâteau brun avec des fruits fluo dedans = NON.

6) On se sent coupable si on pense aux points 1, 2, 3, 4, 5.

Soupir de soulagement. Ça fait du bien de le sortir.

On m'appellera maintenant Aurélie Scrooge.

Samedi 22 décembre

Kat aura un Noël chargé, car elle va dans la famille de son chum et dans sa propre famille qui habite assez loin.

JF va dans le Sud avec ses parents.

Et il paraît que Tommy va chez sa mère. (Mais je m'en fous.) C'est Kat qui vient de me donner cette information qu'elle a jugée pertinente alors qu'elle ne l'est pas.

Je suis donc chez elle. Je caresse l'oreille de Lady, sa chienne, qui ne bouge pas, dont le museau est appuyé sur ma jambe.

Kat : Il est super bouleversé à ce qu'il paraît.

Moi : Ça ne me tente pas d'en parler.

Kat : Au... T'es dure avec lui. Pis je peux imaginer ce qu'il vit parce que, quand on s'est chicanées, j'avais de la peine.

Moi : Tu n'avais pas trahi mes secrets. Ni empêché que je sorte avec pas juste un, mais deux gars. Nicolas...

Kat : Je pense qu'il va falloir que t'oublies Nicolas une fois pour toutes. Combien de temps ça va durer, ça ?

Moi : Je suis poche quand je suis en deuil des gens que j'aime.

Kat : Tommy aussi, tu l'aimes.

Moi : S'il n'était pas venu vivre ici, tout serait différent.

Kat : Si Nicolas n'était pas fait assez fort pour endurer certaines affaires, tant pis pour lui. Oublie-le.

Moi : C'était avec lui que je rêvais d'aller au bal.

Kat : On va y aller tous ensemble, pis ça va être correct.

Moi : Toi, t'as Emmerick, pis moi, j'ai...

Kat : T'as moi, Tommy, JF... au pire, tu iras avec Truch !

Moi : Ah ouach ! Franchement ! Je t'envie un peu, t'sais...

Kat : Hein ? Pourquoi ? À cause de Truch ?

Moi : Non, franchement ! Parce que... tu passes à autre chose facilement. Pour toi, Truch, c'est du passé. L'équitation aussi. Tu prends des décisions, tu t'y tiens pis tu les assumes. Moi, je suis toujours déchirée entre une chose et l'autre.

Kat : C'est vrai qu'il faudrait que tu sois un peu plus décidée. Ça pourrait être ta résolution de la nouvelle année !

Moi : OK...

Kat : Ça, pis te réconcilier avec Tommy.

Moi : Hum... J'sais pas.

Kat : Pis parler à ta mère.

Moi : Hum... J'sais pas. Me semble que tu devrais me comprendre. T'haïs ça, avoir une sœur.

Kat : La plupart du temps, peut-être. Parce qu'elle me gosse. Mais je l'aime. Je ne pourrais pas imaginer ma vie sans elle.

Moi : Je croyais que ta sœur était la personne qui t'énervait le plus au monde.

Kat : Oui, mais c'est ma sœur... Des fois, le soir, elle a peur et elle vient dormir dans ma chambre. Quand on va chez nos grands-parents, on a la même chambre et on parle toute la nuit. Quand tu n'es pas là, elle est un peu comme ma meilleure amie.

J'aurais presque été touchée par ce dernier aveu si Julyanne n'était pas arrivée pour venir chercher son chien et qu'elle et Kat n'avaient pas commencé à s'engueuler comme toujours, malgré tous les événements qui nous ont rapprochées d'elle depuis le début de l'année.

Ça ressemblait en gros à :

Julyanne : Je veux mon chien.

Kat : Elle est bien avec nous, laisse-nous tranquilles !

Julyanne : C'est MON chien !

Kat : Ça ne la fera pas mourir d'être ici.

Julyanne : Oui, parce que tu pues !

Kat : Au aime ça, flatter Lady, laisse-nous-la donc un peu !

Moi : Ça dérange pas, Kat, laisse-lui son chien !

Kat et Julyanne : Gna-gna-gna-gna-gna !

(Je ne sais pas ce qu'elles disaient, je n'écoutais déjà plus à ce moment-là, et Lady avait une oreille qui tremblait.)

Je suis partie en lui souhaitant un joyeux Noël et en imaginant avec morosité ce à quoi ressemblerait le reste de ma vie.

Dimanche 23 décembre

Ma grand-mère Laflamme vient d'arriver. Je suis allée déposer ses valises dans la chambre d'amis. Elle m'a suivie, puis, une fois dans la chambre, elle m'a demandé comment j'allais. J'ai dit :

— Bien.

Elle a dit :

— Hu-hum... C'est convaincant.

Ma grand-mère, parfois, sait comment percer toutes mes carapaces et les sous-couches de carapaces. Par un seul regard, j'ai l'impression qu'elle me comprend. Alors, j'ai eu les larmes aux yeux.

Elle a refermé la porte.

J'ai tout déballé. Je lui ai dit que je ne me sens vraiment pas bien. Que j'ai l'impression que tout ce que je désire finit toujours en poussière. Que je me sens comme le brouillon de l'enfant parfait que ma mère a fabriqué avec François. Que je suis incapable d'en parler à ma mère parce que je suis bloquée, comme étouffée par mes émotions. Et que j'ai l'impression, en observant ma mère et François qui se regardent amoureusement tous les matins en flattant son bedon, de ne plus exister. Et que puisque je n'ai aucune idée de ce que je vais faire dans la vie, que je n'ai aucun rêve de carrière ni aucune passion claire, je ne sais pas trop ce que je fais dans le monde ni pourquoi je suis sur terre. Que je ne comprends pas mon utilité. Et que j'ai l'impression que la seule personne qui m'aimait vraiment était mon père. Mais il n'est plus là. Je voudrais juste qu'il me prenne dans ses bras. Que toutes les chansons de Noël me font pleurer, même *Jingle Bells*. Je lui ai aussi raconté que j'avais la passion d'écrire, mais que je n'avais pas été choisie dans un concours et que je ne savais plus trop vers quelle passion me tourner maintenant.

Ma grand-mère s'est fâchée. Je ne m'attendais pas à cette réaction de sa part. Elle s'est carrément fâchée. Elle m'a dit qu'elle ne me reconnaissait pas du tout. Qu'elle ne pouvait croire que c'était bel et bien moi qu'elle venait d'entendre. Qu'il fallait que j'arrête de m'apitoyer sur mon sort, qu'une belle vie m'avait été offerte et que je devais recommencer à être la personne qu'elle connaissait, forte et fière. Parce que là, je m'engageais sur une pente qu'elle n'aimait pas. Que c'était correct d'avoir parfois de la tristesse, tant qu'on ne se noyait pas dedans.

Elle a ajouté que chaque expérience de vie était un défi.

— Tu penses que c'est facile tous les jours pour une vieille comme moi ? De vieillir, de sentir ton corps qui te lâche ? Toi, tu es jeune, en santé. Tu as toute la vie devant toi. Dans ma vie, plein de choses n'ont pas fonctionné. J'ai continué d'essayer. Et même pour les choses qui ont fonctionné, tout n'est pas toujours rose. Il ne faut jamais voir un refus comme un obstacle à la concrétisation de ses projets. C'est seulement un obstacle, point. Ne remets jamais en question ton talent et ton désir d'atteindre tes buts. Dans ma vie, j'ai eu certains rêves qui ne se sont pas réalisés, mais de nouveaux ont surgi. Je crois que ce qui est le plus positif, ce n'est pas de réaliser tous ses rêves, mais d'avoir la capacité de renouveler ses rêves, d'en générer de nouveaux. Là, je veux, s'il te plaît, que tu sortes de cette spirale dans laquelle tu es coincée, parce que je veux retrouver ma petite-fille que j'aime tant. Tu te souviens, cette fille lumineuse qui n'est pas toujours en train de se plaindre ?

Moi : Moi aussi, je voudrais la retrouver...

Ma grand-mère m'a serrée dans ses bras et elle allait dire autre chose, mais je l'ai arrêtée prétextant que mon cerveau ne pouvait assimiler qu'une quantité limitée de sermons.

Je l'ai collée. Elle sentait les fleurs, alors j'ai respiré son cou, ce qui l'a chatouillée, et on a ri.

Note à moi-même: Parfois, je me demande si les adultes pensent vraiment que leurs sermons sont magiques. Elle est cool, ma grand-mère, mais ce n'est pas parce qu'elle me dit de me ressaisir que ça va arriver, comme ça, tout d'un coup, et effacer le reste au son d'une onomatopée du genre « pouf ».

Lundi 24 décembre

Dans ma chambre, à écrire mes cartes de Noël. La plus difficile est celle pour ma mère et François.

« Chers maman et François,
~~Je vous félicite pour le bébé...~~ »

« Chers maman et François,
~~Je vous souhaite beaucoup de bonheur avec le bébé...~~ »

« Chère maman, cher François,
~~Je vous félicite d'avoir procréé. Après tout, ce n'est pas donné à tout le monde...~~ »

22 h 14

« Chère maman, cher François,

Plusieurs personnes vous souhaiteront sans doute beaucoup de bonheur et vous féliciteront pour le bébé. Mais le plus important est de ressentir du bonheur au-delà de ce phénomène tout à fait naturel qu'est la reproduction.

Car tous les êtres humains sont appelés à se reproduire. Même les plus petites cellules élémentaires vivantes, dans la nature, invisibles à l'œil nu, comme atomes, électrons ou autres, se dédoublent. Lors de la « reproduction de deux cellules vivantes », il n'y a ni création de matière ni même conversion de matière en énergie, mais des réarrangements moléculaires. Bref, comme vous pouvez le constater, voilà un phénomène bien naturel auquel vous avez participé et tout ça est bien normal vu que la particularité d'une cellule est de se reproduire et qu'à un certain degré nous sommes tous des cellules et que nous devons tous participer à ce phénomène pour la survie de l'espèce. Alors, félicitations d'avoir participé à votre façon à ce phénomène naturel qu'est la reproduction de l'espèce. Je suis certaine que notre planète, qui préfère être bien peuplée, vous en sera reconnaissante.

Alors, je vous souhaite beaucoup de bonheur, en général dans la vie, sur plusieurs plans, mais pour tout ce qui concerne des phénomènes naturels, je vous souhaite simplement que la nature suive son cours.

Joyeux Noël !

Aurélie
xox »

22 h 14

Ma mère et François lèvent la tête de leur carte avec une certaine interrogation dans le regard. Puis, ma mère éclate de rire. Elle rit aux larmes. Je regarde un peu partout. Tout le monde veut savoir ce qui se passe et demande à lire la carte. François, qui rit aussi, décide de la passer aux invités.

Puis, ma mère a les larmes aux yeux et se dit émue. François lui caresse le dos.

Et elle dit :

— Aurélie... il n'y en a pas deux comme toi. Si tu n'existais pas, je t'inventerais !

Moi (surprise) : Tu m'inventerais ?

Ma mère : Tellement ! Une chance que je t'ai.

Elle se lève et vient m'embrasser, ce à quoi je réplique :

— Tu n'as même pas encore ouvert mon cadeau.

Elle répond :

— C'est toi mon cadeau.

Moi (pendant qu'elle essaie de m'embrasser et que je la repousse un peu pour conserver ma dignité en public) : Wouaaaah ! Quétaine ! Hahahaha ! Ouvre mon cadeau, là.

Elle l'ouvre et y découvre le chandail pour femme enceinte qu'elle n'a pu acheter lorsque je l'ai surprise dans son magasinage. Elle sourit. Puis, elle prend une petite boîte sous le sapin et me la tend.

Je l'ouvre et y découvre un collier en or avec une petite roche noire un peu déformée. Je ne veux pas avoir l'air mécontente, c'est seulement que je trouve que ma mère ne connaît pas vraiment mes goûts. Je la remercie tout de même en me forçant à esquisser le plus beau sourire possible.

Ma mère : La roche, ce n'est pas juste un caillou ordinaire, c'est un minimétéorite. Je sais que tu es fascinée par l'espace et je suis tombée sur ce collier l'autre jour. Je me suis dit qu'il était pour toi. Et qu'il serait parfait pour ton bal.

Moi : Oh... Maman... Oh...

Je me lève et je la serre très fort dans mes bras.

22 h 34

Je suis fascinée par mon collier. Je ne peux détacher mes yeux de lui. J'observe cette pierre sous tous ses angles. À la lumière, on voit qu'elle brille un peu. Je détourne parfois les yeux de mon collier pour regarder les gens autour de moi qui se parlent, qui continuent de s'échanger des cadeaux. Je n'entends pas les sons distinctement, car je suis dans mes pensées.

Ma mère est drôle. Penser que je suis fascinée par l'espace est la démonstration qu'elle ne me connaît pas tant que ça. Elle fait des associations étranges dans sa tête. Elle m'a expliqué qu'elle avait trouvé ça bien drôle, il y a deux ans, lorsque je lui avais fait part de ma théorie selon laquelle mon père est un extraterrestre (j'étais jeune, quoique j'avoue qu'encore *parfois* cette image me revient et me réconforte), et lorsque je lui ai parlé de possibilités d'avenir professionnel sur la Lune ; elle a fait 1 + 1 = Aurélie tripe sur l'espace. Et elle m'a acheté un collier serti d'un météorite.

Étrangement, ce qui me réjouit le plus de ce cadeau, et donc de cette histoire, est de découvrir que ma mère ne souffre pas d'Alzheimer précoce. Car si elle se souvient de ces microanecdotes, c'est signe que son cerveau est doté de la capacité de mémorisation. Donc, génétiquement, je ne serais pas désavantagée par la nature dans ce domaine.

Ce collier est donc un cadeau qui me rappelle que ma génétique est peut-être plus forte que je le croyais. Ce qui, je l'avoue, est assez rassurant.

23 h 37

Je regarde Sybil qui saute dans le papier d'emballage par terre comme si c'était une proie à chasser. Elle est tellement drôle ! Elle prend un élan et saute dans un tas de papier, puis elle glisse en ayant l'air de se demander ce qui lui arrive. Je ris toute seule en la regardant.

Bon. J'ai peut-être un peu exagéré. Je ne déteste pas Noël *tant que ça*. C'est même assez cool.

Mardi 25 décembre

On s'est couchés tard. Très tard.

Avant d'aller au lit, ma mère est venue me voir dans ma chambre. J'étais en train de faire des recherches sur les météorites sur mon ordi. Elle m'a invitée à m'asseoir sur mon lit et je m'y suis assise en Indien. Elle s'est assise près de moi et m'a dit:

— Ton frère ou ta sœur va avoir des gros souliers à chausser parce que t'es dure à battre comme enfant. Il va en fait falloir que je ne compare pas trop parce que ce sera trop de pression pour lui. Tu as toujours été tellement... je ne sais pas comment dire ça... parfaite.

Moi: Moi? Parfaite?

Ma mère: Oui, parfaite... Quand tu étais bébé, tu étais gentille, calme, tu souriais à tout le monde. Tu ne pleurais jamais. Ou presque. Tu faisais des blagues même à six mois! Tu avais remarqué qu'on riait quand tu faisais des niaiseries avec tes mains ou des grimaces, alors tu en faisais toujours. Tu étais toute douce. Tu me caressais la main avec tes petits doigts. (Elle me prend la main.) Je voulais te dire... Ça ne doit pas être facile de voir ta mère enceinte... Je le sais. Et moi, je ne sais pas quoi te dire. Je me sens nulle comme mère, des fois.

Moi: Je me sens nulle comme fille, des fois.

Ma mère: Voyons donc! Je ne veux jamais que tu penses ça, OK?

On ne dit rien. Je n'ose pas regarder la photo de mon père, de peur qu'elle me voie et qu'elle ait de la peine.

Ma mère regarde par terre, puis lève les yeux vers moi:

— J'ai l'impression de trahir ton père. Depuis que j'ai appris que j'étais enceinte...

Son aveu me donne un coup au cœur.

Ma mère (qui continue): C'est plus fort que moi, j'ai l'impression de l'avoir trahi. De t'avoir trahie, toi aussi...

Elle a le cou tout rouge, les larmes aux yeux, elle respire mal.

Moi : Tu ne devrais pas te mettre dans un état comme ça, ce n'est pas bon pour ton bébé...

Ma mère me regarde. Je sais qu'elle attend quelque chose de moi. Mais je ne sais pas vraiment quoi dire.

Moi : Maman, je ne sais pas quoi dire...

Je suis étouffée par tous les mots qui se bousculent dans ma gorge et je ne sais pas lequel choisir. Elle me regarde. Difficilement, j'arrive à prononcer :

— J'ai l'impression qu'en plus de faire le deuil de mon père, je dois faire le deuil de ma famille. Et que je serai un peu comme une intruse dans une nouvelle famille. Mais je le sais que ce n'est pas ça. Je le comprends dans ma tête. Mais... ici (je touche mon cœur), je ne comprends pas.

Ma mère : Je m'excuse tellement, ma belle. Tellement... C'est tellement pas ça.

Elle me serre dans ses bras. Je me dégage et je dis :

— En tout cas, tu peux ben me faire des sermons sur le fait que j'invite des gars dans ma chambre et sur l'importance de se « protéger », etc. Tu n'es pas ben ben responsable !

Ma mère rit et dit :

— Mais c'est un phénomène naturel, non ?

Elle me fait un clin d'œil et je ris.

Moi : Je pense que j'ai peur de te perdre.

Ma mère : Tu ne me perdras jamais. Je te le promets.

Moi : OK...

Ma mère : Pis je vais avoir besoin de toi.

Moi : Ah oui ? Pas comme un genre d'esclave pour faire ton ménage, j'espère ? Parce que je peux t'aider à ben des affaires, mais t'sais, le ménage, c'est pas mon fort.

Ma mère éclate de rire.

— Ben oui, un peu pour le ménage, mais aussi moralement. Parce que t'es ma fille et que je n'y arriverai pas sans toi.

Moi : Je vais faire de mon mieux.

Ma mère : Pis si t'as besoin de me parler de ce que tu ressens par rapport à tout ça, je suis capable d'en prendre, t'sais, hésite pas.

Moi : OK, ben... je vais essayer de dire quelque chose. De pas facile. J'ai l'impression que si je deviens contente pour toi, que si j'aime François, c'est comme si je laissais tomber mon père, ou l'idée de mon père, comme si je voulais l'oublier. Je ne sais pas si tu comprends, ce n'est pas vraiment clair...

Mère : Je comprends... Pour moi aussi, c'est un peu ça. C'est dur de savoir comment agir dans ce genre de situation-là... On n'a pas eu de manuel d'instructions pour savoir comment réagir à ce qu'on a vécu. Mais toi et moi, on sera toujours là pour se le rappeler. On sera toujours là pour savoir ce qu'on a vécu. Et pour s'entraider là-dedans. Va à ton rythme. Je te comprends. Et François aussi comprend.

On regarde en même temps la photo de mon père.

Moi : Vas-tu l'oublier ?

Ma mère : Jamais. Tu te souviens, la phrase que ton père répétait tout le temps...

Moi : Que la vie ne fait que des cadeaux, sauf que des fois ils sont emballés dans des gants de boxe ?

Ma mère : Oui... Je ne te l'ai jamais dit, mais après la mort de ton père, je me suis souvent demandé pourquoi je l'avais rencontré, pourquoi je n'étais pas plutôt tombée sur quelqu'un qui n'avait pas le destin de mourir si tôt, pour ne jamais avoir à vivre toute cette tristesse. Chaque fois, la seule chose qui m'aidait à chasser ces pensées était l'idée que si je ne l'avais jamais rencontré, je ne t'aurais jamais eue, toi. Et je ne peux imaginer ma vie sans toi.

Moi : Oh... Maman...

Je la serre dans mes bras.

On a les larmes aux yeux. On ne dit rien.

Après un instant, je touche son ventre et je dis :

— Penses-tu que ça va être une fille ou un gars ?

Ma mère : Je ne le sais pas. Un gars, peut-être ? Ça ferait différent. Toi ?

Moi : Si c'est une fille, j'espère qu'on ne sera pas comme Kat et Julyanne.

Ma mère reste un moment silencieuse et me dit :

— Loulou et moi, quand on était jeunes, on s'engueulait tout le temps.

Moi : C'est vrai ?

Ma mère : Oui. On s'est même déjà couru après avec des couteaux à pain ! Hahahaha !

Moi : Ça, c'est niaiseux !

Ma mère : Maintenant, c'est ma meilleure amie.

Je souris.

Ma mère : Tu l'aimes, ton collier ?

Moi : Oui. Merci. T'es cool d'avoir pensé à ça. Joyeux Noël, maman.

Ma mère : Joyeux Noël, ma belle.

2 h 34

Les météroïdes sont de fines particules de la taille d'un grain de sable, débris des comètes qui gravitent autour du soleil sur des orbites elliptiques. Lorsqu'un météroïde entre dans l'atmosphère, il se vaporise, et le phénomène lumineux qu'il engendre est un météore. Lorsque le météroïde est assez gros pour traverser l'atmosphère et heurter le sol, c'est un météorite.

C'est ce que j'ai trouvé comme information sur Internet.

Et j'en ai un dans le cou. Il a gravité autour du soleil, il a traversé l'atmosphère, il a engendré un phénomène lumineux et a heurté le sol de la Terre. Et il est encore là. Tout petit, dans l'immensité de l'univers. Mais toujours là.

Jeudi 27 décembre

18 h 12

À : Aurélie Laflamme
De : Janik Tremblay
Objet : Stage

Salut, nouvelle stagiaire !

Désolée de ne pas t'avoir donné de nouvelles avant, nous étions dans un *rush* pas possible. C'est ce qui se passe pendant les fêtes !

Tu veux toujours faire un stage avec nous ?

Nous avons quelques dates à te proposer. En février ? Ou peut-être pendant la semaine de relâche ? Reviens-nous pour nous dire ce qui te convient le mieux.

À bientôt,

Janik

Vendredi 28 décembre

Miss Magazine

TEST
ES-TU UNE *DRAMA QUEEN* ?

Es-tu du genre à prendre les choses avec calme et philosophie, ou, au contraire, à faire des montagnes avec des riens ? Fais le test pour le savoir !

1. TU OBTIENS UNE TRÈS MAUVAISE NOTE DANS UN EXPOSÉ ORAL. EN PARLES-TU À TON PROFESSEUR ?

a) Une mauvaise note en exposé oral ? Impossible ! À moins que le prof soit vraiment dans les patates. Et dans ce cas, il aura des nouvelles de tes parents.

b) Oui, pour lui demander comment tu peux t'améliorer la prochaine fois.
c) Non, car tu considères avoir obtenu une note dans ta moyenne.

2. TA MEILLEURE AMIE T'ANNONCE QU'ELLE PASSERA L'ÉTÉ CHEZ UNE COUSINE DANS UNE AUTRE VILLE. QUE LUI RÉPONDS-TU ?

a) « TU NE PEUX PAS ME LAISSER SEULE ICI ! C'EST HORS DE QUESTION ! »
b) « Ah, merde ! Ç'aurait été cool qu'on passe l'été ensemble. Si jamais il y a de la place pour moi là-bas, fais-moi signe. »
c) « Cool. Bon été. »

3. TA MÈRE T'A PRÊTÉ UN BIJOU PRÉCIEUX ET TU RÉALISES QUE TU L'AS PERDU. TU N'AS AUCUNE IDÉE OÙ. QUE FAIS-TU ?

a) Tu pleures toutes les larmes de ton corps. Y a-t-il autre chose à faire ?
b) Tu lances un appel à tous sur Internet et tu offres une récompense à celui qui le retrouvera.
c) Tu te dis que ce sont des choses qui arrivent et qu'après tout ce n'est que du matériel.

4. TU VOIS TON CHUM PARLER À UNE SUPER BELLE FILLE. QUE CROIS-TU QU'IL LUI DIT ?

a) Tu ne le sais pas, mais tu le sauras bien assez tôt puisque tu les espionnes depuis au moins cinq minutes !
b) Puisqu'elle est dans son cours de maths, il lui parle sûrement d'un travail qu'ils ont à faire, mais tu vas quand même lui poser la question pour en être certaine.
c) Peu importe, c'est un pays libre.

5. AU RESTAURANT, QUELLE EST TA FAÇON DE COMMANDER ?

a) Tu demandes quelques petits changements aux plats ici et là, simplement parce qu'ils n'ont pas le tour de construire leur menu. De toute façon, si ce n'est pas à ton goût, tu retournes le plat ou tu demandes un rabais.

b) Tu essaies toujours de goûter à de nouvelles choses.

c) Tu commandes le deuxième choix de la personne avec qui tu te trouves pour pouvoir échanger si elle n'est pas satisfaite de son plat.

6. TU VAS CHEZ LE COIFFEUR EN LUI DEMANDANT DE TE FAIRE LA MÊME COUPE QUE BLAIR DANS *GOSSIP GIRL*. IL TE RÉPOND QU'IL NE CONNAÎT PAS CETTE SÉRIE.

a) Tu quittes le salon de coiffure sur-le-champ. Aucun coiffeur qui ne connaît pas *Gossip Girl* ne touchera à tes cheveux.

b) Tu lui demandes s'il a une connexion Internet et tu navigues pour lui montrer des photos.

c) Tu lui décris brièvement la coiffure que tu veux. De toute façon, ça ne peut jamais être tout à fait pareil.

7. TON COPAIN DES SIX DERNIERS MOIS ROMPT AVEC TOI. QUE LUI DIS-TU ?

a) « Tu es nul et je ne t'ai jamais aimé ! »

b) « J'espère qu'on sera de bons amis éventuellement. »

c) « OK. Peu importe. »

8. POUR TON ANNIVERSAIRE, TES PARENTS TE CONCOCTENT UN GÂTEAU À LA VANILLE ALORS QUE TU EN AURAIS PRÉFÉRÉ UN AU CHOCOLAT. EN MANGES-TU QUAND MÊME ?

a) Qui aurait l'idée de choisir de la vanille plutôt que du chocolat ? Quelle idée ? Impossible ! Tu ne fréquentes pas ce genre de personnes.

b) Oui, et peut-être même que la vanille deviendra ta nouvelle saveur préférée.

c) Pourquoi pas ? Un gâteau est un gâteau, ils goûtent tous la même chose.

9. EN FAISANT DU JOGGING, TU TE BLESSES LA CHEVILLE. COMMENT DEMANDES-TU DE L'AIDE ?

a) En criant : « Au secouuuuuuuuuuuuuuurs ! Je vais mourir ! ! ! ! ! ! ! Au feu ! ! ! ! ! ! ! ! ! ! ! »

b) Tu prends ton cellulaire et appelles tes parents.

c) Tu ne te blesseras pas, car tu ne jogges pas.

10. TON ÉMISSION PRÉFÉRÉE EST ANNULÉE À CAUSE DE LA DIFFUSION SPÉCIALE DES JEUX OLYMPIQUES. COMMENT RÉAGIS-TU ?

a) Tu écris un courriel de plainte à la station sur-le-champ.

b) Tu regardes les Jeux et découvres que c'est mieux que ce que tu pensais.

c) Tu restes assise un bon moment devant la télévision en espérant que la diffusion de ton émission soit simplement retardée.

11. TU ES DANS UN PARTY ET TU VOUDRAIS MANGER DES CHIPS, MAIS IL N'EN RESTE PLUS DANS LE BOL. QUE FAIS-TU ?

a) Tu t'exclames : « Mais pourquoi ça m'arrive toujours à moiiiiiiiii ? »

b) Tu regardes chaque personne pour trouver qui a des graines de chips sur le bord de la bouche.

c) Tu vas en acheter d'autres.

UNE MAJORITÉ DE A

DRAMA QUEEN

Il n'y a pas de doute, sans aucune commune mesure, tu es la reine du drame ! Tu as tendance à réagir très fortement à toutes les situations. Tes émotions peuvent passer d'un extrême à l'autre en quelques minutes. Cette particularité fait de toi quelqu'un d'original, de coloré, avec qui on aime partager des moments, car ils sont toujours remplis de surprises. Tu es également quelqu'un qui n'a pas peur d'exprimer son opinion et de livrer des batailles. Car lorsque tu t'insurges contre quelque chose, tout le monde le sait. En ce sens, tu as des qualités de leader et de militante. Par contre, tu as peut-être un peu trop tendance à vouloir être le centre de l'attention. Apprends à être à l'écoute des autres qui, même s'ils sont différents de toi, ont beaucoup à t'apporter. Aussi, essaie de choisir tes batailles. Tu ne peux pas mettre la même énergie sur le sort de la planète que sur une égratignure sur ton casier.

UNE MAJORITÉ DE B
DRAMA PRINCESSE

Tu as tes moments de drame, mais tu essaies toujours de passer par-dessus, quoi qu'il arrive. On pourrait t'accuser parfois d'exagérer certaines choses, mais ça ne te rend que plus attachante. Émotivement, tu te sens toujours entre deux feux. Tu aurais envie d'exploser comme la *drama queen*, ou de carrément t'en balancer, comme la *drama téflon*. À défaut de savoir quelle attitude adopter, tu décides de t'adapter à la situation et d'essayer d'en tirer parti. C'est une grande qualité, mais tu devrais quand même te permettre de vivre tes émotions sans croire que ce sera lourd pour les autres. Ne te sens pas coupable d'avoir des moments de faiblesse. Ils font partie de la vie. Ce sont les moins beaux moments qui nous font apprécier les plus réjouissants.

✱ **UNE MAJORITÉ DE C**
DRAMA TÉFLON

Une question se pose ici. Es-tu dans un profond coma ? As-tu un revêtement anti-adhésif sur le cœur ? Il semble que tout coule sur toi comme sur le dos d'un canard. Rien ne t'affecte, rien ne te dérange. Est-ce parce que tu n'as pas d'opinion, ou est-ce une facette que tu as développée pour ne pas avoir à dire ce que tu penses ? L'avantage de ne jamais s'exprimer est que tu évites généralement les conflits. Les gens apprécient ta présence, car ils ne sont jamais contredits. Tu es donc entourée de gens qui pourraient se montrer susceptibles si jamais tu exprimais un jour une opinion différente de la leur. Peut-être pourrais-tu commencer tranquillement à t'exprimer. Quels sont tes goûts ? Quelle activité aimes-tu faire dans tes temps libres ? Tu ne peux pas toujours te fier aux autres. Il faudra un jour que tu fasses les choses par toi-même. Mais avant tout, tu dois savoir qui tu es pour savoir ce que tu aimes. Si tu t'adaptes toujours aux autres, à un moment donné, tu vas étouffer, et les émotions que tu auras enfouies depuis plusieurs années pourraient faire beaucoup de ravages. Par contre, même si tu apprends à t'exprimer ouvertement, conserve toujours ta capacité à dédramatiser les situations. Cette qualité te servira beaucoup dans la vie. Puisque le stress ne semble pas t'atteindre, tu pourras accomplir de grandes choses !

Confession : J'ai menti dans toutes mes réponses. J'ai répondu ce que je voudrais être plutôt que ce que je suis. Mais finalement, même ce que je *voudrais* être n'est pas si hot.

Note à moi-même : A-t-on atteint le paroxysme du pathétisme quand on ment dans un test de personnalité de magazine ?

Note à moi-même nº 2 : Le premier stade du pathétisme étant de *faire* les tests du magazine, bien sûr.

Note à moi-même nº 3 : Je serais donc pathétique depuis que j'ai dix ans.

Note à moi-même nº 4 : J'ai le droit de faire des tests si je veux ! Franchement ! C'est quoi cette voix intérieure qui me juge ?

Note à moi-même nº 5 : Je suis *peut-être* un peu *drama queen...*

Note à moi-même nº 6 (suprême) : JE VAIS FAIRE UN STAGE AU *MISS MAGAZINE*!!!!!!!!!!!!!!!

Note à moi-même nº 7 : Arrêter de sauter partout comme je le fais depuis hier chaque fois que je relis le courriel de Janik Tremblay. Raison : Je commence à avoir mal aux jambes.

Lundi 31 décembre

Kat m'a invitée à son party du jour de l'An. Toute sa famille est là. Tantes, cousins, grands-parents, tout le monde. Lady va voir chaque invité avec une balle dans la gueule en espérant que quelqu'un va la lui lancer. Elle essaie également de voler de la bouffe, ce qui semble exaspérer au plus haut point la mère de Kat qui menace à tout moment la chienne de lui faire passer la soirée dehors. Lady répond chaque fois par un regard craquant à faire fondre même madame Demers qui finit par lui donner quelque chose à manger.

Ma mère et François sont restés à la maison pour regarder les émissions de fin d'année en amoureux, même si les parents de Kat les ont invités. On s'est dit qu'on gardait nos cellulaires allumés pour s'appeler à minuit.

Emmerick est là. Ainsi que JF. Ne manque que Tommy... ce que mes amis n'hésitent pas à me faire remarquer.

Moi : Reviens-en, Kat, tu ne l'as jamais supporté, Tommy. Maintenant, je suis de ton bord. Chaque fois que ça s'est terminé avec Nicolas...

Kat : Ben, deux fois.

Moi : C'est ben assez ! Chaque fois, c'était à cause de lui ! Pis il est con ! Et baveux ! Et il m'énerve avec ses cheveux !

JF : Ses cheveux ?

Moi : Oui.

Kat : Qu'est-ce qu'ils ont, ses cheveux ?

Moi : Ils m'énervent, c'est ben assez !

Kat : Il a une belle coupe, je trouve. Pas longs, pas trop courts non plus...

Moi : C'est ça, défends-le donc ! J'aurais dû t'écouter et on aurait dû le bannir dès le début !

Kat : Oh.

Moi : Quoi ?

Kat : T'es en amour avec Tommy, on dirait.

Moi : QUOI ?????? RAPPORT ??????

Kat : Tu fais la même chose qu'avec Nicolas au début.

Moi : Je ne suis VRAIMENT pas en amour avec lui.

Kat : Ben oui ! Tu veux toujours être avec lui ! C'est le premier que tu appelles quand t'as quelque chose !

Moi : Ben non ! Tommy, c'est mon ami, c'est tout. C'ÉTAIT mon ami, je veux dire. Je le trouvais super cool, je l'admirais pour son talent en musique. Mais c'est tout ! Je t'appelle, toi aussi ! Pis je t'admire, toi aussi, mais je ne sortirais jamais avec toi !

Kat : Pourquoi ? Je suis super hot, tu sauras !

Kat me saute dessus et fait semblant de vouloir m'embrasser. Je la repousse en riant.

Kat : OK, OK, fâche-toi pas... Mais... j'ai quelque chose à te dire.

JF : Hé ! On a promis à Tommy de ne pas lui dire.

Kat : C'est ma meilleure amie, je ne peux pas lui cacher ça.

Moi : Qu'est-ce qu'il y a ?

Kat se tourne vers JF et l'implore du regard.

JF : Hmm, fais ce que tu veux !

Kat : Tommy est venu me voir et il m'a demandé ce que t'avais pis... je lui ai dit, pour Nicolas, ce qu'il t'a demandé de faire, le choix, blabla, pis tout.

Moi : Non...

Kat : Pis il m'a dit qu'il retournerait chez lui. Chez sa mère.

Moi : Ben c'est correct, ça, sa mère aime ça qu'il soit avec elle à Noël.

Kat : Pas juste pour le temps des fêtes. Pour toujours. Il veut finir son année là-bas.

Moi : Ben, c'est vraiment un mauvais plan ! Franchement, pour une moitié d'année, la fin du secondaire en plus. Ça prouve qu'il est con !

Kat : Il m'a dit qu'il ne voulait pas te gâcher la vie. Il était vraiment triste que Nicolas t'ait demandé de choisir entre les deux. Il n'en revenait pas que tu l'aies choisi...

Moi : Ben, c'était comme évident...

Kat : Il a dit que retourner chez sa mère était ce qu'il avait de mieux à faire.

Moi : Oh non...

Soudain, on entend les adultes autour de nous commencer le décompte de la nouvelle année. Et à chaque chiffre prononcé, je me sens m'enfoncer de plus en plus profondément dans le sol.

Neuf... huit... sept... six... cinq... quatre... trois... deux... un...

Janvier

Évidence

Mardi 1er janvier

BONNE ANNÉÉÉÉÉÉÉÉÉÉÉÉÉE!!!!!!!!!!!!!

Trompettes. Serpentins. Confettis.

Et moi, avec un air complètement ahuri, qui embrasse les gens qui viennent me faire la bise sans trop réaliser ce qui se passe.

On entend la chanson *Ce n'est qu'un au revoir*. Je ne sais pas d'où elle vient. De la radio? De la télé?

Mon téléphone sonne. C'est ma mère et François. On se souhaite la bonne année et on se présente tous les vœux d'usage. « Santé, bonheur, succès dans les études, bonne chance avec le bébé, etc. »

Puis, mes grands-parents Charbonneau m'appellent. Re-vœux.

Ma grand-mère Laflamme m'appelle ensuite. Plein de vœux suivis de nombreux mots d'amour. Elle me dit qu'elle observe, par sa fenêtre, les gens de son village qui sortent de l'église et me raconte plein de potins sur eux.

Je ne l'écoute que d'une oreille. Je regarde autour de moi et je me pose réellement des questions sur la tradition du jour de l'An. Les gens semblent tellement contents que l'année soit finie. Je crois que je n'ai jamais compris pourquoi c'était une fête si importante pour tout le monde, au point de la célébrer avec du champagne, des trompettes et tout ça. C'est quoi le rapport, exactement ? On fait juste changer de date. On se rapproche davantage de la fin du monde, à la limite. C'est vrai, avec toutes les catastrophes naturelles, la pollution et tout... Alors, qu'est-ce qu'il y a de si réjouissant là-dedans ? Je ne comprends pas. Est-ce qu'il faut être si content que l'année soit terminée ? Est-ce qu'ils ont tant d'espoir que la nouvelle année sera meilleure ?

Kat me souffle dans les oreilles avec une flûte-serpentin, m'attrape par les épaules et dit :

— Cette année, c'est notre année ! C'est notre bal et après, notre vraie vie commence ! On peut faire ce qu'on veut, étudier dans ce qu'on veut. Enfin, le secondaire est fini !

Moi (essayant de feindre l'enthousiasme) : Ouais... Cool !

Kat : Je sens que c'est une ère nouvelle qui commence.

Moi : T'as raison !

Kat : Appelle-le donc.

Moi : Qui ? Nicolas ?

Kat : Non, lui, appelle-le vraiment pas. Je veux dire Tommy.

Moi : Il doit me haïr.

Kat : Est bonne, celle-là.

Mercredi 2 janvier

Ma mère voulait passer un temps des fêtes relax, mais c'est raté ! Il me semble que, depuis

Noël, on n'a pas arrêté ! Chalet des parents de François, cuisine, ménage, magasinage de trucs pour bébé, grands-parents, famille, plein air et, hier, nous sommes allés au cinéma, car François dit que les films qui se retrouvent souvent en nomination aux Oscars sont ceux qui sortent pendant les fêtes. Il en a vu quatre, je me suis tannée après deux (trop fatiguée de mon party de la veille), ma mère, après trois.

Et aujourd'hui, nous sommes en train de jouer à des jeux de société à la maison.

Enfin on relaxe !

Je ne gagne aucune partie, car je suis un peu dans la lune. Ça m'arrive souvent quand j'essaie de ne penser à rien, on dirait que je pense à tout. Et que tout se mélange dans ma tête.

J'avoue que, présentement, ce qui me trouble est un courriel de bonne année que j'ai reçu de Nicolas. Rien de vraiment extravagant, une carte de vœux envoyée à une quinzaine de personnes. Et j'étais dans le lot. J'avais commencé à obséder sur la question « devrais-je répondre ? », mais j'ai vite réglé le problème : je ne répondrai que s'il m'envoie quelque chose de personnalisé. Je me suis aussi demandé si c'était pour lui une façon détournée d'essayer de faire la paix, pour qu'on puisse éventuellement devenir amis. J'ai également bloqué ces pensées.

Malgré tout, en essayant de ne pas y penser, j'y pense constamment. Argh.

21 h 08

Tout est calme présentement dans ma maison. Il neige, et on n'entend que le ronronnement du réfrigérateur ainsi que François qui brasse les dés. Une image d'une vie parallèle que j'aurais pu avoir se transpose sur celle que je suis en train de vivre. Et j'imagine la même journée, avec mon père.

Quand ça m'arrive, je chasse ces pensées et me demande à quoi sert la vie si on peut sortir un matin, tout comme lui, et mourir d'une embolie pulmonaire alors qu'on est en bonne santé, qu'on se rendait au travail et que tout allait relativement bien.

Je me demande si j'ai développé la peur d'être heureuse puisque chaque fois que je le suis, j'ai l'impression que tout m'échappe. Que rien n'est acquis. Et que tout peut s'envoler si facilement.

Je suis un peu déprimée, je pense.

Ça doit être la température. Ou la fatigue du temps des fêtes.

François m'extirpe de mes pensées en me lançant en riant:

— Tu es tannée de perdre contre moi, hein? Héhé! Je suis le meilleur!

Ce qui fait également rire ma mère.

Je me demande si le fait qu'ils pensent que mon humeur ne tient qu'à une victoire au jeu démontre la piètre estime qu'ils ont de moi ou simplement leur méconnaissance des divagations possibles et *drama queenesques* de mon cerveau. Je me dis qu'ils ne peuvent imaginer qu'au lieu d'être concentrée sur la partie, je suis aux prises avec ce questionnement existentiel perpétuel: « À quoi ça sert, la vie? »

Mais en voyant François jeter des regards brillants à ma mère qui rit et qui se flatte la bedaine, on dirait que j'entends une voix, en moi, qui me souffle cette réponse : « À ça. »

Jeudi 3 janvier

En me levant, j'ai été tentée d'écrire à la seule personne à qui je souhaite vraiment parler pour la nouvelle année. À la seule personne qui me manque réellement. Encore dans les vapes, je lui ai donc écrit. Rien de larmoyant. Juste un petit mot pour qu'il comprenne qu'il me manque.

13 h 14

À : Tommy Durocher
De : Aurélie Laflamme
Objet : L'ère de glace

Salut, mon ennemi juré !

Bonne année !!! (Il faut souhaiter du bon même à nos ennemis.)

On pourrait aller au cinéma si t'étais en ville.

(On prendrait le même autobus, mais on ne s'assoirait pas ensemble dans la salle, si tu veux.)

Pas de bisou (ou juste un, mais vraiment pas senti, juste par politesse).

Aurélie (signature froide)

13 h 16

À : Aurélie Laflamme
De : Tommy Durocher
Objet : Re : L'ère de glace

Dans ces conditions... ce serait OK.

Et j'apporterais un sac de plastique, car si on achetait des nachos, on pourrait en mettre la moitié dans ce sac pour partager. Ce serait plus pratique que de les mettre dans nos poches, surtout avec le fromage fondu.

Aussi, si on voulait partager une boisson, il faudrait apporter deux très longues pailles.

Tommy (tiède)

13 h 26

À : Tommy Durocher
De : Aurélie Laflamme
Objet : Re : Re : L'ère de glace

Très bonne idée. Il faudrait également apporter des bouchons pour s'assurer de ne pas entendre les éclats de rire de l'autre, ce qui pourrait être franchement agaçant.

Aurélie (bruit de glace qui craque)

13 h 34

À : Aurélie Laflamme
De : Tommy Durocher
Objet : Re : Re : Re : L'ère de glace

Des bouchons, c'est une idée, mais il y a aussi des minicubicules de plexiglas portatifs avec de petits trous pour respirer qu'on pourrait se mettre sur la tête. C'est sûr que ça bloquerait les éclats désagréables de l'autre. (Ça bloquerait aussi le son du film... mais y faut c'qu'y faut.)

Tommy :-# (en langage Internet, ce signe veut dire face de bœuf)

13 h 41

À : Tommy Durocher
De : Aurélie Laflamme
Objet : Re : Re : Re : Re : L'ère de glace

Je viens de t'appeler sur ton cell, ça ne fonctionne pas.

13 h 43

À : Aurélie Laflamme
De : Tommy Durocher
Objet : Re : Re : Re : Re : Re : L'ère de glace

T'as appelé ? Pourquoi, il y avait une araignée ? Tu sais que c'est un peu long, cinq heures de route, pour aller tuer des araignées...

13 h 47

À : Tommy Durocher
De : Aurélie Laflamme
Objet : Re : Re : Re : Re : Re : Re : L'ère de glace

Je me sentais seule, je pense. Sans toi, je veux dire. Je m'ennuie de toi. Mon ami.

Tommy... Je m'excuse pour ce que je t'ai dit. Kat m'a fait part de ton idée. C'est la pire idée du monde ! Tu ne peux pas changer d'école en plein milieu de l'année et retourner là-bas ! On ne peut pas rester en chicane ! Et aller dans un bal différent ! Change d'idée, s'il te plaît...

Laf

xx

Vendredi 4 janvier

Je suis dans l'autobus, en direction de chez Tommy.

Sa réponse à mon dernier courriel : « T'es pas *game* de venir me chercher. » Tsss, il me connaît mal !

Je vais aller le chercher. Et le convaincre de revenir.

Je suis arrivée super tôt au terminus, selon les recommandations de François, qui m'a dit qu'étant donné cette période achalandée l'autobus serait sûrement plein. C'est lui qui est venu me reconduire. En route, on a entendu une chanson qu'on aime tous les deux à la radio et nous avons monté le volume très fort en chantant (très mal) ensemble. Puis, quand je suis sortie de la voiture, il m'a dit, juste avant que je ferme la porte :

— J't'aime ben, t'sais.

Et j'ai lancé à la blague, un peu mal à l'aise :

— Argghhh ! Je m'en vais juste pour deux jours. Pas pour la vie !

Il a souri. J'ai fermé la porte.

9 h 02

Je me dirige vers l'entrée. Je m'achète un billet. Je fais la file. J'attends. L'autobus arrive. Je trouve une place vers le fond, pas trop loin des toilettes, près de la fenêtre. Je m'installe.

9 h 58

Au moment où l'autobus va partir, un homme arrive avec son fils de huit ans et me demande de changer de place pour qu'ils puissent s'asseoir ensemble.

Bon. J'ai attendu pendant une heure debout en file. J'ai la place que je veux dans l'autobus. Et je dois changer de place parce que ce monsieur arrive en retard et qu'il veut être assis à côté de son fils ?

Pfff. Vraiment injuste des fois.

Je change de place sans enthousiasme et je me retrouve assise sur le siège de l'allée, à côté d'un gars dans la vingtaine qui écoute de la musique.

Je tente de contenir une colère très vive qui monte en moi.

10 h 01

Pour tenter de retrouver ma zénitude après cet événement, je sors un calepin de notes pour dessiner des têtes de mort.

Ça me défoule.

14 h 21

Je viens de voir le panneau annonçant la ville où habite la mère de Tommy. Il ne reste que vingt kilomètres à parcourir, alors je pense que j'arriverai dans quelques minutes. (C'est peut-être cinq heures de route en auto, mais en autobus, dans un siège sur le bord de l'allée, ça en paraît mille ! J'espère que Tommy ne doutera pas de mon amitié après ça.)

Le temps a passé très leeenteeeement.

J'ai dessiné des têtes de mort, j'ai lu, j'ai écouté de la musique.

Comme je n'ai plus rien à faire, je profite du temps qu'il me reste pour faire une liste de résolutions pour la nouvelle année.

Résolutions :

1) Faire plus d'exercice (un jour, je vais vraiment tenir cette résolution).

2) Trouver dans quel domaine je veux étudier après le secondaire (ça m'enlèverait un stress).

3) Continuer de faire des efforts à l'école (il m'en reste moins à faire que j'en ai de fait, c'est encourageant) et tenir le coup jusqu'à la fin.

4) Arrêter de dire que je suis un robot et d'agir comme tel (c'est franchement bébé).

5) Continuer de me convaincre du point numéro 4.

6) Tenter de ne pas faire d'humour noir dans mes résolutions.

7) Faire les résolutions que je veux si ça me tente. (Qui a dit qu'il y avait des règlements là-dedans ?)

8) Essayer de ne pas me contredire dans mes résolutions et/ou buts.

9) Résolution cachée, top-secrète, à ne montrer à personne : Me trouver un accompagnateur super hot pour mon bal.

10) Pendant l'année, me trouver une dixième résolution.

P.-S. : Je voulais écrire : « Rester zen quand des impolis vous volent votre place dans l'autobus », mais ça ne me tentait pas de me souvenir de cette anecdote alors je l'ai effacée.

14 h 32

Je lève la tête de mon cahier de notes en riant, car je me trouve malgré moi super drôle (ben quoi ? On se fait du fun comme on peut dans un voyage hyper long en autobus où on n'a même pas pu choisir sa place) et je regarde par la fenêtre. Le paysage est tout gris et laid.

Je suis presque arrivée chez Tommy. C'est la première fois que je vais visiter son coin. J'ai hâte. Il m'a dit qu'il me ferait découvrir plein d'endroits.

Ensuite, on recommence l'école.

Il va rester six mois avant le bal, six mois avant la fin de l'année. Six mois avant que je commence à étudier dans un domaine qui me plaira, même si je ne sais pas encore lequel.

L'autobus passe sous un viaduc et il y a toutes sortes de graffitis. Mon regard est attiré vers eux, car les couleurs détonnent avec le temps gris. Puis, je vois mon prénom, « Aurélie », en bleu très foncé. Et j'aperçois l'autre bout de la phrase qui va avec mon nom : « Je t'aime. »

« Je t'aime Aurélie. »

L'autobus poursuit son chemin et même si je me tourne pour continuer d'essayer de voir, en me penchant un peu vers mon voisin de route qui semble irrité par mon intrusion dans sa bulle, je ne vois plus le graffiti. Nous avons dépassé le viaduc. Je me replace sur mon siège.

Voir ce qui est écrit me fait ressentir quelque chose. Je ne sais pas pourquoi. Pourtant, cette Aurélie du graffiti n'est pas moi. Personne ne me connaît ici. Bien sûr, il y a Tommy, mais Tommy n'est pas amoureux de moi. Et s'il avait écrit quelque chose du genre, il aurait écrit « Laf » vu qu'il ne m'appelle jamais par mon prénom.

Je ne suis pas la seule Aurélie dans le monde. Pourtant, je le prends personnel. Comme si ce message m'était destiné. Comme un message cosmique.

Peut-être que j'ai une idée pour ma dixième résolution : ce serait d'arrêter de penser que, si les choses s'étaient passées autrement, ma vie serait différente. J'ai la vie que j'ai. Et si tout avait été différent, je ne serais pas la personne que je suis. Et je ne suis pas si pire que ça. Bon, je ne suis pas une rebelle. Je ne suis pas une bollée des mathématiques. Je ne suis pas quelqu'un qui va sauver le monde. Ni une championne d'échecs riche. Ni une adepte de parachutisme. Ni la blonde de Robert Pattinson. Ni quelqu'un qui souffre de démence précoce (du moins, pas encore diagnostiquée médicalement). Ni quelqu'un qui fait des choix facilement. Ni quelqu'un qui ne se laisse pas atteindre par les événements.

Je suis moi. Une fille avec un flot d'émotions parfois totalement incontrôlable.

Depuis quelques années, je m'efforce de contenir tout ce que je ressens. Mais j'ai l'impression que toutes les barrières de protection que j'avais placées autour de mon cœur tombent malgré moi.

J'avais pourtant pris la meilleure qualité en termes de barrières de protection. Celles à l'épreuve de tout et antitout.

C'est devenu un peu épuisant de tout contenir.

C'est bon de baisser sa garde. Si ça ne marche pas, on se relève, on recommence. Ma grand-mère a raison sur ce point.

Je prends mon téléphone cellulaire. J'écris :

Je t'aime, moi aussi.

Et je l'envoie à François.

Je sens une larme couler sur ma joue. Sans raison précise. Ou pour plein de raisons très précises. Peut-être parce que je n'ai plus de protection. Et qu'un mélange de tristesse/joie/peine/bonheur m'envahit.

Ressentir quelque chose me fait du bien.

Je me sens vivante.